비상 독해路

수능 국어 1등급

예비 고등~고등3

수능 개념을 바탕으로 실전 감각을 길러요

독서, 고난도 독서
기출 개념을 익히고 학습하는 수능 예상 문제집

독서 기본, 독서
기출로 실전 감각을 키우는 기출문제집

예비 중등~중등3

영역별 독해 전략을 바탕으로 독해력을 강화해요

 중등 독해

어휘편 1~3권
중등 전 과목 교과서 필수 어휘 학습

문학편 1~3권
감상 스킬을 단련하는 필수 작품 독해

초등3~예비 중등

본격적으로 학습 독해 실력을 쌓아요

비문학 시작편 1~2권
초등에서 처음 만나는 수능 독해의 기본

비문학 1~2권
초등 독해의 넥스트레벨 고급 독해

문학 1~3권
시험에 꼭 나오는 작품 독해

중등수능독해 「어휘편」 기획에 도움을 주신 선생님

김두환 국풍2000 국어학원	김윤범 효헌스마트국어논술학원	백지은 정음국어학원	최재하 해오름 국어학원
김민영 압구정 정보학원	김은영 혜윰국어논술학원	변다영 SNU학원	최지은 류연우논리수학 LS논리
김선희 김선희 국어	김재현 갈무리 국어학원	서주홍 서주홍 국어 학원	속독국어학원
김소희 한올국어학원	김현 내일의창 국어학원	성부경 이룸국어영어전문학원	한동희 한동희 국어학원
김석우 하제입시학원	문선희 쌤이콕학원	신승지 뿌리깊은학원	홍경란 홍쌤 에프엠 국어학원
김여송 라미학원	박미진 열정과 의지	이진협 마루학원	황지혜 갈무리 국어학원
김영숙 정명학원	박시현 정진학원	임대규 세일학원	

※ 선생님들의 재직처는 발간 시점을 기준으로 하였습니다. 변동 사항은 선생님의 요청이 있을 경우 재쇄 시 반영하겠습니다.

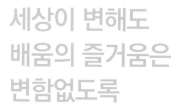

세상이 변해도
배움의 즐거움은
변함없도록

시대는 빠르게 변해도
배움의 즐거움은
변함없어야 하기에

어제의 비상은
남다른 교재부터
결이 다른 콘텐츠
전에 없던 교육 플랫폼까지

변함없는 혁신으로
교육 문화 환경의 새로운 전형을
실현해왔습니다.

비상은 오늘, 다시 한번
새로운 교육 문화 환경을 실현하기 위한
또 하나의 혁신을 시작합니다.

오늘의 내가 어제의 나를 초월하고
오늘의 교육이 어제의 교육을 초월하여
배움의 즐거움을 지속하는 혁신,

바로, 메타인지학습을.

상상을 실현하는 교육 문화 기업 비상

메타인지학습
초월을 뜻하는 meta와 생각을 뜻하는 인지가 결합된 메타인지는
자신이 알고 모르는 것을 스스로 구분하고 학습계획을 세우도록 하는
궁극의 학습 능력입니다. 비상의 메타인지학습은 메타인지를 키워주어
공부를 100% 내 것으로 만들도록 합니다.

중등

수능
독해

3

심화

중3 필수 어휘편

이 책의
어휘 구성

"중등 수능독해 어휘편"은 중등 교과서의 어휘, 문제의 난이도, 기출문제 등을 학생들의 수준에 맞게 단계별로 제시하였습니다.

"중등 수능독해 어휘편"을 처음 접하는 학생은 1권을, 어휘력 수준을 한 단계 올리고 싶은 학생은 2권을, 어휘력을 심화 수준까지 완성하고 싶은 학생은 3권을 선택하여 학습합니다.

중등 국어 교과서의 필수 어휘 수록

중학교 국어 교과서를 모두 분석하여 학생들이 꼭 알아야 할 개념어와 주제어를 정리하였습니다. 국어 교과서에서 선별한 필수 어휘들은 수능 국어 영역 문학의 바탕이 됩니다.

■ 개념어   교과서에 수록된 개념어를 구조적으로 제시하였습니다. 개념어란 추상적인 생각을 나타내는 말로, 개념어를 정확하게 알고 있어야 지식을 제대로 습득할 수 있고 문제 해결 능력을 기를 수 있습니다.

■ 주제어   국어 교과서에 수록된 필수 어휘들을 뽑아, 수능 문학 영역에서 자주 출제되는 주제들로 묶어 제시하였습니다. 의미의 연상을 통한 주제별 어휘 제시는 어휘 학습을 더욱 효율적으로 할 수 있도록 합니다.

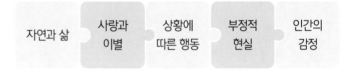

자연과 삶   사랑과 이별   상황에 따른 행동   부정적 현실   인간의 감정

▲ 문학 영역에서 자주 출제되는 주제

중1 필수 어휘 (예비 중1 ~ 중1)	• 중학교 1학년 주요 과목 교과서에서 핵심 개념어와 연관된 개념어를 선별하여 구성 • 중학교 1학년 주요 과목 교과서에서 선별한 핵심 어휘를 주제별로 재구성하여 제시
중2 필수 어휘 (중1 ~ 중2)	• 중학교 2학년 주요 과목 교과서에서 핵심 개념어와 연관된 개념어를 선별하여 구성 • 중학교 2학년 주요 과목 교과서에서 선별한 핵심 어휘를 주제별로 재구성하여 제시
중3 필수 어휘 (중3 ~ 예비 고1)	• 중학교 3학년 주요 과목 교과서에서 핵심 개념어와 연관된 개념어를 선별하여 구성 • 중학교 3학년 주요 과목 교과서에서 선별한 핵심 어휘를 주제별로 재구성하여 제시

중등 주요 과목 교과서의 필수 어휘 수록

사회, 역사, 도덕, 과학 등 중학교 주요 과목 교과서에서 학생들이 꼭
알아야 할 필수 어휘들을 선별하여, 수능 국어 영역 독서에 자주 출제
되는 주제에 따라 재구성하여 제시하였습니다.

인문	사회	과학	기술	예술
역사, 철학, 윤리, 심리, 사상	정치, 경제, 법률, 언론	지구 과학, 물리, 화학, 의학, 생물	전기, 전자, 의료, 에너지, 기계, 소재	음악, 미술, 영화, 영상, 공연, 건축

▲ 독서 영역에서 자주 출제되는 주제

책의 용어 알기

유	뜻이 비슷한 말인 '유의어'
반	뜻이 서로 정반대되는 관계에 있는 말인 '반의어'
속	예로부터 민간에 전하여 오는 쉬운 격언이나 잠언을 일컫는 '속담'
한	교훈이나 유래를 담고 있는 한자로 이루어진 말인 '한자 성어'
관	두 개 이상의 단어로 이루어져 특수한 의미를 나타내는 어구인 '관용 표현'
참	어휘의 의미를 이해하는 데 도움이 될 수 있는 어휘를 제시한 '참고 어휘'

이 책의 구성과 사용법

1. 전 과목 필수 어휘의 구조화

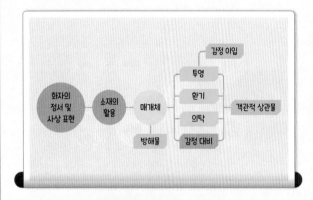

전 과목 필수 어휘를 구조화하여 학습!

- 주제별로 서로 연관이 있는 필수 어휘들을 구조화하여 익힘으로써 효율적인 어휘 학습이 가능합니다.

- 핵심 개념어와 연관된 개념어를, 필수 주제어와 연상되는 어휘를 도식화하여 어휘 간의 관계를 시각적으로 파악할 수 있습니다.

2. 단계별 문제로 어휘 학습

글을 제대로 읽기 위해서는 글을 구성하고 있는 어휘에 대한 지식이 필수적이야.

어휘력이 부족하면 글을 제대로 이해할 수 없어, 다양한 어휘 학습을 통해 어휘력을 쌓아 봐!

1단계 문맥으로 어휘 확인하기

'문맥으로 어휘 확인하기'에서는 어휘의 의미를 익히고, 문맥에서 해당 어휘가 어떻게 사용되는지 확인해 봅니다.

2단계 문제로 어휘 익히기

'문제로 어휘 익히기'에서는 1단계에서 익힌 어휘를 여러 가지 형태의 문제를 통해 재미있게 학습할 수 있습니다.

3 주제별로 익히는 특강

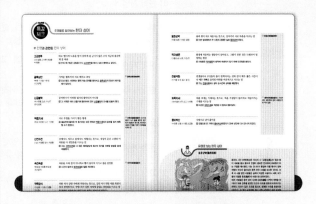

어휘력이 쌓이면 글을 읽는 속도도 빨라져서 독해력도 향상된단다!

어휘력을 키워 독해력을 완성해 보자!

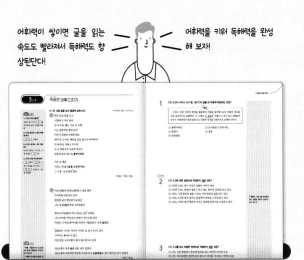

3단계 독해로 어휘 다지기

'독해로 어휘 다지기'에서는 1~2단계에서 익힌 어휘를 바탕으로 기출문제를 풀어 봄으로써 어휘력을 향상시키고 독해력을 완성할 수 있습니다.

주제별로 한자 성어, 속담, 관용 표현 습득!

어휘력을 확장시키는 데 꼭 필요한 한자 성어, 속담, 관용 표현을 주제별로 묶어 제시하였습니다. 각 표현을 이해하는 데 도움이 되는 예문, 유래, 어울리는 상황, 그림 등의 자료를 함께 제시하였습니다.

차례와 학습 계획

◎ 1일 1일차씩, 20일 학습을 계획하여 꾸준히 학습해 봅시다.

◎ 학습을 마친 후, 자기의 이해도에 따라 학습 점검 칸을 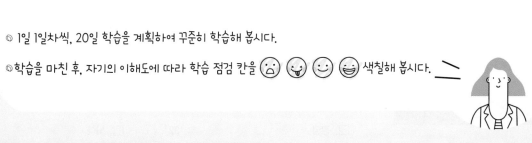 색칠해 봅시다.

본문 어휘 **찾아보기**

☑️ **알고 있는 어휘에 체크해 보세요! 모르는 어휘는 찾아보세요!**

특강 어휘 찾아보기

☑ 알고 있는 어휘에 체크해 보세요! 모르는 어휘는 찾아보세요!

01 문학 개념어

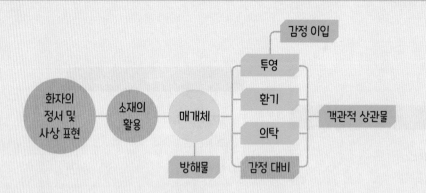

1단계 문맥으로 어휘 확인하기

매개체(중매媒 끼일介 몸體) 둘 사이에서 어떤 일을 맺어 주는 것 ⊕ 매개물

방해물(방해할妨 해로울害 만물物) 방해가 되는 사물이나 현상 ⊕ 장애물

투영(던질投 그림자影) ① 물체의 그림자를 어떤 물체 위에 비추는 일. 또는 그 비친 그림자 ② 어떤 일을 다른 일에 반영하여 나타냄을 비유적으로 이르는 말 ③ 도형이나 입체를 다른 평면에 옮기는 일. 혹은 그것에 의하여 평면에 생기는 도형 ④ 어떤 상황이나 자극에 대한 해석, 판단, 표현 따위에 심리 상태나 성격이 반영되는 일 ⊕ 투사

환기(부를喚 일어날起) 주의나 여론, 생각 따위를 불러일으키는 것

의탁(의지할依 부탁할託) 어떤 것에 몸이나 마음을 의지하여 맡기는 것

감정 이입(느낄感 뜻情 옮길移 들入) 자연의 풍경이나 예술 작품과 같은 다른 대상 속에 화자의 감정이나 정신을 불어넣어 대상이 그렇게 느끼고 생각하는 것처럼 표현하는 방법. 감정 이입은 화자의 감정과 감정 이입 대상의 감정이 일치함

객관적 상관물(손님客 볼觀 과녁的 서로相 빗장關 만물物) 시에서 화자의 정서와 사상을 간접적으로 드러내기 위해 동원되는 구체적인 사물, 정황, 사건을 이르는 말. 객관적 상관물은 감정 이입을 포함하는 상위 개념이며 화자와 감정이 일치할 수도 있고, 대비될 수도 있음

● **다음 빈칸에 들어갈 알맞은 단어를 위에서 찾아 문맥에 맞게 써 보자.**

(1) 시인은 화자와 임의 사이를 가로막는 ☐☐☐로 '구름'을 활용하고 있다.

(2) 어린아이 한 명을 ☐☐할 만한 곳이 마땅치 않은 현실에 절망을 느끼게 되었다.

(3) 이 시는 화자의 인식을 자연물에 투영하는 방법을 사용함으로써 시적 정서를 ☐☐하고 있다.

(4) 이 시의 화자는 할머니와의 추억이 담겨 있는 '항아리'라는 ☐☐☐를 통하여 유년 시절의 기억을 떠올리고 있다.

(5) 작가는 중심인물에게 당대의 독자들이 원하는 영웅상을 ☐☐하여 작품을 창작함으로써, 독자들의 바람을 가상에서나마 구현해 주기도 한다.

(6) 시의 표현 방법 중에서 ☐☐ ☐☐은 화자와 대상의 감정이 동일하지만, ☐☐☐☐ ☐☐☐은 화자와 대상의 감정이 동일할 수도 있고, 동일하지 않을 수도 있다.

2단계 문제로 어휘 익히기

1 다음 개념에 해당하는 설명을 찾아 바르게 연결해 보자.

(1) 매개체 •

• ㉠ 둘 사이에서 양편의 관계를 맺어 주는 것

(2) 감정 이입 •

• ㉡ 화자의 정서를 주관적으로 바로 드러내지 않고 다른 대상이나 정황에 빗대어 객관화하여 표현할 때, 그 대상물

(3) 객관적 상관물 •

• ㉢ 화자의 감정을 직접적으로 표현하지 않고 자연물과 같은 다른 소재에 투영하여, 대상이 화자의 정서를 함께 느끼는 것처럼 표현하는 것

2 다음 문장의 괄호 안에 들어갈 알맞은 단어를 골라 보자.

(1) 판소리에는 당대 서민들의 삶을 지배했던 세계관이 (연상 / 투영)되어 있다.

(2) 선생님께서는 주제에 대한 학생들의 경험을 (환기 / 환수)하기 위해 관련된 영상 자료를 보여 주셨다.

(3) 그녀가 유기 동물 임시 보호 봉사 활동에 계속 참여하기에는 너무나 (조력자 / 방해물)이/가 많아 결국 포기할 수밖에 없었다.

3 다음 단어에 대한 설명이 맞으면 ○, 틀리면 × 표시를 해 보자.

(1) '객관적 상관물'은 화자의 감정을 환기하는 매개체의 역할을 할 때도 있다. (○, ×)

(2) '객관적 상관물'은 감정 이입과 달리 화자가 처한 상황, 화자의 정서와 대비되는 대상이 객관적 상관물로 동원되기도 한다. (○, ×)

4 다음 글의 빈칸에 들어갈 알맞은 단어를 찾아보자.

우리 시가의 갈래 중 한시와 시조는 대체로 사물을 빌려서 작가의 정서를 표현하거나, 작가 자신의 직접적인 진술을 통해 시의 의미를 전달하고 있다. 특히 작품 속 화자의 눈앞에 펼쳐지는 자연의 경치를 노래하면서, 그 경치에 자신의 정서를 _____하여 시의 주제를 드러내는 방식은 전통적으로 많이 활용되고 있는 시의 표현 방식이다.

① 반감   ② 환기   ③ 의탁   ④ 절제   ⑤ 공감

02 현대시 주제어 _ 사람과 삶의 애환

1단계 문맥으로 어휘 확인하기

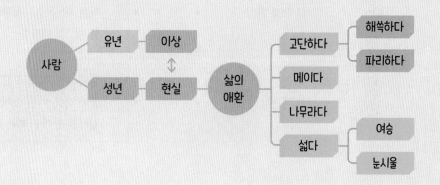

유년(어릴幼 해年) 어린 나이나 때. 또는 어린 나이의 아이 ⊕ 동년

고단하다 ① 몸이 지쳐서 몹시 기운이 없다. ② 일이 몹시 피곤할 정도로 힘들다. ③ 처지가 좋지 못해 몹시 힘들다.

해쓱하다 얼굴에 핏기나 생기가 없어 파르스름하다. ⊕ 창백하다, 핼쑥하다

파리하다 몸이 마르고 얼굴의 빛깔이나 살색이 핏기가 전혀 없다. ⊕ 초하다 ❀ 파리한 강아지 꽁지 치레하듯

메이다 어떤 책임을 지게 되거나 임무를 맡게 되다. '메다'의 피동사

나무라다 ① 상대방의 잘못이나 부족한 점을 꼬집어 말하다. ② 흠을 지적하여 말하다. ⊕ 칭찬하다

섧다 분하고 억울하여 슬픈 느낌이 마음에 차 있다. = 서럽다

여승(계집女 중僧) 여자 승려 ⊕ 승녀. 이승 ⊕ 남승 ❀ 승수좌('여승'을 놀림조로 이르는 말)

눈시울 눈언저리의 속눈썹이 난 곳 ⊕ 목광

● **다음 빈칸에 들어갈 알맞은 단어를 위에서 찾아 문맥에 맞게 써 보자.**

(1) 나는 드라마의 슬픈 장면을 보다가 □□□을 적셨다.

(2) 한참 먹지 못한 아이의 몸은 □□□□ 못해 종잇장 같았다.

(3) 그 학생은 몸이 □□□□□ 침대에 눕자마자 바로 잠이 들었다.

(4) 그는 과도한 업무에 □□ 끝끝내 자신의 이상을 실현하지 못했다.

(5) □□은 출가하기 전, 과거의 삶을 떠올리며 긴 시간 상념에 젖었다.

(6) 그의 □□□□□ 갸름한 얼굴은 그를 더 신경질적으로 보이게 했다.

(7) 아이의 잘못을 무조건 □□□□ 것은 바람직한 훈육 방법이 아니다.

(8) 고향을 떠나오니 그곳에서 보냈던 □□ 시절의 추억이 가끔씩 떠오른다.

(9) 오랫동안 가족을 만나지도 못한 채 홀로 타향살이만 해 온 내 외로운 처지가 너무도 □□.

2단계 문제로 어휘 익히기

1 다음 문장에 들어갈 알맞은 단어를 〈보기〉에서 찾아 써 보자.

> 보기
>
> 유년   여승   이상   눈시울

(1) 절 입구에 들어서자 (   )은 두 손을 합장하며 우리를 맞았다.

(2) 그것이 무뚝뚝한 아버지의 배려였음을 알게 된 순간, 나는 (   )이 화끈하여 눈물이 펑펑 쏟아졌다.

(3) 아이들은 (   ) 시기에 정서가 발달되므로, 아이들의 자존감이 긍정적으로 형성될 수 있도록 부모가 노력해야 한다.

2 다음 단어를 활용하기에 적절한 문장을 찾아 바르게 연결해 보자.

(1) 메이다   •

(2) 나무라다   •

(3) 고단하다   •

• ㉠ 그의 평소 행실은 [   ] 데가 전혀 없다.

• ㉡ 임무에 [   ] 휴식 시간을 가지기 어렵다.

• ㉢ 가뜩이나 가난한 살림에 책임져야 할 식구는 많아 살기가 퍽 [   ].

3 다음 단어에 대한 설명이 맞으면 ○, 틀리면 ✕ 표시를 해 보자.

(1) '유년'의 유의어는 '동년'과 '장년', 반의어는 '노년'이다.   (○, ✕)

(2) '얼굴에 핏기가 없고 파리 함'을 뜻하는 단어는 '핼쓱하다'가 아니라, '핼쑥하다'와 '해쓱하다'이다.   (○, ✕)

4 다음 글의 밑줄 친 부분과 관련 있는 단어가 <u>아닌</u> 것을 찾아보자.

> 우리나라의 1970년대를 배경으로 하는 소설에서는 급속한 산업화에 적응하지 못하고 삶의 터전을 잃은 민중들의 궁핍한 모습과 빈부 격차의 심화로 인한 인간 소외 현상 등이 많이 나타난다. 당대 작가들은 소외 계층이 지닌 <u>삶의 애환</u>을 주제로 삼아, 무분별한 근대화에 대한 비판과 삶의 진정성 회복에 대한 소망을 표현하고자 하였다.

① 섧다   ② 풍족하다   ③ 파리하다   ④ 해쓱하다   ⑤ 고단하다

감상 체크

1. (가)의 시적 상황은?

어른이 된 '나'가 ☐☐를 기다리던 유년 시절을 떠올림

2. (가)의 화자가 느끼는 주된 정서는?

☐☐☐, 서글픔

3. (나)의 화자와 시적 대상은?

(나)의 화자는 '나'이고, 시적 대상은 '☐☐'임

4. (나)의 시상 전개 방식은?

☐☐에서 ☐☐로 시간의 흐름을 거스르는 ☐☐☐☐ 구성으로 시상을 전개함

[1~3] 다음 글을 읽고 물음에 답하시오.

가 열무 삼십 단을 이고
　시장에 간 우리 엄마
　안 오시네, 해는 시든 지 오래
　나는 찬밥처럼 방에 담겨
　아무리 천천히 숙제를 해도
　엄마 안 오시네, 배춧잎 같은 발소리 타박타박
　안 들리네, 어둡고 무서워
　금 간 창틈으로 고요히 빗소리
　빈방에 혼자 엎드려 **훌쩍거리던**

　아주 먼 옛날
　지금도 내 **눈시울을 뜨겁게 하는**
　그 시절, 내 유년의 윗목

　　　　　　　　　　　　　　　　　　- 기형도, 「엄마 걱정」

나 여승(女僧)은 합장(合掌)하고 절을 했다
　가지취의 내음새가 났다
　쓸쓸한 낯이 옛날같이 늙었다
　나는 불경(佛經)처럼 서러워졌다

　평안도(平安道)의 어늬 산(山) 깊은 금점판
　나는 파리한 여인(女人)에게서 옥수수를 샀다
　여인은 나 어린 딸아이를 따리며 가을밤같이 차게 **울었다**

　섭벌같이 나아간 지아비 기다려 십 년(十年)이 갔다
　지아비는 돌아오지 않고
　어린 딸은 도라지꽃이 좋아 돌무덤으로 갔다

　산(山)꿩도 설게 **울은** 슬픈 날이 있었다
　산(山)절의 마당귀에 여인의 머리오리가 **눈물방울**과 같이 떨어진 날이 있었다

　　　　　　　　　　　　　　　　　　- 백석, 「여승」

어휘 체크

● 윗목: 온돌방에서 아궁이로부터 멀어 아랫목보다 상대적으로 차가운 쪽

● 가지취: 취나물(산나물)의 일종

● 금점판: 금광의 일터

● 섭벌: 재래종의 일벌

1

(가), (나)의 시어나 시구 중, <보기>의 밑줄 친 부분에 해당하는 것은?

> ### 보기
>
> 시인은 '감정 이입'의 방법을 활용하여 작품을 창작함으로써 인물의 정서를 더욱 효과적으로 표현한다. 이 시에서 <u>이 울음</u>은 인물이 느끼고 있는 한(恨)의 정서가 자연물에 이입된 울음으로 인물의 정서를 간접적으로 표현한 것이다.

① 훌쩍거리던   ② 눈시울을 뜨겁게 하는
③ 울었다   ④ 울은
⑤ 눈물방울

기출 문제

2

(가), (나)에 대한 설명으로 적절하지 않은 것은?

① (가)와 (나)는 과거 사건의 내용이 나타나 있다.
② (가)와 (나)는 연민의 정을 느끼고 있는 화자의 심리를 담고 있다.
③ (가)는 시적 화자의 삶을, (나)는 시적 대상의 삶을 담고 있다.
④ (가)는 (나)와 달리 명사로 종결하여 여운을 느끼게 하고 있다.
⑤ (나)는 (가)와 달리 영탄적 어조로 경건한 분위기를 조성하고 있다.

> ♦ **영탄적:** 기쁨·슬픔·놀라움과 같은 감정을 강하게 나타내는. 또는 그런 것

3

(가), (나)를 읽고 떠올린 장면으로 적절하지 않은 것은?

① (가): 시장 한편에서 힘겹게 열무를 파는 엄마와 아이의 모습
② (가): 어두컴컴한 빈방에 혼자 엎드려 엄마를 기다리는 아이의 모습
③ (나): 여인이 여승이 되기 위해 삭발하는 모습
④ (나): 여승이 된 여인이 '나'를 보고 합장하는 모습
⑤ (나): 금점판에서 여위고 핏기 없는 여인이 파는 옥수수를 사는 '나'의 모습

01 문학 개념어

1단계 문맥으로 어휘 확인하기

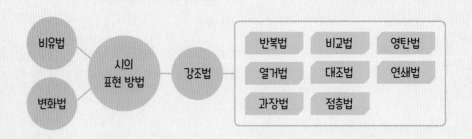

반복법(돌이킬反 돌아올復 법도法) 같거나 비슷한 단어나 구절, 문장을 되풀이하여 뜻을 효과적으로 강조하는 표현 방법
예 살어리 살어리랏다 청산에 살어리랏다.

열거법(벌일列 들擧 법도法) 내용적으로 연결되거나 비슷한 어구를 여러 개 늘어놓아 전체 내용을 강조하는 표현 방법

과장법(자랑할誇 베풀張 법도法) 표현하려는 대상을 실제보다 지나치게 크거나 작게, 또는 많거나 적게 표현하여 뜻을 강조하는 표현 방법
예 밥을 많이 먹어 배가 터질 것 같다.

비교법(견줄比 견줄較 법도法) 둘 이상의 사물이나 내용을 서로 비교하여, 그 차이로써 어느 한쪽을 강조하는 표현 방법

대조법(대답할對 비출照 법도法) 서로 반대되는 대상이나 내용을 내세워 주제를 강조하는 표현 방법

점층법(차차漸 층層 법도法) 어떠한 글이 포함하고 있는 내용의 비중이나 정도를 점차 확대하여 뜻을 점점 강하게, 크게, 높게 강조하는 표현 방법 ⑪ 점강법
예 눈은 살아 있다. / 떨어진 눈은 살아 있다. / 마당 위에 떨어진 눈은 살아 있다.

영탄법(읊을詠 탄식할歎 법도法) 기쁨, 슬픔, 놀람, 분노 등의 감정을 감탄사나 감탄형 어미 등을 이용하여 강조하는 표현 방법

연쇄법(잇닿을連 쇠사슬鎖 법도法) 앞 구절의 끝부분을 다음 구절의 앞부분에 연결하여, 다시 반복하며 이미지나 심상을 강조하는 표현 방법

● **다음 빈칸에 들어갈 알맞은 단어를 위에서 찾아 문맥에 맞게 써 보자.**

(1) '인생은 짧고, 예술은 길다.'는 ☐☐☐이 사용된 문장이다.

(2) '너의 넋은 수녀보다도 더욱 외롭구나.'에 사용된 표현 방법은 ☐☐☐이다.

(3) '깨끗한 자연은 곧 우리의 보배요, 재산이며, 생명입니다.'는 ☐☐☐이 사용된 문장이다.

(4) 시에서는 단어나 구절을 되풀이하는 ☐☐☐을 통해 운율을 형성하고, 시의 의미를 강조하기도 한다.

(5) ☐☐☐은 어떤 것을 사실보다 더 크게 늘이거나 심하게 줄여서 표현하는 방법으로, 감정의 크기를 확대하여 감정의 진실성을 호소할 때 사용한다.

(6) '아아, 사랑하는 나의 님은 갔습니다.'는 ☐☐☐이, '닭아, 닭아, 우지 마라. 네가 울면 날이 새고, 날이 새면 나 죽는다.'는 ☐☐☐이 사용된 문장이다.

(7) ☐☐☐은 작은 것에서 큰 것으로, 약한 것에서 강한 것으로 크기나 정도를 점차 확대하여 표현하지만, 점강법은 큰 것에서 작은 것으로, 강한 것에서 약한 것으로 크기나 정도를 점차 축소하여 표현한다.

2단계 문제로 어휘 익히기

1 다음 개념에 해당하는 설명을 찾아 바르게 연결해 보자.

(1) 연쇄법 •

(2) 영탄법 •

(3) 점층법 •

• ㉠ 앞 구절의 말을 다시 다음 구절에 연결하여 연쇄적으로 이어 가는 표현 방법

• ㉡ 어구나 내용을 점점 보태어 그 뜻이 강해지고 커지고 고조되고 깊어지는 표현 방법

• ㉢ 감탄하는 말로 놀라움, 슬픔, 기쁨과 같은 감정을 그대로 드러내어 강조하는 표현 방법

2 다음 문장의 괄호 안에 들어갈 알맞은 단어를 골라 보자.

(1) 사실을 크게 부풀리거나 작게 축소하는 표현 방법은 (과장법 / 반어법)이다.

(2) 대비되는 대상을 맞대어 차이점을 드러내는 표현 방법은 (대구법 / 대조법)이다.

(3) '모든 수령 도망할 제 거동 보소. 인궤 잃고 과절 들고, 병수 잃고 송편 들고, 탕건 잃고 용수 쓰고 ……'에 쓰인 표현 방법은 (열거법 / 역설법)이다.

3 다음 단어에 대한 설명이 맞으면 ○, 틀리면 ✕ 표시를 해 보자.

(1) '양귀비꽃보다도 더 붉은 그 마음 흘러라.'에는 비교법이 사용되었다.　　　　(○ , ✕)

(2) '아', '오' 등의 감탄사나 '—구나', '—이여' 등의 감탄형 어미를 이용하여 화자의 고조된 정서를 표현하는 것은 점층법이다.　　　　(○ , ✕)

(3) 반복법은 같은 어구를 늘어놓으며 뜻을 강조하는 표현 방법이고, 열거법은 유사한 속성을 지니는 어구를 늘어놓으며 전체 내용을 강조하는 표현 방법이다.　　　　(○ , ✕)

4 다음 글의 밑줄 친 부분에 사용된 표현 방법으로 알맞은 것을 찾아보자. (정답 2개)

> 산산이 부서진 이름이여!
> 허공중에 헤어진 이름이여!
> 불러도 주인 없는 이름이여!
> 부르다가 내가 죽을 이름이여!
>
> – 김소월, 「초혼」

① 설의법　　② 대구법　　③ 반복법　　④ 영탄법　　⑤ 도치법

02 현대시 주제어 _ 화자의 행동 및 태도

1단계 문맥으로 어휘 확인하기

화자의
행동 및 태도

뇌다	도지다	뒤척이다	선회하다	스치다
아물거리다	우러르다	헤아리다		
다급하다	아랑곳없다			

뇌다 지나간 일이나 한 번 한 말을 여러 번 거듭 말하다.

도지다 ① 나아지거나 나았던 병이 도로 심해지다. ② 가라앉았던 노여움이 다시 생기다. ③ 없어졌던 것이 되살아나거나 다시 퍼지다.

뒤척이다 ① 물건들을 이리저리 들추며 뒤지다. ② 물건이나 몸을 이리저리 움직이거나 뒤집다.

선회(돌旋 돌아올回)하다 ① 둘레를 빙글빙글 돌다. ② 항공기가 곡선을 그리듯 진로를 바꾸다.

스치다 ① 서로 살짝 닿으면서 지나가다. ② 어떤 느낌, 생각, 표정 따위가 퍼뜩 떠올랐다가 이내 사라지다. ③ 시선이 훑어 지나가다.

아물거리다 ① 작거나 희미한 것이 보일 듯 말 듯 하게 조금씩 자꾸 움직이다. ② 말이나 행동 따위를 시원스럽게 하지 못하고 꼬물거리다. ③ 정신이 자꾸 희미해지다.

우러르다 ① 위를 향하여 고개를 정중히 쳐들다. ② 마음속으로 공경하여 떠받들다.

헤아리다 ① 수량을 세다. ② 그 수 정도에 이르다. ③ 짐작하여 가늠하거나 미루어 생각하다.

다급(많을多 급할急)하다 일이 바싹 닥쳐서 매우 급하다. ❸ 총급하다, 태급하다

아랑곳없다 어떤 일에 참견을 하거나 관심을 둘 필요가 없다.

● **다음 빈칸에 들어갈 알맞은 단어를 위에서 찾아 문맥에 맞게 써 보자.**

(1) 할아버지께서는 손가락을 ☐☐☐☐ 남은 날짜를 짚어 보셨다.

(2) 그는 고민거리가 해결되지 않아 이불 위에서 밤새도록 몸을 ☐☐☐☐☐.

(3) 국가 대표 선수들은 경기장 중앙에 걸린 태극기를 ☐☐☐☐ 경례를 하였다.

(4) 그는 그 여자의 ☐☐☐☐ 마음을 알아채지 못하고, 늘 해 오던 대로 꾸물거렸다.

(5) 나는 ☐☐☐☐☐ 기억을 붙잡기 위해 잊지 않아야 하는 것들을 말로 계속 ☐☐☐.

(6) 그녀는 자기 자신만 생각하는 고질병이 ☐☐ 다른 사람의 감정에는 ☐☐☐☐☐☐ 자기 말만 계속하였다.

(7) 아이는 친구를 ☐☐ 지나가거나 놀이터 주변을 ☐☐하면서, 자신의 잘못을 친구에게 사과할 기회를 엿보고 있었다.

문제로 어휘 익히기

1 제시된 뜻과 예문을 참고하여 다음 초성에 해당하는 단어를 빈칸에 써 보자.

(1) ㄷ ㄱ 하다: 일이 바짝 닥쳐서 매우 급하다.

예 긴급 환자를 신속히 병원으로 옮기기 위해 구급 대원들은 (　　　　)하게 뛰어갔다.

(2) ㄷ ㅊ 이다: 물건들을 이리저리 들추며 뒤지다.

예 그는 친구를 기다리는 동안 의미 없이 신문과 잡지를 (　　　　)이고 있었다.

(3) ㅇ ㄹ ㄱ 없다: 어떤 일에 참견을 하거나 관심을 둘 필요가 없다.

예 그 사람의 개인 사정 같은 것은 (　　　　)없다는 듯이 부장은 계속해서 업무를 지시했다.

2 다음 문장에 들어갈 알맞은 단어를 〈보기〉에서 찾아 문맥에 맞게 써 보자.

┌─────── 보기 ───────┐

뇌다　　도지다　　스치다　　선회하다　　아물거리다

(1) 그 사건 이후 할머니께서는 입버릇처럼 같은 말을 (　　　　) 계셨다.

(2) 가을이 되자 쌀쌀한 아침 공기가 얼굴에 (　　　　) 것이 정말 상쾌했다.

(3) 기차 시간이 거의 다 됐으니 그렇게 계속 (　　　　) 말고 빨리 움직이자.

3 다음 단어에 대한 설명이 맞으면 ○, 틀리면 ✕ 표시를 해 보자.

(1) '도지다'와 의미가 비슷한 단어에는 '악화되다', '심화되다', '재발하다' 등이 있다.

(○, ✕)

(2) 곡선을 그리듯 진로를 바꾼다는 뜻의 '선회하다'는 교통수단의 움직임을 표현할 때에만 사용할 수 있는 단어이다.

(○, ✕)

4 다음 문장의 밑줄 친 단어들과 공통적으로 바꾸어 쓸 수 있는 단어의 기본형을 찾아보자.

┌──┐

• 선생님은 학부모 참관 수업을 앞두고 전체 참석자의 수를 <u>셌다</u>.

• 그녀는 그의 표정을 열심히 읽었지만 그 뜻은 <u>측량하기</u> 어려웠다.

• 상대방이 어떤 사람인지를 먼저 잘 <u>재어</u> 보고 결혼을 결정해야 한다.

① 헤아리다　　② 우러르다　　③ 다급하다　　④ 무료하다　　⑤ 관망하다

[1~3] 다음 글을 읽고 물음에 답하시오. 2013학년도 3월 고2 전국연합 B형

1. 이 시의 시적 상황은?

화자가 ☐을 바라보며 과거를 회상하고, 부끄러운 자신의 현재를 ☐☐함

2. 화자의 주된 정서는?

과거에 대한 ☐☐☐, 외로움, 부끄러움

3. 이 시에서 현재의 삶에 대한 화자의 감정이 이입된 객관적 상관물은?

☐을 새워 우는 ☐☐

계절(季節)이 지나가는 하늘에는
가을로 가득 차 있습니다.

나는 아무 걱정도 없이
가을 속의 별들을 다 @헤일 듯합니다.

가슴 속에 하나 둘 ⓑ새겨지는 별을
이제 다 못 헤는 것은
쉬이 아침이 오는 까닭이요,
내일 밤이 남은 까닭이요,
아직 나의 청춘이 ⓒ다하지 않은 까닭입니다.

별 하나에 추억(追憶)과 / 별 하나에 사랑과 / 별 하나에 쓸쓸함과
별 하나에 동경(憧憬)과 / 별 하나에 시(詩)와 / 별 하나에 어머니, 어머니.

어머님, 나는 별 하나에 아름다운 말 한마디씩 불러 봅니다. 소학교(小學校) 때 책상을 같이했던 아이들의 이름과, 패(佩), 경(鏡), 옥(玉), 이런 이국(異國) 소녀들의 이름과, 벌써 아기 어머니된 계집애들의 이름과, 가난한 이웃 사람들의 이름과, 비둘기, 강아지, 토끼, 노새, 노루, '프랑시스 잼', '라이너 마리아 릴케', 이런 시인(詩人)의 이름을 불러봅니다.

이네들은 너무나 멀리 있습니다. / 별이 아스라이 멀듯이,

어머님, / 그리고 당신은 멀리 북간도(北間島)에 계십니다.

나는 무엇인지 그리워 / 이 많은 별빛이 ⓓ내린 언덕 위에
내 이름자를 써 보고 / 흙으로 덮어 버리었습니다.

따은, 밤을 새워 우는 벌레는 / 부끄러운 이름을 슬퍼하는 까닭입니다.

그러나 겨울이 지나고 나의 별에도 봄이 오면,
무덤 위에 파란 잔디가 피어나듯이
내 이름자 묻힌 언덕 위에도 / 자랑처럼 풀이 ⓔ무성할 게외다.

– 윤동주, 「별 헤는 밤」

♪ **프랑시스 잼**: 프랑스의 시인. 프랑스 상징주의 말기의 퇴폐주의에 반발하며 자연의 풍물을 종교적 애정을 가지고 노래함

♪ **라이너 마리아 릴케**: 보헤미아 태생의 독일 시인. 근대 언어 예술의 거장으로, 인간 존재의 긍정을 추구하고 종교성이 강한 독자적 경지를 개척함

♪ **아스라이**: 보기에 아슬아슬할 만큼 높거나 까마득할 정도로 멀게

♪ **따은**: 남의 행위나 말을 긍정하여 그럴 듯도 하다는 뜻을 나타내는 말

1 문맥상 @~@의 의미를 풀이한 것으로 적절하지 <u>않은</u> 것은?

① @: 하나씩 더해서 세어 볼

② ⓑ: 잊지 않도록 마음속에 깊이 기억되는

③ ⓒ: 일을 완수하지

④ ⓓ: 깃들이거나 짙어진

⑤ ⓔ: 잘 자라서 우거질 정도로 빽빽할

2 윗글에 대한 설명으로 적절한 것은?

① 공간의 변화에 따라 시상을 전개하고 있다.

② 감각의 전이를 통해 대상을 묘사하고 있다.

③ 자연물을 이용하여 화자의 정서를 드러내고 있다.

④ 설의적 표현을 통해 화자의 생각을 부각하고 있다.

⑤ 대조의 방법으로 현실에 대한 화자의 비판적 시각을 드러내고 있다.

◐ **감각의 전이:** 하나의 감각을 다른 감각으로 바꾸어 표현하는 것

기출 문제

3 〈보기〉를 참고하여 윗글을 감상한 것으로 적절하지 <u>않은</u> 것은?

┌─── 보기 ───┐

'예슬'의 문학 노트

[윤동주(1917~1945) 시 세계의 특징]

• 유년 시절에 대한 추억과 정서

• 반성적인 매개체를 사용한 자아 성찰

• 현실 극복 의지와 이상 세계에 대한 소망

• 시대에 대한 인식과 시인의 소명 의식

◐ **소명 의식:** 현실적·이념적· 윤리적 명령이나 이상(理想)을 반드시 수행해야 한다는 의식

① 화자는 별을 보며 유년 시절을 추억하고 있어.

② 화자는 별을 매개로 하여 자아를 성찰하고 있어.

③ 별에는 화자가 소망하는 이상 세계가 투영되어 있군.

④ 가슴에 새겨지는 별에는 화자의 현실 극복 의지가 담겨 있군.

⑤ 멀리 있는 대상을 생각하며 별을 헤는 행위에는 화자의 애틋함이 묻어나는 군.

● 전쟁과 관련된 한자 성어

고군분투
(외로울孤 군사軍 떨칠奮
싸움鬪)

따로 떨어져 도움을 받지 못하게 된 군사가 많은 수의 적군과 용감하
게 잘 싸움
예 우리 축구팀은 강팀을 만나 고군분투를 했으나 끝내 패배하고 말았다.

골육상잔
(뼈骨 고기肉 서로相
쇠잔할殘)

가까운 혈족끼리 서로 해치고 죽임
예 조선 왕조 시대에는 왕위 계승 문제를 둘러싸고 골육상잔의 참상이 빚어질
때가 많았다.

⊕ 골육상쟁(骨肉相爭)

난공불락
(어려울難 칠攻 아닐不
떨어질落)

공격하기가 어려워 쉽사리 함락되지 아니함
예 그 지역은 여러 산줄기에 둘러싸여 있어 난공불락의 요새를 방불케 했다.

백중지세
(맏伯 버금仲 갈之 기세勢)

서로 우열을 가리기 힘든 형세
예 결승전에 올라온 두 참가자는 모든 면에서 백중지세여서 승부를 쉽게 예측
할 수가 없었다.

⊕ 난백난중(難伯難仲): 누가 맏
형이고 누가 둘째 형인지 분간
하기 어렵다는 뜻으로, 비교되는
대상의 우열을 가리기 어려움을
이르는 말

산전수전
(뫼山 싸울戰 물水 싸울戰)

산에서도 싸우고 물에서도 싸웠다는 뜻으로, 세상의 온갖 고생과 어
려움을 다 겪었음을 이르는 말
예 그는 산전수전을 다 겪은 베테랑답게 회사의 위기를 극복할 방법을 금세
떠올렸다.

속전속결
(빠를速 싸울戰 빠를速
결정할決)

싸움을 오래 끌지 아니하고 빨리 몰아쳐 이기고 짐을 결정함
예 시간이 없어서 속전속결로 일을 처리했다.

⊕ 속진속결(速進速決)

약육강식
(약할弱 고기肉 강할強
먹을食)

약한 자가 강한 자에게 먹힌다는 뜻으로, 강한 자가 약한 자를 희생시
켜서 번영하거나, 약한 자가 강한 자에게 끝내는 멸망됨을 이르는 말
예 동물의 세계에서는 약육강식의 법칙이 철저하게 적용된다.

용호상박
(용龍 범虎 서로相 칠搏)

용과 범이 서로 싸운다는 뜻으로, 강자끼리 서로 싸움을 이르는 말
예 이번 발표회에서 두 사람의 경쟁은 실로 용호상박이었다.

⊕ 양웅상쟁(兩雄相爭)

적자생존
(갈適 놈者 날生 있을存)

환경에 적응하는 생물만이 살아남고, 그렇지 못한 것은 도태되어 멸망하는 현상
예 사람들은 적자생존의 법칙에 희생되지 않기 위해 안간힘을 쏟았다.

전광석화
(번개電 빛光 돌石 불火)

번갯불이나 부싯돌의 불이 번쩍거리는 것과 같이 매우 짧은 시간이나 매우 재빠른 움직임 따위를 비유적으로 이르는 말
예 그는 전광석화와도 같이 순식간에 상대를 제압했다.

파죽지세
(깨뜨릴破 대竹 갈之 기세勢)

대를 쪼개는 기세라는 뜻으로, 적을 거침없이 물리치고 쳐들어가는 기세를 이르는 말
예 아군은 파죽지세로 적군을 이 땅에서 몰아냈다.

⊕ 세여파죽(勢如破竹): 기세가 매우 대단하여 감히 대항할 만한 적이 없음

풍비박산
(바람風 날飛 누리雹 흩을散)

사방으로 날아 흩어짐
예 전쟁으로 온 가족이 풍비박산하였다가 30여 년만에 다시 만나게 되었다.

유래로 보는 한자 성어

용호상박(龍虎相搏)

중국의 시인 이백(李白)은 자신의 시 「고풍(古風)」에 '용과 범이 서로를 물고 뜯으며 전쟁이 광포한 진나라에 이르렀다.'라는 구절을 제시했다. 이는 진나라가 통일에 이를 때까지 정복 전쟁이 무수히 일어났던 춘추 전국 시대를 묘사한 것이다. 이후 이 시를 접한 사람들은 실력이 막강한 사람이나 세력, 국가들의 대결을 용호(龍虎)의 싸움으로 표현하였다.

또한 사람들은 중국 삼국 시대에 동관(潼關) 지역의 권력을 차지하기 위해 전투를 벌였던 조조와 마초를 용호에 비유하기도 하였다. 잔꾀가 많은 조조를 용으로, 용맹한 마초를 호랑이로 비유하고, 이 둘의 승부처럼 힘이 강한 사람들이 서로 승부를 겨룰 때, 누가 이길지 알 수 없을 만큼 대등한 싸움을 벌일 때를 가리켜서 '용호상박(龍虎相搏)'이라는 표현을 사용하기 시작하였다.

[01~06] 다음 뜻에 해당하는 한자 성어를 찾아 가로, 세로, 대각선으로 표시해 보자.

고	장	감	탄	고	토	양	주	일
교	언	영	색	군	일	구	이	언
창	애	이	어	분	유	밀	청	지
연	청	설	지	투	골	복	산	하
목	산	산	각	주	단	검	유	담
속	전	속	결	배	산	임	수	백
파	수	지	세	수	난	백	난	중
박	전	무	패	유	언	비	어	지
형	설	지	공	수	파	죽	지	세

01 서로 우열을 가리기 힘든 형세

02 적을 거침없이 물리치고 쳐들어가는 기세

03 싸움을 오래 끌지 아니하고 빨리 몰아쳐 이기고 짐을 결정함

04 따로 떨어져 도움을 받지 못하게 된 군사가 적군과 용감하게 잘 싸움

05 산에서도 싸우고 물에서도 싸웠다는 뜻으로, 세상의 온갖 고생과 어려움을 다 겪었음을 이르는 말

06 누가 맏형이고 누가 둘째 형인지 분간하기 어렵다는 뜻으로, 비교되는 대상의 우열을 가리기 어려움을 이르는 말

[07~11] 다음 한자 성어의 뜻을 찾아 바르게 연결해 보자.

07 전광석화(電光石火) •

• ㉠ 가까운 혈족끼리 서로 해치고 죽임

08 약육강식(弱肉强食) •

• ㉡ 공격하기가 어려워 쉽사리 함락되지 아니함

09 골육상잔(骨肉相殘) •

• ㉢ 용과 범이 서로 싸운다는 뜻으로, 강자끼리 서로 싸움을 이르는 말

10 난공불락(難攻不落) •

• ㉣ 번갯불이나 부싯돌의 불이 번쩍거리는 것과 같이 매우 짧은 시간이나 매우 재빠른 움직임 따위를 비유적으로 이르는 말

11 용호상박(龍虎相搏) •

• ㉤ 약한 자가 강한 자에게 먹힌다는 뜻으로, 강한 자가 약한 자를 희생시켜서 번영하거나, 약한 자가 강한 자에게 끝내 멸망됨을 이르는 말

12 다음 문자 메시지 대화를 읽고, 빈칸에 알맞은 한자 성어를 써 보자.

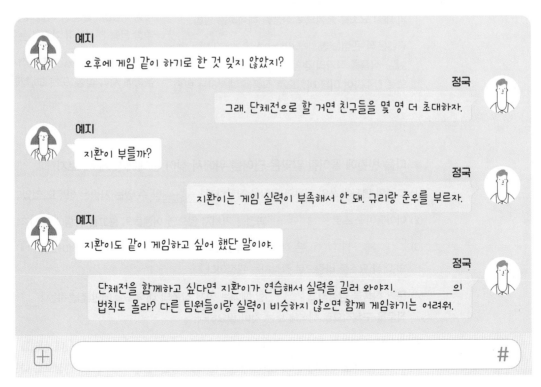

예지
오후에 게임 같이 하기로 한 것 잊지 않았지?

정국
그래. 단체전으로 할 거면 친구들을 몇 명 더 초대하자.

예지
지환이 부를까?

정국
지환이는 게임 실력이 부족해서 안 돼. 규리랑 준우를 부르자.

예지
지환이도 같이 게임하고 싶어 했단 말이야.

정국
단체전을 함께하고 싶다면 지환이가 연습해서 실력을 길러 와야지. _____의 법칙도 몰라? 다른 팀원들이랑 실력이 비슷하지 않으면 함께 게임하기는 어려워.

03 일차

01 문학 개념어

1단계 문맥으로 어휘 확인하기

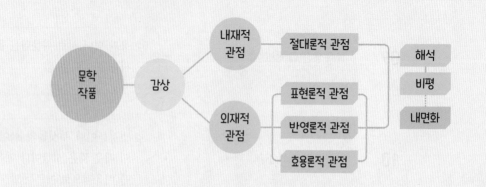

내재적 관점(안內 있을在 과녁的 볼觀 점찍을點) 작품의 외재적 요소(작가, 독자, 시대)들을 제외하고, 작품의 내재적 요소(언어적 특징, 갈등 구조, 정서 등)들을 중심으로 작품을 감상하는 관점 ⊕ 절대론적 관점

외재적 관점(바깥外 있을在 과녁的 볼觀 점찍을點) 작품의 외재적 요소를 중심으로 작품을 감상하는 관점. 작품을 깊이 이해하기 위해서는 작가와 사회 현실, 독자와의 영향 관계를 고려해야 한다는 사고를 기반으로 한 관점임

절대론적 관점(끊을絶 대답할對 논의할論 과녁的 볼觀 점찍을點) 작품에 사용된 표현 방식, 구성과 같이 작품의 내적 요소를 중심으로 작품을 해석하는 방법

표현론적 관점(겉表 나타날現 논의할論 과녁的 볼觀 점찍을點) 작품을 작가의 경험, 가치관, 사고방식의 표현으로 간주하여 이를 바탕으로 작품을 해석하는 방법

반영론적 관점(돌이킬反 비출映 논의할論 과녁的 볼觀 점찍을點) 작품이 창작된 시기의 시대 현실이나 작품 속 배경이 되는 시기의 역사적 상황, 생활상 등을 바탕으로 작품을 해석하는 방법

효용론적 관점(본받을效 쓸用 논의할論 과녁的 볼觀 점찍을點) 작품이 독자에게 어떻게 받아들여지고 어떤 영향을 줄 것인지를 중심으로 작품을 해석하는 방법

감상(거울鑑 상줄賞) 작품을 이해하여 즐기고 평가함

해석(풀解 풀釋) 문장이나 사물 등으로 표현된 내용을 이해하고 설명함. 또는 그 내용

비평(비평할批 품평評) 사물의 옳고 그름, 아름다움과 추함 등을 분석하여 가치를 논함 ⊕ 비판, 평론

내면화(안內 낯面 될化) 정신적·심리적으로 깊이 마음속에 자리 잡힘. 또는 그렇게 되게 함

● **다음 빈칸에 들어갈 알맞은 단어를 위에서 찾아 문맥에 맞게 써 보자.**

(1) 그녀의 편지에 쓰인 의문의 문장을 정확하게 ☐☐할 수 있는 사람은 아무도 없었다.

(2) 아이들이 스스로 ☐☐☐ 과정을 거치지 않으면 어른들의 충고를 상황에 맞게 적용하기가 힘들다.

(3) ☐☐☐ ☐☐은 작품의 외적 요소를 바탕으로 ☐☐하는 관점이고, ☐☐☐ ☐☐은 작품의 내적 요소를 바탕으로 감상하는 관점이다.

(4) 문학 작품을 감상하고 ☐☐할 때에는 먼저 작품의 내적 요소에만 집중하는 ☐☐☐☐ 관점에 따라 작품을 구체적으로 해석해 보는 것이 필요하다.

(5) 외재적 관점은 작가의 가치관을 기반으로 하는 ☐☐☐☐ 관점, 시대 상황을 기반으로 하는 ☐☐ ☐☐ 관점, 독자에게 미치는 영향을 기반으로 하는 ☐☐☐☐ 관점으로 나뉜다.

2단계 문제로 어휘 익히기

1 다음 문장에 들어갈 알맞은 단어를 〈보기〉에서 찾아 써 보자.

〈보기〉

감상   효용   내면화   내재적   외재적

(1) 절대론적 관점은 (   ) 관점에 해당한다.

(2) 학생들이 이 규칙을 (   )하는 데에는 많은 시간이 필요하다.

(3) 지은이가 관심을 가진 동아리는 친구들과 함께 영화를 (   )하고 의견을 공유하는 곳이다.

2 다음 문장의 괄호 안에 들어갈 알맞은 단어를 골라 보자.

(1) 표현론적 관점은 (내재적 / 외재적) 관점에 해당한다.

(2) 효용론적 관점은 문학 작품을 (독자 / 시대 현실)와/과 관련지어 해석하는 방법이다.

(3) (절대론적 / 반영론적) 관점은 작품에 사용된 표현 방식이나 구성 등을 중심으로 작품을 감상하는 관점이다.

3 다음 단어에 대한 설명이 맞으면 ○, 틀리면 × 표시를 해 보자.

(1) 외재적 관점에는 반영론적 관점, 효용론적 관점 등이 포함된다. (○, ×)

(2) 내재적 관점으로 작품을 감상할 때에는 작품의 작가, 당대의 사회 현실, 독자와의 영향 관계 등을 고려해야 한다. (○, ×)

(3) 예술 작품을 감상한 후, 작품이 표현하고자 한 내용을 세밀하게 이해하는 것은 '해석'이고, 작품의 장점과 단점 등을 분석하며 가치를 평가하는 것은 '비평'이다. (○, ×)

4 다음 ㉠~㉤에 들어갈 말로 적절하지 <u>않은</u> 것을 찾아보자.

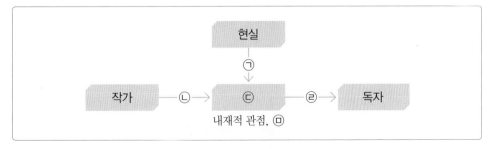

① ㉠: 반영론적 관점   ② ㉡: 표현론적 관점   ③ ㉢: 가치관

④ ㉣: 효용론적 관점   ⑤ ㉤: 절대론적 관점

02 고전 시가 주제어 _상징적 자연

1단계 문맥으로 어휘 확인하기

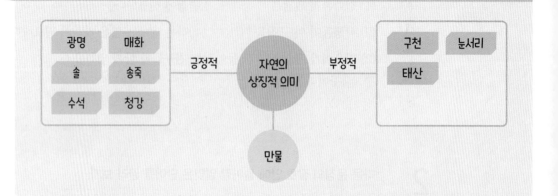

광명(빛光 밝을明) 밝고 환함. 또는 밝은 미래나 희망을 상징하는 밝고 환한 빛 🔁 암흑

매화(매화나무梅 꽃花) 매실나무의 꽃. 고전 시가에서는 지조와 절개, 고결함을 의미하는 시어로 사용하는 경우가 많음 🔗 매화도 한철 국화도 한철

솔 소나뭇과의 모든 식물을 통틀어 이르는 말. 고전 시가에서는 소나무의 변치 않는 푸르른 속성을 바탕으로 지조와 절개를 의미하는 시어로 사용하는 경우가 많음 🔗 솔 심어 정자라

송죽(소나무松 대竹) 소나무와 대나무를 아울러 이르는 말. 고전 시가에서는 굳은 의지와 절개를 의미하는 시어로 사용하는 경우가 많음

수석(물水 돌石) ① 물과 돌을 아울러 이르는 말 ② 물과 돌로 이루어진 자연의 경치 ③ 물속에 있는 돌

청강(맑을淸 강江) 맑은 물이 흐르는 강. 고전 시가에서는 생명력, 정화, 생성 등을 의미하는 시어로 사용하는 경우가 많음 🔁 탁강

구천(아홉九 샘泉) 땅속 깊은 밑바닥이란 뜻으로, 죽은 뒤에 넋이 돌아가는 곳을 이르는 말 🔗 명도 🔖 구천에 사무치다

눈서리 눈과 서리를 아울러 이르는 말. 고전 시가에서는 시련과 역경을 의미하는 시어로 사용하는 경우가 많음 🔗 상설, 설상

태산(클泰 뫼山) ① 높고 큰 산 ② 크고 많음을 비유적으로 이르는 말 🔗 태산을 넘으면 평지를 본다

만물(일만萬 만물物) 세상에 있는 모든 것 🔗 만유

● **다음 빈칸에 들어갈 알맞은 단어를 위에서 찾아 문맥에 맞게 써 보자.**

(1) 봄은 □□이 살아나는 희망의 계절이다.

(2) 한이 서린 혼령이 □□과 이승을 넘나들었다.

(3) 밀린 과제들을 해결할 생각을 하니 걱정이 □□이다.

(4) 차고 투명한 냇물과 이끼 낀 □□들이 더위에 지친 우리를 반기고 있었다.

(5) □□□가 휘몰아치는 한겨울에도 □은 여전히 푸르렀고 □□는 활짝 피었다.

(6) 오랜 시간 정체되어 있던 그의 연구에 □□을 던져 주는 결정적인 증거가 발견되었다.

(7) 여름이 되면 조용한 시골에 내려가 □□에 발을 담그고 푸르른 □□을 바라보며 시간을 보낸다.

2단계 문제로 어휘 익히기

1 다음 단어의 의미를 찾아 바르게 연결해 보자.

(1) 구천 •

(2) 송죽 •

(3) 만물 •

• ㉠ 땅속 깊은 밑바닥

• ㉡ 세상에 있는 갖가지 모든 것

• ㉢ 소나무와 대나무를 아울러 이르는 말

2 제시된 뜻과 예문을 참고하여 다음 초성에 해당하는 단어를 빈칸에 써 보자.

(1) ㅊ ㄱ : 물이 맑은 강

예 옛 선인들은 (   )에 배를 띄우고 풍류를 즐기었다.

(2) ㄱ ㅁ : 밝고 환한 빛

예 사방의 벽에 둘러싸여 있던 그의 머리 위로 한 가닥 (   )의 빛이 비추었다.

(3) ㄴ ㅅ ㄹ : 눈과 서리를 아울러 이르는 말

예 앞마당의 거대한 나무들이 한겨울의 (   )에 파묻혀 장관을 이루고 있다.

3 다음 단어에 대한 설명이 맞으면 ○, 틀리면 × 표시를 해 보자.

(1) 매실나무의 꽃인 '매화'는 고전 시가에서 고결함을 상징하는 시어로 사용되는 편이다.

(○, ×)

(2) 고전 시가에서 '송죽'과 '솔'은 시련과 역경을 의미하는 시어로, '눈서리'는 굳은 의지와 절개를 의미하는 시어로 사용되는 경우가 많다. (○, ×)

4 다음 글의 빈칸에 들어갈 단어로 적절한 것을 찾아보자.

_____이 높다 하되 하늘 아래 뫼이로다.
오르고 또 오르면 못 오를리 없건마는
사람이 제 아니 오르고 뫼만 높다 하더라. ― 양사언

① 추강 　　② 태산 　　③ 백설 　　④ 산촌 　　⑤ 북창

[1~3] 다음 글을 읽고 물음에 답하시오.   2013학년도 3월 고1 전국연합

구름 빛이 좋다 하나 검기를 자로 한다.
바람 소리 맑다 하나 그칠 적이 하노매라.
좋고도 그칠 뉘 없기는 물뿐인가 하노라.

〈제2수〉

꽃은 무슨 일로 피면서 쉬이 지고
풀은 어이 하여 푸르는 듯 누르나니
아마도 변치 아닐손 바위뿐인가 하노라.

〈제3수〉

더우면 꽃 피고 추우면 잎 지거늘
솔아 너는 어찌 눈서리를 모르느냐.
구천(九泉)의 뿌리 곧은 줄을 글로 하여 아노라.

〈제4수〉

나무도 아닌 것이 풀도 아닌 것이
곧기는 뉘 시기며 속은 어이 비었느냐.
저렇게 사시에 푸르니 그를 좋아하노라.

〈제5수〉

작은 것이 높이 떠서 만물을 다 비추니
밤중에 광명(光明)이 너만한 이 또 있느냐.
보고도 말 아니 하니 내 벗인가 하노라.

〈제6수〉
– 윤선도, 「오우가(五友歌)」

● 정답과 해설 05쪽

1 윗글에 쓰인 시어의 상징적 의미로 적절하지 <u>않은</u> 것은?

① 구름: 빛깔이 일정함을 유지하지 않는 가변적 존재
② 바람: 연속성이 떨어지는 가변적 존재
③ 꽃: 아름다움이 쉽게 사라지는 한시적 존재
④ 풀: 상황에 따라 쉽게 흔들리며 변화하는 세속적 존재
⑤ 광명: 만물을 비추며 올바른 길을 안내하는 절대적 존재

◐ 가변적: 바꿀 수 있거나 바뀔 수 있는 것

◐ 한시적: 일정한 기간에 한정되어 있는 것

2 윗글의 표현상 특징으로 적절한 것은?

① 시상의 반전을 통해 화자의 정서를 심화하고 있다.
② 높임 표현을 사용하여 경건한 분위기를 형성하고 있다.
③ 대상을 점층적으로 강조하여 시적 긴장감을 높이고 있다.
④ 대조적인 소재를 사용하여 대상의 속성을 부각하고 있다.
⑤ 첫 행의 시구를 끝 행에 반복하며 시의 리듬감을 형성하고 있다.

기출 문제

3 윗글을 읽고 난 후의 반응으로 적절하지 <u>않은</u> 것은?

① 맑고도 그치지 않는 물과 같이 순수함을 오래도록 잃지 않는 사람이 되고 싶어.
② 영원히 변함없는 바위와 같이 늘 한결같은 사람이 되고 싶어.
③ 한겨울에도 꿋꿋한 소나무와 같이 온갖 시련에도 굴하지 않는 사람이 되고 싶어.
④ 사철 내내 곧고 푸른 대나무와 같이 굳은 지조와 절개를 가진 사람이 되고 싶어.
⑤ 밤하늘에 높이 떠 있는 달과 같이 많은 사람들을 거느리는 사람이 되고 싶어.

01 문학 개념어

일차

1단계 문맥으로 어휘 확인하기

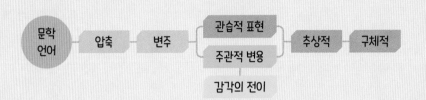

압축(누를壓 오그라들縮) 글이나 문장 등의 길이를 줄여 짧게 함

변주(변할變 아뢸奏) 문학 작품의 창작 과정에서 어떤 주제를 바탕으로 언어의 표현을 조금씩 바꾸어 씀으로써(또는 차이를 동반하는 표현으로 반복하여 씀으로써) 작가가 원하는 분위기를 만들어 내는 것

관습적 표현(버릇慣 익힐習 과녁的 겉表 나타날現) 어떤 사회에서 오랫동안 사용되어 온 결과, 그 의미가 굳어져서 모든 사람에게 그러한 뜻이라고 인정받고 있는 표현. 속담이나 한자 성어 등이 포함됨

주관적 변용(주인主 볼觀 과녁的 변할變 얼굴容) 자연물이나 객관적인 대상의 속성을 작가의 생각대로 변형해서 사용하는 것. 즉 대상을 있는 그대로 표현하지 않고 주관적 상상력에 의해 변화시켜 나타내는 것

감각(느낄感 깨달을覺)**의 전이**(구를轉 옮길移) 하나의 감각을 다른 감각으로 바꾸어 표현하는 것 ❸ 공감각적 심상

추상적(뺄抽 코끼리象 과녁的) ① 어떤 사물이 직접 경험하거나 감각적으로 인식할 수 있는 일정한 형태와 성질을 갖추고 있지 않은 것 ② 구체성이 없이 사실이나 현실에서 멀어져 막연하고 일반적인. 또는 그런 것

구체적(갖출具 몸體 과녁的) ① 사물이 직접 경험하거나 감각적으로 인식할 수 있도록 일정한 형태와 성질을 갖추고 있는 것 ② 실제적이고 세밀한 부분까지 담고 있는 것

● **다음 빈칸에 들어갈 알맞은 단어를 위에서 찾아 문맥에 맞게 써 보자.**

(1) 시는 인간의 생각과 감정을 ☐☐된 형태의 언어를 사용하여 표현한다.

(2) '서글픈 나비 허리에 새파란 초생달이 시리다'에는 ☐☐☐ ☐☐가 나타난다.

(3) '하늘의 별 따기'는 무엇을 얻거나 성취하기가 매우 어려운 경우를 뜻하는 ☐☐☐ ☐☐이다.

(4) 시에서의 이미지는 ☐☐☐이고 관념적인 것을 구체화함으로써 내용을 보다 선명하게 인식하게 하는 기능을 갖고 있다.

(5) '눈은 살아 있다 / 떨어진 눈은 살아 있다 / 마당 위에 떨어진 눈은 살아 있다'의 시구에서는 동일한 문장의 반복과 ☐☐를 통해 운율감을 형성하고 있다.

(6) 작가가 자신이 바라본 폭포의 아름다움을 '실'이나 '베'와 같은 ☐☐☐ 사물을 활용하여 표현한 것은 자연을 사실감 있게 나타내려는 의도라고 볼 수 있다.

(7) '동짓달 기나긴 밤을 한 허리를 베어 내어 / 춘풍 이불 아래 서리서리 넣었다가 / 정든 임 오신 날 밤이어든 굽이굽이 펴리라.'에서는 ☐☐☐ ☐☐을 통해 임에 대한 간절한 그리움을 표현하고 있다.

2단계 문제로 어휘 익히기

1 다음 개념에 해당하는 설명을 찾아 바르게 연결해 보자.

(1) 주관적 변용 •

(2) 감각의 전이 •

(3) 관습적 표현 •

• ㉠ 하나의 감각을 다른 감각으로 바꾸어 표현하는 것

• ㉡ 속담이나 한자 성어와 같이 어떤 사회에서 오랫동안 사용되어 온 표현

• ㉢ 자연물이나 객관적인 대상의 속성을 작가의 생각대로 변형해서 사용하는 것

2 다음 문장에 들어갈 알맞은 단어를 〈보기〉에서 찾아 써 보자.

보기

압축   구체적   추상적   감각의 전이   관습적 표현

(1) 오늘 발표할 내용은 크게 세 가지로 (   )할 수 있다.

(2) 그녀의 이야기는 항상 명확하지 않고 (   )이어서 이해하기가 힘들다.

(3) '분수처럼 흩어지는 푸른 종소리'는 (   )을/를 통해 종소리가 멀리 퍼져 가는 모습을 표현하고 있다.

3 다음 단어에 대한 설명이 맞으면 ○, 틀리면 × 표시를 해 보자.

(1) '압축'이란 글이나 문장 등의 길이를 줄여 짧게 표현한 것을 말한다. (○, ×)

(2) 문학 작품의 창작 과정에서 기존에 없던 새로운 내용이나 표현 등을 만들어 사용하는 것을 '변주'라고 한다. (○, ×)

(3) 사물이 직접 경험하거나 감각적으로 인식할 수 있도록 일정한 형태와 성질을 갖추고 있는 것을 '추상적'이라고 한다. (○, ×)

4 다음 글의 밑줄 친 부분에 나타난 표현 방법으로 적절한 것을 찾아보자.

미친 물 바위를 치며 산봉우리 울리어
사람들이 하는 말 지척에서도 분간하기 어렵네
세상의 시비 소리 귀에 들릴까 두려워하여
일부러 흐르는 물로 온 산을 둘러막았네

– 최치원, 「제가야산독서당」

① 압축
② 변주
③ 주관적 변용
④ 관습적 표현
⑤ 감각의 전이

02 고전 시가 주제어 _계절

1단계 문맥으로 어휘 확인하기

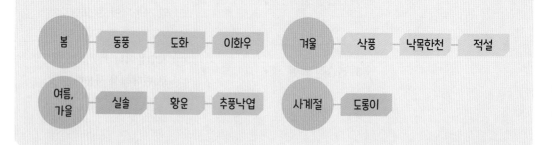

동풍(동녘東 바람風) ① 동쪽에서 부는 바람 ② 봄철에 불어오는 바람

도화(복숭아나무桃 꽃花) 복숭아나무의 꽃. 즉 복숭아꽃

이화우(배나무梨 꽃花 비雨) 비처럼 흩날리는 배나무의 꽃을 비유하는 말

실솔(귀뚜라미蟋 귀뚜라미蟀) 귀뚜라밋과의 곤충. 8~10월에 나타나 풀밭이나 뜰 안에 살면서 수컷이 가을을 알리듯이 욺

황운(누를黃 구름雲) 넓은 들판에 벼가 누렇게 익은 모습을 비유적으로 이르는 말

추풍낙엽(가을秋 바람風 떨어질落 나뭇잎葉) 가을바람에 떨어지는 나뭇잎

삭풍(초하루朔 바람風) 겨울철에 북쪽에서 불어오는 찬 바람 🐵 음풍

낙목한천(떨어질落 나무木 찰寒 하늘天) 나뭇잎이 다 떨어진 겨울의 춥고 쓸쓸한 풍경. 또는 그런 계절

적설(쌓을積 눈雪) 쌓여 있는 눈

도롱이 짚, 띠 따위로 엮어 허리나 어깨에 걸쳐 두르는 비옷 🐵 녹사의

● **다음 빈칸에 들어갈 알맞은 단어를 위에서 찾아 문맥에 맞게 써 보자.**

(1) 겨울이 지나고 ☐☐이 부는 봄이 왔다.

(2) ☐☐이 우는 소리에 가을이 왔음을 느꼈다.

(3) 북녘땅엔 겨울이 일찍 찾아와 매서운 ☐☐이 불었다.

(4) 봄이 되자 ☐☐가 가득 피어 뒷산은 발갛게 물들었다.

(5) 이 ☐☐☐☐에 꿋꿋하게 피어난 한 송이 꽃을 보아라.

(6) ☐☐이 어깨에까지 차서 더 이상 행군을 이어 나갈 수 없었다.

(7) 나는 봄바람에 흩날리는 ☐☐☐를 보기 위해 과수원 길을 걸었다.

(8) 옛 사람들은 비가 오는 날이면 대나무 삿갓에 ☐☐☐를 걸치고 돌아다녔다.

(9) 충격적인 소식을 전해 듣고 난 후 그녀의 몸은 ☐☐☐☐처럼 힘없이 내려앉았다.

(10) 유난히 뜨거웠던 여름이 지나고 나니 내 고향의 넓은 들엔 ☐☐이 풍요롭게 펼쳐져 있었다.

2단계 문제로 어휘 익히기

1 다음 단어를 활용하기에 적절한 문장을 찾아 바르게 연결해 보자.

(1) 도화 •

(2) 황운 •

(3) 동풍 •

• ㉠ 넓은 들에 [   ]이/가 한 빛으로 익었구나.

• ㉡ 아이는 수줍은 마음에 두 볼이 [   ]색으로 물들었다.

• ㉢ 그는 나에게 [   ]이/가 불어오고 만물이 다시 살아나는 계절에 함께 만나자고 약속하였다.

2 제시된 뜻과 예문을 참고하여 다음 초성에 해당하는 단어를 빈칸에 써 보자.

(1) ㅈ ㅅ : 쌓여 있는 눈

　　예 강원도 산악 지대는 (　　　　) 일수가 다른 지역보다 많은 편이다.

(2) ㅅ ㅍ : 겨울철에 북쪽에서 불어오는 찬 바람

　　예 나무들은 시린 (　　　　)을 맞으며 메마른 모습으로 겨울을 견디고 있었다.

(3) ㄷ ㄹ ㅇ : 짚, 띠 따위로 엮어 허리나 어깨에 걸쳐 두르는 비옷

　　예 그는 삿갓을 비스듬히 쓰고 (　　　　)로 옷을 삼아 길을 걸어 다녔다.

3 다음 문장의 괄호 안에 들어갈 알맞은 단어를 골라 보자.

(1) 장군의 칼날 아래 적군들은 (추풍낙엽 / 낙목한천)처럼 쓰러져 갔다.

(2) 달빛이 은은하게 비추던 밤, 길에는 향긋한 (세우 / 이화우)가 가득히 내리고 있었다.

4 다음 글의 빈칸에 들어갈 단어로 적절한 것을 찾아보자.

> 임 그리워하여 꾸는 꿈이 ＿＿＿＿＿의 넋이 되어
> 긴 가을밤 깊은 밤에 임의 방에 들어가서
> 날 잊고 깊이 든 잠을 깨워볼까 하노라
> 　　　　　　　　　　　　　　　　　　－ 박효관

① 실솔　　　② 도화　　　③ 삭풍　　　④ 황운　　　⑤ 이화우

[1~3] 다음 글을 읽고 물음에 답하시오.

2018학년도 6월 고2 전국연합

가
이화우(梨花雨) 흩뿌릴 제 울며 잡고 이별한 임
추풍낙엽(秋風落葉)에 저도 나를 생각하는가
천 리(千里)에 외로운 꿈만 오락가락 하는구나

– 계랑

나
동풍(東風)이 건듯 불어 쌓인 눈을 헤쳐 내니
창밖에 심은 매화 두세 가지 피었구나
가뜩이나 쌀쌀하고 적막한데 그윽한 향기는 무슨 일인가
황혼의 달이 쫓아와 베갯머리에 비치니
흐느끼는 듯 반기는 듯 임이신가 아니신가
저 매화를 꺾어 내어 임 계신 곳에 보내고 싶구나
임이 너를 보고 어떻게 생각하실까
꽃 지고 새잎이 나니 **녹음(綠陰)**이 깔렸는데
비단 **휘장** 안은 쓸쓸하고 수놓은 **장막**은 텅 비어 있다
연꽃을 수놓은 휘장을 걷고 공작이 그려진 병풍을 두르니
가뜩이나 시름 많은데 날은 어찌 그리도 길던가
원앙이 그려진 비단을 베어 놓고 오색실을 풀어내어
금으로 만든 자로 재어서 임의 옷 지어 내니
솜씨는 물론이거니와 격식도 갖추었구나
산호로 만든 지게 위에 **백옥함**에 담아 두고
임에게 보내려고 임 계신 곳 바라보니
산인가 구름인가 험하기도 험하구나
천 리(千里) 만 리(萬里) 먼 길을 누가 찾아갈까
가거든 열어 두고 나를 본 듯 반기실까

– 정철, 「사미인곡」

감상 체크

1. (가), (나)의 화자가 처한 상황은?

두 화자 모두 사랑하는 임과 ☐☐함

2. (가)의 시적 상황은?

봄에 이별한 임을 가을 바람에 떨어지는 ☐☐을 보며 그리워함

3. (나)의 시적 상황은?

이별한 임에게 ☐☐와 정성스럽게 지은 ☐을 보내 드리고자 함

4. (가)와 (나)에서 임과 화자 사이의 거리감을 나타내는 시어는?

(가)에서는 ☐☐가, (나)에서는 ☐☐☐☐가 임과 화자의 거리감을 나타냄

어휘 체크

◗ **황혼**: 해가 지고 어스름해질 때

◗ **녹음**: 푸른 잎이 우거진 나무나 수풀. 또는 그 나무의 그늘

◗ **휘장**: 아직 끊지 아니한 베, 무명, 비단 따위의 천을 여러 폭으로 이어서 빙 둘러치는 장막

◗ **장막**: 한데에서 볕 또는 비바람을 피할 수 있도록 둘러치는 막

◗ **백옥함**: 흰 옥으로 만든 함

1 (가), (나)에서 계절감을 나타내는 시어가 <u>아닌</u> 것은?

① 이화우   ② 추풍낙엽   ③ 동풍

④ 황혼   ⑤ 녹음

2 (가)와 (나)의 공통점으로 가장 적절한 것은?

① 주관적 변용을 통해 개성 있게 표현하고 있다.

② 시간의 흐름을 바탕으로 정서를 드러내고 있다.

③ 관습적 표현을 활용하여 의미를 강조하고 있다.

④ 감각의 전이를 통해 생동감 있게 묘사하고 있다.

⑤ 반복과 변주의 방식으로 운율감을 형성하고 있다.

기출 문제

3 〈보기〉를 바탕으로 (가), (나)를 감상한 내용으로 적절하지 <u>않은</u> 것은?

> ┤ 보기 ├
>
> 고전 시가에는 헤어진 임에 대한 그리움과 변함없는 사랑을 여성 화자의 목소리로 표현한 작품들이 많다. 이러한 작품들에는 (가)처럼 여성 작자가 자신이 실제 겪었던 이별의 상황과 아픔을 진솔하게 표현한 노래도 있으며, (나)처럼 남성인 사대부가 임금의 곁에서 멀어져 있는 자신의 처지를 이별한 여인의 모습에 빗대어 표현한 노래도 있다.

♪ 사대부: 벼슬이나 문벌(신분)이 높은 집안의 사람

① (가)의 '임'은 실제 경험 속 연인으로, (나)의 '임'은 당시의 임금으로 해석할 수 있군.

② (가)와 달리, (나)는 작가 자신을 이별한 여인에 빗대어 '임'에 대한 사랑을 노래하고 있군.

③ (가)와 (나)는 모두 '천 리'라는 시어를 통해 임과 멀어져 있는 현재의 상황을 표현하고 있군.

④ (가)의 '이화우', (나)의 '산'과 '구름'은 임에 대한 변함없는 화자의 사랑을 반영한 자연물이군.

⑤ (가)는 '저도 나를 생각하는가', (나)는 '나를 본 듯 반기실까'를 통해 여전히 임을 그리워하는 화자의 모습이 드러나는군.

주제별로 알아보는 속담

● 돈, 경제와 관련된 속담

강물도 쓰면 준다

굉장히 많은 강물도 쓰면 준다는 뜻으로, 풍부하다고 하여 함부로 헤 프게 쓰지 말라는 말

예 그 많던 세뱃돈이 금세 하나도 남지 않은 걸 보니 강물도 쓰면 준다는 말 이 사실이었네.

🔒 시냇물도 퍼 쓰면 준다

같은 값이면 다홍치마

값이 같거나 같은 노력을 한다면 품질이 좋은 것을 택한다는 말

예 같은 값이면 다홍치마라고 최대한 여러 업체를 비교해서 상품을 선택해야 겠다.

개미 금탑 모으듯

재물 따위를 조금씩 알뜰히 모아 감을 비유적으로 이르는 말

예 저 가족은 개미 금탑 모으듯 돈을 관리하더니 결국 부자가 되었어.

🔒 개미 메 나르듯

궤 속에 녹슨 돈은 똥도 못 산다

돈은 쓸 때 써야 그 값어치를 다 하게 됨을 비유적으로 이르는 말

예 돈이 아무리 많으면 뭐 해. 궤 속에 녹슨 돈은 똥도 못 산다고 아끼기만 하 다 써 보지도 못하고 죽게 되면 남 좋은 일만 시키는 거지.

남의 돈 천 냥이 내 돈 한 푼만 못하다

아무리 적고 보잘것없는 것이라도 자기가 직접 가진 것이 더 나음을 비유적으로 이르는 말

예 너희 집 재산이 아무리 많은들 무슨 소용이 있겠니. 남의 돈 천 냥이 내 돈 한 푼만 못하다고 우리 집 재산이 난 더 소중하다.

🔒 남의 집 금송아지가 우리 집 송아지만 못하다, 내 돈 서 푼이 남의 돈 사백 냥보다 낫다

돈 없는 놈이 큰 떡 먼저 든다

자격을 갖추지 못한 자가 도리어 먼저 나댈 때 이르는 말

예 돈 없는 놈이 큰 떡 먼저 든다고 이번 선거에 출마할 자격도 없으면서 이 미 당선된 것처럼 나대는 모습이 거슬렸다.

🔒 돈 한 푼 없는 놈이 자두치떡 만 즐긴다, 돈 없는 놈이 선가 먼저 물어본다

돈은 더럽게 벌어도 깨끗이 쓰면 된다

돈을 벌 때는 천한 일이라도 하면서 벌고 쓸 때는 떳떳하고 보람 있 게 씀을 비유적으로 이르는 말

예 아버지께서는 천한 대접을 받는 일은 이제 그만두시라는 말을 듣고 돈은 더럽게 벌어도 깨끗이 쓰면 된다며 일을 계속하시겠다는 의지를 보이셨다.

🔒 개같이 벌어서 정승같이 산 다

돈은 있다가도 없어지고 없다가도 생기는 법이라	재물은 돌고 도는 것이므로 재물을 가지고 상대를 평가하는 것은 어리석은 일이라는 말 예 돈은 있다가도 없어지고 없다가도 생기는 법이니까 돈을 인생의 전부로 생각하며 살아서는 안 된다.	
땅을 열 길 파면 돈 한 푼이 생기나	돈이 생기는 것은 공짜로 되는 것이 아니므로 한 푼의 돈이라도 아껴 쓰라는 말 예 땅을 열 길 파도 돈 한 푼이 생기는 것이 아니니 조금이라도 적게 쓰도록 노력해라.	유 땅을 열 길 파도 고리전 한 푼 생기지 않는다
싼 것이 비지떡	값이 싼 물건은 품질도 그만큼 나쁘게 마련이라는 말 예 업계에서 가장 저렴한 보험이라 가입했는데……. 막상 보장되는 항목이 하나도 없는 걸 보니 역시 싼 것이 비지떡이네.	유 값싼 비지떡
티끌 모아 태산	아무리 작은 것이라도 모이고 모이면 나중에 큰 덩어리가 됨을 비유적으로 이르는 말 예 티끌 모아 태산이라고 지금부터 조금씩 용돈을 모으다 보면 나중에는 큰돈이 될 거야.	유 모래알도 모으면 산이 된다, 실도랑 모여 대동강이 된다
한 푼 돈을 우습게 여기면 한 푼 돈에 울게 된다	아무리 적은 돈이라도 하찮게 여기지 말라고 경계하여 이르는 말 예 할머니는 동전을 귀하게 여기지 않는 나를 보고 한 푼 돈을 우습게 여기면 한 푼 돈에 울게 된다며 낭비하지 말 것을 당부하셨다.	

상황으로 보는 속담

싼 것이 비지떡

방똥 쵸쇼!
초특가 여행 상품
지금 예약하세요!

10주년 기념상품이라서 그런지 엄청 싸네!

저희 관광 코스에는 이곳의 입장료가 포함되어 있지 않아 입구에서 설명만 듣고 이동하시겠습니다.

입구만 보는 게 무슨 의미야. 싼 것이 비지떡이라더니!

[01~06] 다음 뜻에 해당하는 속담을 〈보기〉에서 찾아 기호를 써 보자.

보기

㉠ 티끌 모아 태산
㉡ 돈 없는 놈이 큰 떡 먼저 든다
㉢ 궤 속에 녹슨 돈은 똥도 못 산다
㉣ 땅을 열 길 파면 돈 한 푼이 생기나
㉤ 한 푼 돈을 우습게 여기면 한 푼 돈에 울게 된다
㉥ 돈은 있다가도 없어지고 없다가도 생기는 법이라

01   자격이 없는 사람이 먼저 나선다는 말   (   )

02   돈은 쓸 때 써야 그 값어치를 다 하게 됨을 비유적으로 이르는 말   (   )

03   아무리 적은 돈일지라도 하찮게 여기지 말라고 경계하여 이르는 말
                                                                                                            (   )

04   돈은 공짜로 생기는 것이 아니므로 한 푼의 돈이라도 아껴서 사용하라는 말
                                                                                                            (   )

05   먼지가 쌓여 큰 산이 되듯이, 아무리 작은 것이라도 모으면 나중에 큰 것이 된다는 말
                                                                                                            (   )

06   재물은 돌고 도는 것이므로 재물을 가지고 상대를 평가하는 것은 어리석은 일이라는 말
                                                                                                            (   )

07   다음 글을 읽고, 밑줄 친 내용에 적절한 속담을 써 보자.

　　○○시의 한 80대 할머니가 평생 김밥 장사를 하며 모은 전 재산 십억 원을 △△대학에 기부했다. 할머니는 어려운 가정 형편 탓에 못 배웠던 게 평생의 한(恨)이었다는 말을 하며, 자신의 돈을 어려운 형편에 있는 아이들이 걱정 없이 공부하는 데 써 달라는 요청을 하였다. 할머니의 기부 소식을 들은 △△대학 학생들은 한평생 어렵게 모으신 돈을 교육 발전을 위해 아낌없이 내어 주시는 모습이 너무 존경스럽다고 반응했다.

→

[08~12] 다음 빈칸에 알맞은 단어를 쓰고, 속담의 뜻을 찾아 바르게 연결해 보자.

08 ☐도 쓰면 준다 ・

・㉠ 재물 따위를 조금씩 알뜰히 모아 감을 비유적으로 이르는 말

09 개미 ☐ 모으듯 ・

・㉡ 많은 강물도 쓰면 준다는 뜻으로, 풍부하다고 하여 함부로 헤프게 쓰지 말라는 말

10 ☐도 모으면 산이 된다 ・

・㉢ 아무리 작은 것이라도 모이고 모이면 나중에 큰 덩어리가 됨을 비유적으로 이르는 말

11 ☐ 속에 녹슨 돈은 똥도 못 산다 ・

・㉣ 아무리 적고 보잘것없는 것이라도 자기가 직접 가진 것이 더 나음을 비유적으로 이르는 말

12 남의 돈 천 냥이 내 돈 ☐ 만 못하다 ・

・㉤ 돈은 무조건 아끼기만 하는 것보다 필요할 때 적절히 사용해야 그 값어치를 다 하게 됨을 비유적으로 이르는 말

[13~15] 제시된 뜻과 예문을 참고하여 다음 초성에 해당하는 단어를 빈칸에 써 보자.

13 싼 것이 ㅂㅈㄸ : 값이 싼 물건은 품질도 그만큼 나쁘게 마련이라는 말

📋 아버지께서는 비용을 아끼려고 싼 기계를 들여놓았더니 공간만 차지하고 제대로 작동되지 않는다며 싼 것이 (   )이라고 하셨다.

14 같은 값이면 ㄷㅎㅊㅁ : 값이 같거나 같은 노력을 한다면 품질이 좋은 것을 택한다는 말

📋 함께 사과를 사러 간 친구는 같은 값이면 (   )라고 동그랗고 흠나지 않은 걸로 잘 고르라고 내게 말했다.

15 개같이 벌어서 ㅈㅅ 같이 산다: 돈을 벌 때는 궂은 일, 힘든 일이라도 하면서 벌고 쓸 때는 떳떳하고 보람 있게 씀을 이르는 말

📋 직업에는 귀천이 없다는 것을 알려 주기 위해 개같이 벌어서 (   )같이 사는 것이 더 가치 있고 중요한 일이라는 설명을 덧붙였다.

05 01 문학 개념어

일차

1단계 문맥으로 어휘 확인하기

비장미 — 숭고미
골계미 — 우아미
→ 문학의 아름다움

사건 → 모티프 — 암시 — 복선
인과성 — 필연성 — 유기적

숭고미(높을崇 높을高 아름다울美) 작품 속의 화자나 서술자가 경건한 분위기 속에서 높은 이상을 추구할 때 느껴지는 아름다움

비장미(슬플悲 씩씩할壯 아름다울美) 슬픈 분위기 속에서 화자나 서술자가 외부 세계에 의해 좌절할 때 느껴지는 아름다움

우아미(넉넉할優 아담할雅 아름다울美) 조화롭고 질서가 있는 분위기 속에서 아름다운 모습을 그리거나, 화자나 서술자가 자연에 동화되었을 때 느껴지는 아름다움

골계미(익살스러울滑 상고할稽 아름다울美) 풍자나 해학의 수법을 통해서 우스꽝스러운 모습이 나타날 때 느껴지는 아름다움

모티프(motif) 작품을 표현하는 동기가 된 작가의 중심 사상 = 모티브(motive)

암시(어두울暗 보일示) 뜻하는 바를 간접적으로 나타내는 표현 방법

복선(엎드릴伏 선線) 앞으로 일어날 사건을 독자에게 미리 암시적으로 제시하는 장치

인과성(인할因 열매果 성품性) 사건들 사이의 관계가 원인과 결과의 형태로 맺어져 있는 것

필연성(반드시必 그럴然 성품性) 사건의 전개 과정에서 원인과 결과에 따라 특정 사건이 반드시 일어나도록 짜여 있는 것 ◉ 우연성

유기적(있을有 틀機 과녁的) 생물체처럼 전체 이야기를 구성하고 있는 각각의 사건들이 서로 밀접하게 관련을 가지고 있는 것

● **다음 빈칸에 들어갈 알맞은 단어를 위에서 찾아 문맥에 맞게 써 보자.**

(1) 작가는 육이오 전쟁에서 ▢▢▢를 얻어 이 소설을 창작했다.

(2) 자연의 아름다운 형상이나 수려한 자태를 묘사함으로써 작품의 ▢▢▢가 드러난다.

(3) 김유정의 소설은 농촌과 도시의 토속적인 인간상을 해학적으로 표현하여 ▢▢▢가 잘 느껴진다.

(4) 높고 위대한 것을 추구하는 데서 오는 아름다움으로, 엄숙한 분위기를 자아내는 것을 ▢▢▢라고 한다.

(5) ▢▢▢가 주를 이루는 작품에서는 인물이 현실의 벽에 부딪혀 실패하면서 슬픈 분위기가 나타나기도 한다.

(6) 작품 전체를 이루는 요소들은 ▢▢▢으로 서로 얽혀 있으므로, 주제를 이해하려면 각 요소들을 제대로 파악해야 한다.

(7) 이 소설에서 '거울'이 깨지는 사건은 앞으로 일어날 불길한 일을 ▢▢하는 ▢▢ 역할을 하여 작품에 긴장감을 조성한다.

(8) 이 사건들은 원인과 결과의 ▢▢▢ 관계를 맺으면서, 우연히 일어난 것이 아니라 그럴 수밖에 없었던 ▢▢▢을 지니고 있었다.

2단계 문제로 어휘 익히기

1 다음 문장에 들어갈 알맞은 단어를 〈보기〉에서 찾아 써 보자.

―〈 보기 〉―

복선 비장미 우아미 유기적

(1) 작가는 주제를 구현하기 위해 사건을 인과 관계에 따라 (　　　　)(으)로 배열한다.

(2) 아무리 노력해도 주어진 현실을 극복할 수 없는 주인공의 좌절에서 (　　　　)이/가 느껴진다.

(3) (　　　　)은/는 독자의 흥미를 유발하거나, 독자에게 미리 심리적 준비를 하게 함으로써 사건을 자연스럽게 받아들이게 하는 효과가 있다.

2 제시된 뜻과 예문을 참고하여 다음 초성에 해당하는 단어를 빈칸에 써 보자.

(1) ㅇ ㄱ ㅅ : 여러 사건들이 원인과 결과의 관계로 맺어지면서 나타나는 성질

예 경찰이 사건의 (　　　　)을 검증하지 못하면서 범인을 찾는 일이 다시 원점으로 돌아갔다.

(2) ㅅ ㄱ ㅁ : 작품 속의 화자나 서술자가 경건한 분위기 속에서 높은 이상을 추구할 때 느껴지는 아름다움

예 이 소설의 주인공이 현실적으로 도달하기 어려운 이상적인 가치를 경건하게 추구하는 모습에서 (　　　　)가 느껴진다.

3 다음 단어에 대한 설명이 맞으면 ○, 틀리면 ✕ 표시를 해 보자.

(1) 조화로운 자연과 같이 균형을 잘 갖춘 이상적인 대상으로부터 우아미를 느낄 수 있다.

(○ , ✕)

(2) 소설의 장면 중 어떤 사건이 우연하게 벌어지는 상황에서는 사건의 필연성이 잘 드러난다.

(○ , ✕)

(3) 골계미가 나타나는 소설에서는 특정 인물을 풍자하여 웃음을 유발하는 과정에서 교훈이 전달된다.

(○ , ✕)

4 다음 글의 빈칸에 공통적으로 들어갈 단어로 적절한 것을 찾아보자.

「양산백전」에서 남녀 주인공인 양산백과 추 소저는 초월 세계와 현실 세계를 넘나들며 서로 사랑을 이어 간다. 작가는 신선이 인간 세상에 내려오거나 사람으로 태어나는 적강 _____, 죽음과 재생의 _____을/를 활용하여 주인공들을 다른 세계로 이동시킨다.

① 배경 ② 묘사 ③ 시점 ④ 모티프 ⑤ 실마리

02 현대 소설 주제어_상황과 분위기

1단계 문맥으로 어휘 확인하기

북새 — 혼비백산
이변 — 경황   상황
낭패 — 위협

분위기   적막하다 — 애잔하다
                고즈넉하다 — 을씨년스럽다

혼비백산(넋魂 날飛 넋魄 흩을散) 혼백(사람의 몸에 있으면서 몸을 거느리고 정신을 다스리는 비물질적인 것)이 어지러이 흩어진다는 뜻으로, 몹시 놀라 넋을 잃음을 이르는 말 ⊕ 백산, 혼불부신

북새 많은 사람이 야단스럽게 부산(급하게 서두르거나 시끄럽게 떠들어 어수선함)을 떨며 법석이는 일 ⊕ 북새(를) 놀다

경황(경치景 하물며況) 정신적·시간적인 여유나 형편
경황(놀랄驚 두려워할惶) 놀라고 두려워 허둥지둥함

이변(다를異 변할變) 예상하지 못한 사태나 괴이한 변고(갑작스러운 재앙이나 사고) ⊕ 변이, 변사

위협(위엄威 으를脅) 힘으로 으르고 협박함 ⊕ 공하, 위핍, 위하, 핍억

낭패(이리狼 이리狽) 계획한 일이 실패로 돌아가거나 기대에 어긋나 매우 딱하게 됨 ⊕ 낭패(를) 보다

적막(고요할寂 쓸쓸할寞)**하다** ① 고요하고 쓸쓸하다.
② 의지할 데 없이 외롭다.

애잔하다 ① 몹시 가냘프고 약하다. ② 애처롭고 애틋하다.

고즈넉하다 ① 고요하고 아늑하다. ② 말없이 다소 곳하거나 잠잠하다.

을씨년스럽다 ① 보기에 날씨나 분위기 따위가 몹시 스산하고 쓸쓸한 데가 있다. ② 보기에 살림이 매우 가난한 데가 있다. ⊕ '을씨년하다'는 잘못된 표기임

● **다음 빈칸에 들어갈 알맞은 단어를 위에서 찾아 문맥에 맞게 써 보자.**

(1) 산새들만이 지저귀고 있는 푸른 숲속의 그 절은 한결같이 ☐☐☐☐했다.

(2) 며칠 먹지 못해 힘이 없는 사슴이 고개를 ☐☐하게 쳐들고 나를 바라보았다.

(3) 더 이상 사람이 살지 않아 빈집만 가득한 마을의 풍경이 ☐☐☐☐☐☐☐.

(4) 밤이 되자 짙은 어둠 속에서 폐허가 된 궁궐은 더욱 황량하고 ☐☐한 분위기를 자아냈다.

(5) 이번 시합에 처음으로 출전한 김 선수가 유명한 선수들을 제치고 우승하면서 ☐☐이 일어났다.

(6) 아침에 늦잠을 자는 바람에 ☐☐ 중에 뛰어오느라, 시험에 필요한 준비물을 못 챙겨 와서 ☐☐를 보고 말았다.

(7) 갑자기 나에게 많은 사람들이 몰려와 질문을 하면서 한바탕 ☐☐를 떨어 대는 바람에 나는 그만 정신이 아득해졌다.

(8) 한밤중에 집 안으로 강도가 들어와 흉기로 ☐☐을 가하자, 우리 가족은 모두 ☐☐☐☐이 되어 집 밖으로 달아났다.

2단계 문제로 어휘 익히기

1 다음 단어를 활용하기에 적절한 문장을 찾아 바르게 연결해 보자.

(1) 낭패 •

(2) 북새 •

(3) 위협 •

• ㉠ 자신의 명령을 따르지 않으면 크게 다칠 거라며 그는 내게 [ ]을/를 주었다.

• ㉡ 모두가 제정신이 아닌 그 [ ] 속에서도 그는 끝까지 냉정함을 잃지 않고 있었다.

• ㉢ 고장이 잦다는 사실을 제대로 알아보지 않고 이 휴대 전화를 샀다가 [ ]을/를 보았다.

2 다음 문장에 들어갈 알맞은 단어를 〈보기〉에서 찾아 문맥에 맞게 써 보자.

┌─────── 보기 ───────┐
애잔하다   적막하다   고즈넉하다
└──────────────────┘

(1) 아빠는 계단을 힘겹게 오르는 할머니를 ( ) 쳐다보았다.

(2) 어제 가 본 그녀의 방은 그림 한 장, 달력 하나 걸려 있지 않고 그저 ( ).

3 다음 문장의 괄호 안에 들어갈 알맞은 단어를 골라 보자.

(1) 공부할 게 너무 많아서 밥을 챙겨 먹을 (경황 / 북새)도 없다.

(2) 낙엽이 모두 떨어지고 앙상한 가지만 남은 나무들이 (고즈넉하다 / 을씨년스럽다).

(3) 이번 프로젝트는 뜻밖의 (이변 / 낭패)이/가 많이 일어나는 바람에 일이 예상치 못한 방향으로 흘러갔다.

4 다음 글의 밑줄 친 부분을 표현하기에 가장 적절한 단어를 찾아보자.

학교에 가려고 집을 나오던 순간, 매캐한 냄새가 코를 찔렀다. 집 앞 건물에서 새빨간 불길이 치솟고 있었던 것이다. 빨리 이곳을 벗어나야겠다는 생각이 들어, 집에 있던 가족들과 주변 이웃들에게 큰 소리로 불이 났음을 알렸다. 내 외침에 깜짝 놀라 뛰쳐나온 사람들은 눈앞에 펼쳐진 광경을 보자 넋을 잃었다.

① 인생무상   ② 천신만고   ③ 혼비백산   ④ 불철주야   ⑤ 점입가경

[1~3] 다음 글을 읽고 물음에 답하시오.

2018학년도 9월 고1 전국연합

가 ㉠내가 집에 돌아온 것은 밤 열 시도 넘어서였으나 아버지는 그때까지 돌아오지 않고 있었다. 할머니와 어머니는 동네 사람들의 귀띔으로 미리 사건을 알고 있었던지, 내가 들어서자 얼른 뛰어나오며 허겁지겁 물었다.

"찾았니?" / "아버지는 어떻게 되셨어?"

내가 혼자 들어서는 걸 보면 찾지 못한 것을 번연히 알면서도 어머니는 다그쳐 물어댔다. 어머니는 나에게 밥을 줄 생각도 하지 않고 한숨만 내리쉬고 올려 쉬곤 하였다.

[A]
아버지가 돌아온 것은 통행금지 시간이 거의 되어서였다. 예상한 일이지만 아버지는 빈 몸이었고 형편없이 힘이 빠져 있었다. 그때까지 식구들은 아무도 잠들지 않았다. 작은형도 일이 일인지라 기타도 치지 않고 죽은 듯이 방 안에만 처박혀 있었다. 아버지를 보고도 아무도 말을 하지 않았다. 다만 할머니만이 말을 걸었다.

"이제 오니?" / "네."

그뿐, 아버지는 더는 말이 없었다. 그리고는 어머니가 보아 온 밥상을 한옆으로 밀어 놓고는 쓰러지듯 방 한가운데 드러눕고 말았다. 아버지는 지금 내일부터 당장 벌이를 나갈 수 없는 아픔보다도 길들여 키워 온 노새가 가여워서 저러는지도 모를 일이었다. 아버지는 원래가 마부였다. 서울에 올라오기 전 시골에서도 줄곧 말 마차를 끌었다. 어쩌다가 소달구지를 끄는 적도 있기는 했으나 얼마 가지 않아서 도로 말 마차로 바꾸곤 했다. 그런 아버지였으므로 서울에 올라와서는 내내 말 마차 하나로 버텨 나왔었는데 어떻게 마음먹었는지 노새로 바꾸고 만 것이다. 노새나 말이나 요즘은 그놈의 삼륜차 때문에 아버지의 일감이 자칫 줄어드는 듯하기도 했다. 웬만한 오르막길도 끄떡없이 오르고, 웬만한 골목 안 집까지도 드르륵 들이닥치니 아버지의 말 마차가 위협을 느낌직도 했고, 사실 일감을 빼앗기기도 했다. 그런데도 그때마다 아버지는 큰소리였다. "휘발유 한 방울 안 나오는 나라에서 자동차만 많으면 뭘 해." 마치 애국자처럼 말하는 것이었으나 ㉡나는 아버지의 그 말 뒤에 숨은 오기 같은 것을 느낄 수 있었다. 너무 고단해서였을까, 이날 밤 나는 앞뒤를 가릴 수 없을 만큼 깊이 잠에 빠졌던 것 같다.

나 ㉢"이걸 어쩌우. 글쎄 경찰서에서 당신을 오래요. 그놈의 노새가 사람을 다치고 가게 물건들을 박살을 냈대요. 이걸 어쩌지." / "노새는 찾았대?"

"찾고나 그러면 괜찮게요? 노새는 간데온데없고 사람들만 다치고 하니까, 누구네 노새가 그랬는지 수소문 끝에 우리 집으로 순경이 찾아왔지 뭐유."

오늘 낮에 지서에서 나온 사람이 우리 노새가 튀는 바람에 여기저기서 많은 피해를 입었으니 도로 무슨 법이라나 하는 법으로 아버지를 잡아넣어야겠다고 이르고 갔다는 것이었다. ㉣아버지는 술이 확 깨는 듯 그 자리에 선 채 한동안 눈만 뒤룩뒤룩 굴리고 서 있더니 힝 하고 코를 풀었다. 그리고는 아무 말 없이 스적스적 문밖으로 걸어 나갔다. 나는 "아버지" 하고 뒤를 따랐으나 아버지는 돌아보지도 않고 어두운 골목길을 나가고

감상 체크

1. 이 글의 배경은?

급격한 ☐☐☐와 도시화가 진행되던 1970년대의 도시 변두리 동네

2. 이 글에서 '노새'가 갖는 상징적 의미는?

삼륜차에 밀려 사라져 가는 존재로, 급변하는 사회에 적응하지 못해 힘들어하는 ☐☐☐를 상징함

3. 이 글의 주제는?

산업화 과정에 ☐☐하지 못한 가난한 사람들의 힘겨운 삶

어휘 체크

❯ **번연히:** 어떤 일의 결과나 상태 따위가 훤하게 들여다보이듯이 분명하게

❯ **수소문:** 세상에 떠도는 소문을 두루 찾아 살핌

❯ **지서:** 본서에서 갈려 나가, 그 관할 아래서 지역의 일을 맡아 하는 관서. 주로 경찰 지서를 이름

있었다. / ⓜ나는 그 순간 또 한 마리의 노새가 집을 나가는 것 같은 착각을 일으켰다. 그리고는 무엇인가가 뒤통수를 때리는 것을 느꼈다. 아, 우리 같은 노새는 어차피 이렇게 비행기가 붕붕거리고, 헬리콥터가 앵앵거리고, 자동차가 빵빵거리고, 자전거가 쌩쌩거리는 대처에서는 발붙이기 어려운 것인가 하는 생각이 들었다. 언젠가 남편이 택시 운전사인 칠수 어머니가 하던 말, "최소한도 자동차는 굴려야지 지금이 어느 땐데 노새를 부려." 했다는 말이 생각났다. 그러나 그것은 잠깐 동안이고 나는 금방 아버지를 쫓았다. 또 한 마리의 노새를 찾아 캄캄한 골목길을 마구 뛰었다.

– 최일남, 「노새 두 마리」

대처: 사람이 많이 살고 상공업이 발달한 번잡한 지역

1 **윗글의 [A] 부분에서 나타나는 분위기를 표현하는 단어로 가장 적절한 것은?**

① 경이롭다
② 애잔하다
③ 냉혹하다
④ 고즈넉하다
⑤ 을씨년스럽다

경이롭다: 놀랍고 신기한 데가 있다.

냉혹하다: 차갑고 몹시 심하다.

기출 문제

2 **윗글에 대한 설명으로 가장 적절한 것은?**

① 상징적 소재를 통해 주제를 형상화하고 있다.
② 풍자적 기법을 통해 인물을 희화화하고 있다.
③ 시점의 전환을 통해 상황을 입체적으로 보여 주고 있다.
④ 사건의 반전을 통해 갈등이 해소될 것임을 암시하고 있다.
⑤ 회상을 통해 외부 이야기에서 내부 이야기로 이동하고 있다.

풍자적: 현실의 부정적 현상이나 모순 따위를 빗대어 비웃으면서 비판하는 것

희화화: 어떤 인물의 외모나 성격, 또는 사건이 의도적으로 우스꽝스럽게 묘사되거나 풍자됨. 또는 그렇게 만듦

3 **⊙~ⓜ에 대한 이해로 적절하지 않은 것은?**

① ⊙: 늦게까지 '노새'를 찾는 모습에서 '아버지'의 절박한 심정을 느낄 수 있군.
② ⓛ: 이제는 시대 변화에 적응해야겠다는 '아버지'의 굳은 다짐을 '나'가 눈치 챘음을 알 수 있군.
③ ⓒ: '어머니'가 '노새' 때문에 발생한 문제들로 '아버지'가 더 곤경에 처할 것을 걱정하고 있음이 드러나는군.
④ ⓔ: 힘든 현실에 망연자실한 '아버지'의 모습이 드러나는군.
⑤ ⓜ: '나'가 집을 나가는 '아버지'의 지친 모습을 보고, '아버지'를 '노새'와 같다고 생각하고 있음을 알 수 있군.

망연자실한: 멍하니 정신을 잃은

06 일차 01 문학 개념어

1단계 문맥으로 어휘 확인하기

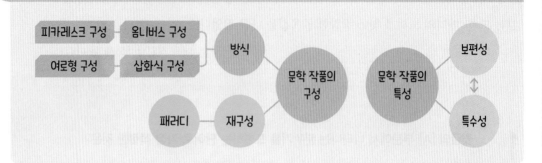

옴니버스 구성(omnibus 얽을構 이룰成) 하나의 주제 아래, 등장인물과 사건이 전혀 다른 독립된 몇 편의 이야기를 한데 묶어 놓은 구성. 각 이야기마다 중심인물과 배경이 다름

피카레스크 구성(picaresque 얽을構 이룰成) 독립된 각각의 이야기가 병렬적으로 나열되어 전체 소설을 이루는 구성. 각 이야기는 직접 연결되지는 않으나, 배경이 같고 동일한 중심인물이 계속 등장함

삽화식 구성(꽂을揷 말할話 방식式 얽을構 이룰成) 전체 이야기와 직접적인 관련은 없지만, 내용적으로 연관된 짤막한 이야기를 중간에 삽입한 구성

여로형 구성(나그네旅 길路 형상形 얽을構 이룰成) 여행의 길을 따라 사건의 발생과 해결이 이루어지는 구성

재구성(다시再 얽을構 이룰成) 한 번 구성하였던 것을 다시 새롭게 구성함 ◉ 재조직

패러디(parody) 특정 작품의 소재나 작가의 문체를 흉내 내어 익살스럽게 표현하는 수법. 또는 그런 작품

보편성(널리普 두루遍 성품性) 모든 것에 두루 미치거나 통하는 성질 ◉ 일반성

특수성(특별할特 죽일殊 성품性) 일반적이고 보편적인 것과 다른 성질 ◉ 특이성

● **다음 빈칸에 들어갈 알맞은 단어를 위에서 찾아 문맥에 맞게 써 보자.**

(1) 염상섭의 「만세전」은 주인공이 동경에서 서울로 오고 가는 여정을 담은 □□□ 구성의 소설이다.

(2) 작가는 강원도의 한 마을에서 일어난 실제 이야기를 문학적으로 □□□하여 이 작품을 창작하였다.

(3) 이 웹 소설은 원작 소설에서 진지한 성격으로 그려진 인물들을 우스꽝스럽게 묘사하여 풍자한 □□□ 작품이다.

(4) □□□□□ 구성은 서로 독립된 이야기들이 순서에 관계없이 하나의 주제를 뒷받침하면서 모여 있는 구성 방식이다.

(5) 장용학의 「요한 시집」은 도입 부분에 작품의 주제와 관련된 '토끼 이야기'를 넣는 □□□ 구성 방식을 통해 앞으로 전개될 내용을 암시하고 있다.

(6) 총 12개의 이야기로 구성된 이 연작 소설은 각 이야기들이 직접 연결되지는 않으나, 동일한 중심인물이 등장하며 □□□□□ 구성을 보여 준다.

(7) 한국 문학은 기쁨과 슬픔, 사랑 등과 같은 주제를 그려 □□□을 지니면서도, 일제 강점기 아래 우리 민족이 겪은 고통을 형상화하여 외국 문학과 구별되는 역사적 □□□도 지닌다.

2단계 문제로 어휘 익히기

1 제시된 뜻과 예문을 참고하여 다음 초성에 해당하는 단어를 빈칸에 써 보자.

(1) ㅈㄱㅅ : 한 번 구성한 것을 다시 새롭게 구성함

예 이 소설은 시간의 흐름에 따르지 않고 시간적 순서를 (   )하여 사건이 전개되고 있는 것이 특징이다.

(2) ㅅㅎㅅ 구성: 전체 이야기와 내용적으로 연관된 짧은 토막 이야기를 삽입한 구성

예 이 글은 전체 이야기 속에 '나'의 과거 이야기를 짤막하게 (   )으로 끼워 넣는 구성을 취하고 있다.

(3) ㅍㅋㄹㅅㅋ 구성: 동일한 배경과 인물이 나오는 독립된 이야기들이 병렬적으로 나열되어 전체 소설을 이루는 구성

예 이 작품은 같은 등장인물과 배경이 반복되면서도, 각각의 이야기가 독립적으로 존재하는 (   ) 구성으로 짜여져 있다.

2 다음 단어에 대한 설명이 맞으면 ○, 틀리면 × 표시를 해 보자.

(1) '문학의 보편성'은 인간의 삶에 내재한 꿈과 소망, 고민과 갈등을 다룬 작품에서 잘 드러난다. (○, ×)

(2) '옴니버스 구성'은 서로 다른 인물이 등장하는 이야기들이 엮여, 하나의 주제를 이루는 구성 방식이다. (○, ×)

3 다음 문장의 괄호 안에 들어갈 알맞은 단어를 골라 보자.

(1) 이 작품은 6·25 전쟁 직후를 배경으로 한 이야기로, 그 당시의 사람들만이 겪었던 전쟁의 고통을 그려 냄으로써 문학의 (보편성 / 특수성)을 보여 주고 있다.

(2) (패러디 / 표절)은/는 원작 소설을 있는 그대로 베끼는 것이 아니라, 원작의 내용과 소재 등을 가져와 새로운 작품을 창작하는 것이므로 새로운 의미를 갖는다.

4 다음 글의 빈칸에 들어갈 말로 가장 적절한 것을 찾아보자.

황석영의 「삼포 가는 길」은 _____ 구성의 대표적인 소설이다. 이 소설은 떠돌이 노동자 '영달', 교도소 출소 후 고향을 찾아가는 '정 씨', 그리고 술집에서 도망쳐 나온 '백화'가 중심인물로 등장한다. 이 세 인물은 한나절 동안 함께 길을 걸으면서 서로를 이해하고 깊은 인간적인 정을 나누게 된다. 여기서 이들이 함께 걷는 '길'은 1970년대 소외된 하층민의 만남과 이별의 공간을 상징한다.

① 액자식 ② 삽화식 ③ 순행적 ④ 여로형 ⑤ 피카레스크

02 현대 소설 주제어 _말

 1단계 문맥으로 어휘 확인하기

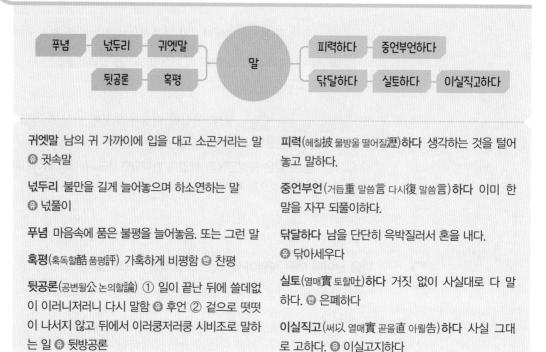

귀엣말 남의 귀 가까이에 입을 대고 소곤거리는 말
유 귓속말

넋두리 불만을 길게 늘어놓으며 하소연하는 말
유 넋풀이

푸념 마음속에 품은 불평을 늘어놓음. 또는 그런 말

혹평(혹독할酷 품평評) 가혹하게 비평함 반 찬평

뒷공론(공변될公 논의할論) ① 일이 끝난 뒤에 쓸데없이 이러니저러니 다시 말함 유 후언 ② 겉으로 떳떳이 나서지 않고 뒤에서 이러쿵저러쿵 시비조로 말하는 일 유 뒷방공론

피력(헤칠披 물방울 떨어질瀝)**하다** 생각하는 것을 털어놓고 말하다.

중언부언(거듭重 말씀言 다시復 말씀言)**하다** 이미 한 말을 자꾸 되풀이하다.

닦달하다 남을 단단히 윽박질러서 혼을 내다.
유 닦아세우다

실토(열매實 토할吐)**하다** 거짓 없이 사실대로 다 말하다. 반 은폐하다

이실직고(써以 열매實 곧을直 아뢸告)**하다** 사실 그대로 고하다. 유 이실고지하다

● **다음 빈칸에 들어갈 알맞은 단어를 위에서 찾아 문맥에 맞게 써 보자.**

(1) 이미 결정된 일에 대해서 더 이상 ☐☐☐을 벌이는 것은 의미가 없으니 그만 이야기하자.

(2) 이대로 거짓말을 계속하다가는 더 큰일이 벌어질 것 같아서 나는 엄마에게 그간의 일들을 ☐☐했다.

(3) 삼촌의 사업 실패로 집안이 어려워진 후부터 할머니는 밤마다 한숨을 내쉬며 ☐☐☐ 같은 혼잣말을 하셨다.

(4) 수업이 시작되기 전, 옆 반의 한 학생이 교실로 들어와 조심스럽게 선생님께 무어라고 ☐☐☐을 하고는 나갔다.

(5) 낚시를 좋아하는 아버지가 저수지 근처로 이사를 가자고 하자, 어머니는 이를 못마땅해하며 ☐☐을 늘어놓았다.

(6) 밑도 끝도 없는 말들을 자꾸 ☐☐☐☐하는 남편의 모습을 보고, 아내는 그가 자신을 속이고 있다는 확신이 들었다.

(7) 아버지는 연락도 없이 집을 나갔던 내게 화가 나셔서, 그동안 어디 가서 무엇을 했는지 ☐☐☐☐하라며 나를 ☐☐하셨다.

(8) 나는 여러 근거를 바탕으로 나의 의견을 계속 ☐☐했으나, 교수님은 내가 제시한 근거들은 전부 타당성이 없다며 ☐☐을 내리셨다.

2단계 문제로 어휘 익히기

1 다음 단어의 의미를 찾아 바르게 연결해 보자.

(1) 푸념 • • ㉠ 사실 그대로 고함

(2) 뒷공론 • • ㉡ 마음속에 품은 불평을 늘어놓음

(3) 이실직고 • • ㉢ 겉으로 떳떳이 나서지 않고 뒤에서 괜히 흠을 잡거나 쑥덕거리는 일

2 다음 문장에 들어갈 알맞은 단어를 〈보기〉에서 찾아 써 보자.

보기

실토   피력   넋두리   중언부언

(1) 이런 엄숙한 분위기에서 내 의견을 강하게 (   )하는 것은 쉽지 않았다.

(2) 그녀는 불안하고 나직한 목소리로 자꾸 (   )하며 좀처럼 결정을 내리지 못했다.

(3) 뒤에 다가올 처벌이 두렵긴 하였지만, 마음이 너무나도 불편해서 선생님께 그동안의 잘못을 모두 (   )하였다.

3 다음 문장의 괄호 안에 들어갈 알맞은 단어를 골라 보자.

(1) 김 작가의 이번 작품은 전 작품에 비해 기대에 못 미치는 수준이라는 (혹평 / 찬평)을 받았다.

(2) 힘든 일들이 연이어 찾아와 불면증에 시달리던 나는 밤새 동생을 붙잡고 (귀엣말 / 넋두리)을/를 늘어놓았다.

4 다음 글의 밑줄 친 부분을 표현하는 단어로 가장 적절한 것을 찾아보자.

> 하지만 피문오 씨는 그 정도로는 물론 분통이 풀릴 수가 없는 모양이었다.
> "어디 선생! 말씀을 좀 해 보시라구. 아니 글에서는 그처럼 잘난 체 말이 많더니, 제 잘난 소리나 시부렁거릴 줄 알았지 선생도 남의 말을 알아듣는 덴 귀가 꽉 멀어 버리셨나. 왜 통 대답이 없으셔? 그렇담 내가 좀 더 수고를 해 주실까? 어째서 내 일을 하지 않게 되었느냐, 내 일을 하기가 싫어졌느냐……. 그 이율 좀 더 솔직하게 말해 달라 이거야. 이 무식한 놈도 좀 분명하게 알아듣고 납득이 가게끔 말씀이야. 알아들어? 그래도 못 알아들 으시겠다면 내 좀 더 똑똑히 말을 해 줄까?"
> – 이청준, 「자서전들 쓰십시다」

① 어르다   ② 갈취하다   ③ 반색하다   ④ 닦달하다   ⑤ 하소연하다

감상 체크

1. 이 글의 성격은?

'나'와 어머니의 과거 ☐ ☐이 주를 이루어 이야기가 전개되는 회고적 성격을 띠고 있음

2. 이 글의 상징적인 소재는?

자식에 대한 어머니의 사랑을 상징하며, '나'로 하여금 어머니에게 빚진 느낌을 갖게 하는 소재인 ☐☐

3. 이 글의 주제는?

어머니의 ☐☐에 대한 깨달음과 인간적 화해

[1~3] 다음 글을 읽고 물음에 답하시오. 2014학년도 11월 고1 전국연합

가 "옛날 살던 집이야, 크고 넓었제. 다섯 칸 겹집에다 앞뒤 터가 운동장이었더니라…….

하지만 이제 와서 그게 다 무슨 소용이냐. 남의 집 된 지가 이십 년이 다 된 것을……."

"그래도 어머님은 한때 그런 좋은 집도 살아 보셨으니 추억은 즐거운 편이 아니시겠어요? 이 집이 답답하고 짜증 나실 땐 그런 기억이라도 되살려 보세요."

"기억이나 되살려서 어디다 쓰게야. 새록새록 옛날 생각이 되살아나다 보면 그렇지 않아도 ˚심사가 어지러운 것을."

"하긴 그것도 그러실 거예요. 그렇게 넓은 집에 사셨던 생각을 하시면 지금 사시는 형편이 더 짜증스러워지기도 하시겠죠. 뭐니 뭐니 해도 지금 형편이 이렇게 비좁은 단칸방 신세가 되고 마셨으니 말씀예요……."

노인과 아내는 잠시 그렇게 위론지 넋두린지 ˚분간이 가지 않는 소리들을 주고받고 있었다.

나 바로 그 옷궤 이야기였다. 십칠팔 년 전, 고등학교 1학년 때였다. 술버릇이 점점 사나워져 가던 형이 ˚전답을 팔고 ˚선산을 팔고, 마침내는 그 아버지 때부터 살아온 집까지 마지막으로 팔아넘겼다는 소식이 들려왔다. K시에서 겨울 방학을 보내고 있던 나는 도대체 일이 어떻게 되어 가는지나 알아보고 싶어 옛 살던 마을엘 찾아가 보았다. 집을 팔아 버렸으니 식구들을 만나게 될 기대는 없었지만, 그래도 달리 소식을 알아볼 곳이 없기 때문이었다. ˚어스름을 기다려 살던 집골목을 들어서니 사정은 역시 K시에서 듣고 온 대로였다. 집은 텅텅 빈 채였고 식구들은 어디론지 간 곳이 없었다. 나는 다시 골목 앞에 살고 있던 먼 친척 간 누님을 찾아갔다. 그런데 그 누님의 말을 들으니, 노인이 뜻밖에 아직 나를 기다리고 있다는 것이었다.

[A] ┌ "여기가 어디냐. 네가 누군데 내 집 앞 골목을 이렇게 서성대고 있어야 하더란 말이
   └ 냐."

한참 뒤에 어디선가 누님의 소식을 듣고 달려온 노인이 문간 앞에서 어정어정 망설이고 있는 나를 보고 다짜고짜 나무랐다. 행여나 싶은 마음으로 노인을 따라 문간을 들어섰으나 집이 팔린 것은 분명해 보였다.

다 그날 밤 노인은 옛날과 똑같이 ⊙저녁을 지어 내왔고, 그날 밤을 거기서 함께 지냈다. 그리고 이튿날 새벽 일찍 K시로 나를 다시 되돌려 보냈다. 나중에야 안 일이지만 노인은 그렇게 나에게 저녁밥 한 끼를 지어 먹이고 마지막 밤을 지내게 해 주고 싶어, 새 주인의 양해를 얻어 그렇게 혼자서 나를 기다리고 있었다 했다. 언젠가 내가 다녀갈 때까지는 하룻밤만이라도 내게 옛집의 모습과 옛날 같은 분위기 속에 맘 편히 눈을 붙이고 가게 해 주고 싶어서였을 터이다. 아무리 그렇더라도 ⓒ문간을 들어설 때부터 썰렁한 집안 분위기가 이사를 나간 빈집이 분명했건만.

한데도 노인은 그때까지 매일같이 그 빈집을 드나들며 먼지를 털고 ⓒ걸레질을 해 온

어휘 체크

● **심사:** 어떤 일에 대한 여러 가지 마음의 작용

● **분간:** 사물이나 사람의 옳고 그름, 좋고 나쁨 따위와 그 정체를 구별하거나 가려서 앎

● **전답:** 논과 밭을 아울러 이르는 말

● **선산:** 조상의 무덤이 있는 산

● **어스름:** 조금 어둑한 상태. 또는 그런 때

것이었다. 그리고 그때 노인은 아직 집을 지켜 온 흔적으로 안방 한쪽에 ㉣이불 한 채와 옷궤 하나를 예대로 그냥 남겨 두고 있었다. 이튿날 새벽 K시로 다시 길을 나설 때서야 비로소 집이 팔린 사실을 분명히 해 온 노인의 심정으로는 그날 밤 그 옷궤 한 가지로나마 옛집의 분위기를 되살려 내 괴로운 잠자리를 위로하고 싶었음에 분명한 물건이었다.

 그런 내력이 숨겨져 온 옷궤였다. 떠돌이 살림에 ㉤다른 가재도구가 없어서도 그랬겠지만, 이 이십 년 가까이를 노인이 한사코 함께 간직해 온 옷궤였다. 그만큼 또 나를 언제나 불편스럽게 만들어 온 물건이었다. 노인에게 빚이 없음을 몇 번씩 스스로 다짐하고 지내다가도 그 옷궤만 보면 무슨 액면가 없는 빚 문서를 만난 듯 기분이 꺼림칙스러워지곤 하던 물건이었다.

ㅡ 이청준, 「눈길」

❖ 액면가: 화폐나 유가 증권 따위의 표면에 적힌 가격

1 윗글의 구성상 특징으로 가장 적절한 것은?

① 서술자를 교체하여 새로운 이야기를 구성하고 있다.
② 관련성 없는 사건들을 삽화식 구성으로 삽입하고 있다.
③ 배경을 자주 전환하여 긴박한 분위기를 형성하고 있다.
④ 역순행적 구성을 통해 사건을 입체적으로 전달하고 있다.
⑤ 여로형 구성을 통해 인물의 인식 변화를 보여 주고 있다.

❖ 역순행적 구성: 시간의 순서를 바꾸어 전개하는 구성. 현재에서 과거로 회상하는 전개 방식이 대표적이며, 입체적 구성이라고도 함

기출 문제

2 ㉠~㉤에서 [A]에 내재된 인물의 심리가 반영된 것만을 있는 대로 고른 것은?

① ㉠, ㉡
② ㉡, ㉢
③ ㉣, ㉤
④ ㉠, ㉡, ㉤
⑤ ㉠, ㉢, ㉣

3 '옷궤'에 대한 설명으로 적절하지 않은 것은?

① '아내'와 '노인' 간의 갈등을 유발하는 소재이다.
② '노인'의 아들에 대한 사랑을 상징하는 소재이다.
③ '나'에게 빚 문서처럼 보이는 꺼림칙한 물건이다.
④ '나'에게 과거의 기억을 떠오르게 하는 매개체이다.
⑤ '노인'이 옛집에 대한 흔적을 간직하기 위한 물건이다.

주제별로 알아보는 **한자 성어**

● 위기와 관련된 한자 성어

고립무원
(외로울孤 설立 없을無
도울援)

다른 사람과 어울려 사귀지 않거나 외톨이가 되어 구원을 받을 데가
없음
예 고립무원의 생활이 계속되면서 너무 외로운 요즘이다.

구사일생
(아홉九 죽을死 하나一 날生)

아홉 번 죽을 뻔하다 한 번 살아난다는 뜻으로, 죽을 고비를 여러 차
례 넘기고 겨우 살아남을 이르는 말
예 그는 불이 난 건물에 갇혔다가 구사일생으로 목숨을 건졌다.

⊕ **십생구사(十生九死)**: 열 번
살고 아홉 번 죽는다는 뜻으로,
위태로운 지경에서 겨우 벗어남
을 이르는 말

내우외환
(안內 근심憂 바깥外 근심患)

나라 안팎의 여러 가지 어려움
예 올해 우리나라는 중국의 수출 규제로 내우외환이 잇따르고 있다.

누란지위
(묶을累 알卵 갈之 위태할危)

층층이 쌓아 놓은 알의 위태로움이라는 뜻으로, 몹시 아슬아슬한 위
기를 비유적으로 이르는 말
예 국민들은 누란지위에 처한 나라를 구하기 위해 힘을 합쳤다.

⊕ **누란지세(累卵之勢)**: 층층이
쌓아 놓은 알의 형세라는 뜻으
로, 몹시 위태로운 형세를 비유
적으로 이르는 말

명재경각
(목숨命 있을在
밭 넓이 단위頃 새길刻)

거의 죽게 되어 곧 숨이 끊어질 지경에 이름
예 많은 병사들이 적국의 습격을 받고 명재경각에 이르렀다.

⊕ **명재조석(命在朝夕)**

배수지진
(등背 물水 갈之 진칠陣)

① 강이나 바다를 등지고 치는 진 ② 어떤 일을 성취하기 위하여 더
이상 물러설 수 없음을 비유적으로 이르는 말
예 그 어떤 어려움도 배수지진의 각오로 임한다면 극복할 수 있다.

⊕ **배수진(背水陣)**

백척간두
(일백百 자尺 낚싯대竿
머리頭)

백 자나 되는 높은 장대 위에 올라섰다는 뜻으로, 몹시 어렵고 위태
로운 지경을 이르는 말
예 지금은 회사의 운명이 백척간두에 선 절박한 시기이다.

사면초가
(넉四 낯面 가시나무楚
노래歌)

아무에게도 도움을 받지 못하는, 외롭고 곤란한 지경에 빠진 형편을
이르는 말
예 적군의 포위망이 좁혀지면서 우리는 사면초가에 내몰리게 되었다.

설상가상 (눈雪 위上 더할加 서리霜)	눈 위에 서리가 덮인다는 뜻으로, 난처한 일이나 불행한 일이 잇따라 일어남을 이르는 말 🔲 약속 시간이 얼마 남지 않았는데 설상가상으로 차까지 고장이 났다.
진퇴양난 (나아갈進 물러날退 두兩 어려울難)	이러지도 저러지도 못하는 어려운 처지 🔲 식당 주인들은 계속되는 재룟값 상승 때문에, 음식 가격을 올리지도 못하고 유지하지도 못하는 진퇴양난의 상황에 빠졌다.
천신만고 (일천千 매울辛 일만萬 괴로울苦)	천 가지 매운 것과 만 가지 쓴 것이라는 뜻으로, 온갖 어려운 고비를 다 겪으며 심하게 고생함을 이르는 말 🔲 그는 천신만고 끝에 전쟁에서 살아 돌아왔다.
풍전등화 (바람風 앞前 등잔燈 불火)	① 바람 앞의 등불이라는 뜻으로, 사물이 매우 위태로운 처지에 놓여 있음을 비유적으로 이르는 말 ② 사물이 덧없음을 비유적으로 이르는 말 🔲 사건에 휘말린 두 사람의 운명은 풍전등화가 된 것처럼 위태로웠다.

➐ **전호후랑(前虎後狼)**: 앞문에서 호랑이를 막고 있으려니까 뒷문으로 이리가 들어온다는 뜻으로, 재앙이 끊일 사이 없이 닥침을 비유적으로 이르는 말

➐ **진퇴유곡(進退維谷)**: 이러지도 저러지도 못하고 꼼짝할 수 없는 궁지

유래로 보는 한자 성어

배수지진(背水之陣)

> 더 이상 물러설 곳도 없어! 죽기를 각오하고 싸우자!

> 위기 속에서도 기세가 정말 대단하군!

중국 한나라 때 한군을 이끌고 있던 한신은 조나라를 공격하기로 하였다. 한나라가 쳐들어온다는 소식에 조나라는 성 근처 길목에 방어선을 만들었다. 이를 미리 알게 된 한신은 병사 일부를 성 근처에 숨어 있게 하고, 나머지 병사들은 성 입구까지 갔다가 적에게 패배하는 척하며 강을 등지고 진을 치라고 명령하였다. 강가에 있던 병사들은 강에 빠져 죽지 않기 위해 열심히 싸웠고, 성 근처에 숨어 있던 병사들은 적이 성에서 나오자 그 안으로 들어가 조나라의 깃발을 뽑고 한나라의 깃발을 세웠다. 적에게 밀린 조나라의 군사들은 물러나던 중에 이미 한나라의 깃발이 꽂힌 성을 보고 당황하였고, 이때를 놓치지 않고 맹공격을 퍼부은 한나라의 군사들은 대승을 거두었다.

싸움이 끝난 후 축하 자리에서 부장들은 한신에게 산을 등지고 물을 앞에 두고 싸우라는 병법의 가르침과 달리, 병사들에게 물을 등지고 싸우도록 명령을 내린 이유를 물었다. 한신은 죽을 곳에 몰아넣으면 살길을 찾을 수 있다는 병법의 가르침을 응용했다고 말하며, 군사들을 더 이상 물러설 수 없는 막다른 곳으로 몰아넣어 죽기를 각오하고 맞서게[背水之陣] 만들었음을 강조하였다.

01 다음 빈칸에 들어갈 한자 성어의 뜻을 〈보기〉에서 골라 기호를 써 보자.

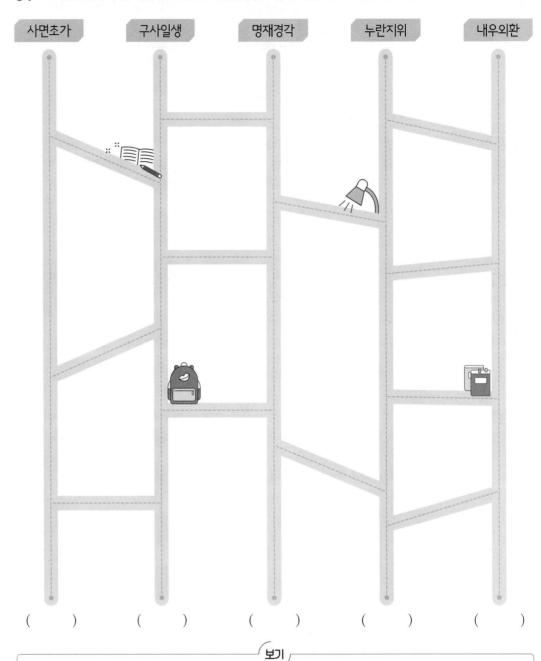

사면초가 구사일생 명재경각 누란지위 내우외환

( ) ( ) ( ) ( ) ( )

┌─ 보기 ─┐

㉠ 숨이 곧 끊어질 지경에 처한 것으로, 거의 죽게 됨을 이르는 말

㉡ 아무에게도 도움이나 지지를 받을 수 없는 고립된 상태에 처하게 된 것

㉢ 알을 쌓아 놓은 듯한 위태로움이라는 뜻으로, 몹시 아슬아슬한 위기를 이르는 말

㉣ 아홉 번 죽을 뻔하다 한 번 살아난다는 뜻으로, 여러 차례 죽을 고비를 겪고 간신히 목숨을 건짐을 이르는 말

㉤ 내부에서 일어나는 근심과 외부로부터 받는 근심이란 뜻으로, 나라 안팎의 여러 가지 어려운 일들을 이르는 말

[02~06] 다음 한자 성어의 뜻을 찾아 바르게 연결해 보자.

02 전호후랑(前虎後狼) •

03 배수지진(背水之陣) •

04 고립무원(孤立無援) •

05 진퇴유곡(進退維谷) •

06 천신만고(千辛萬苦) •

• ㉠ 온갖 어려운 고비를 다 겪으며 심하게 고생함

• ㉡ 이러지도 저러지도 못하고 꼼짝할 수 없는 궁지

• ㉢ 남과 사귀지 않거나 외톨이가 되어 도움을 받을 데가 없음

• ㉣ 물을 등지고 적과 싸울 진을 치는 진법. 물러설 곳이 없으니 목숨을 걸고 싸울 수밖에 없는 지경을 이르는 말

• ㉤ 앞문에서 호랑이를 막고 있으려니까 뒷문으로 이리가 들어온다는 뜻으로, 재앙이 끊일 사이 없이 닥침을 이르는 말

[07~09] 다음 문장의 괄호 안에 들어갈 알맞은 한자 성어를 골라 보자.

07 이 지역의 많은 학교들은 학생 수 부족으로 (백전노장 / 백척간두)의 위기에 처해 있다.

08 며칠 전 사고로 다리가 부러지고 얼마 지나지 않아 (설상가상 / 금상첨화)(으)로 독감까지 걸리게 되었다.

09 지금은 전염병의 확산세를 막지 못하면 병의 4차 유행이 현실화될 수 있는 (풍전등화 / 풍수지탄)의 위기 상황이다.

[10~11] 제시된 뜻과 예문을 참고하여 다음 초성에 해당하는 한자 성어를 빈칸에 써 보자.

10 ㅈㅌㅇㄴ : 나아갈 수도 물러설 수도 없는 궁지에 빠짐

예 식품 사업부는 잇따른 신제품의 흥행 실패로 (   )의 길에 빠졌다.

11 ㅅㅅㄱㅅ : 열 번 살고 아홉 번 죽는다는 뜻으로, 위태로운 지경에서 겨우 벗어남을 이르는 말

예 그는 비행기 사고에서 (   )로 살아남았다.

07 일차

01 문학 개념어

1단계 문맥으로 어휘 확인하기

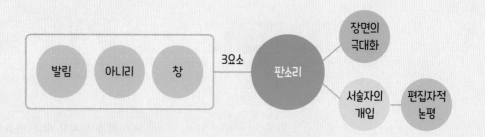

판소리 광대 한 사람이 고수의 북장단에 맞추어 이야기를 창과 아니리로 엮어 발림을 곁들이며 재미있게 전달하는 우리 고유의 민속악

창(부를唱) 판소리를 가락에 맞추어 높은 소리로 부름. 또는 그런 노랫소리

아니리 판소리에서, 창을 하는 중간중간에 가락을 붙이지 않고 이야기하듯 엮어 나가는 말 ❸ 사설

발림 판소리에서, 소리의 극적인 전개를 돕기 위하여 몸짓이나 손짓으로 하는 동작 ❸ 너름새, 사체

장면(마당場 낯面)**의 극대화**(지극할極 큰大 될化) 판소리에서 어떤 대목이나 장면을 짧은 어구로 장황하게 나열하는 방식. 이야기 전체의 흐름에서 벗어나 특정 부분을 확장하여 흥미와 감동을 강조함

서술자(줄敍 지을述 놈者)**의 개입**(끼일介 들入) 독자가 서술자의 존재를 분명히 알아챌 수 있도록 작품에 끼어들어 서술하는 방식. 인물의 행위나 상황을 평가하기도 하고, 줄거리를 요약하거나 미래에 일어날 사건을 간략히 제시하기도 하며, 독자에게 말을 걸거나 이야기의 흐름을 의도적으로 끊어 이야기 전개를 지연시키기도 함

편집자적 논평(엮을編 모을輯 놈者 과녁的 논의할論 품評) 작품 외부의 서술자가 인물의 행위나 상황에 대해 평가하는 것 예 '놀부 놈의 거동 보소.' → 서술자가 놀부를 '놈'이라고 지칭함으로써 부정적인 평가를 드러냄

● 다음 빈칸에 들어갈 알맞은 단어를 위에서 찾아 문맥에 맞게 써 보자.

(1) 우리의 민속악인 □□□는 열두 마당 중 지금은 다섯 마당만이 전한다.

(2) 판소리에서 □□은 몸짓을 통해 감정을 표현하는 연극적 요소에 해당한다.

(3) 진양조 장단에 맞추어 □을 하던 판소리 광대의 눈에는 어느덧 아련한 눈물이 맺혔다.

(4) '어찌된 일인지 모르겠구나. 다음 회를 보시라.'는 □□□□□ □□이 드러나는 서술이다.

(5) □□□는 판소리에서 말로 표현하는 부분으로 주로 사건의 변화나 시간의 경과 등을 서술한다.

(6) 서술자가 인물이나 상황에 대해 평가하는 □□□□ □□□은 서술자의 개입 방식 중 하나이다.

(7) 「춘향가」에서 암행어사가 출두하자 수령과 아전들이 도망가는 모습을 장황하게 나열하는 부분은 □□□ □□□가 드러난 것이다.

2단계 문제로 어휘 익히기

1 제시된 뜻과 예문을 참고하여 다음 초성에 해당하는 단어를 빈칸에 써 보자.

(1) ㅇㄴㄹ : 창을 하는 중간중간에 가락을 붙이지 않고 이야기하듯 엮어 나가는 말

예 (　　　　)는 극의 전개를 요약적으로 서술하거나 인물 간의 대화를 전달하는 부분으로 청중의 긴장을 이완시키는 기능을 한다.

(2) ㅍㅅㄹ : 광대 한 사람이 고수의 북장단에 맞추어 이야기를 창과 아니리로 엮어 발림을 곁들이며 재미있게 전달하는 우리 고유의 민속악

예 외국 관광객들은 (　　　　) 공연을 본 후에 1인 오페라를 본 것 같다고 말했다.

2 다음 단어에 대한 설명이 맞으면 ○, 틀리면 ✕ 표시를 해 보자.

(1) '창'은 판소리의 3대 요소 중 하나로, 판소리를 가락에 맞추어 높은 소리로 부르는 것을 말한다.　　　　　　　　　　　　　　　　　　　　　　(○, ✕)

(2) 소설에서 서술자가 미래에 일어날 사건을 간략하게 제시하는 것을 '편집자적 논평'이라고 한다.　　　　　　　　　　　　　　　　　　　　　　　(○, ✕)

3 다음 문장에 들어갈 알맞은 단어를 〈보기〉에서 찾아 써 보자.

┌───── 보기 ─────┐
발림　　아니리　　서술자의 개입　　장면의 극대화
└────────────────┘

(1) 「춘향전」의 내용 중 '저 사령 거동 보소.'는 서술자가 독자에게 직접 말을 거는 것으로 (　　　　)이/가 드러나는 표현이다.

(2) 판소리를 하는 광대는 감정이 고조되는 부분에서 손을 높이 들거나 부채를 펼치는 등의 (　　　　)을/를 보여 주기도 한다.

(3) 「흥부가」의 흥부 내외가 박을 타는 장면에서는 박 속에서 여러 가지 재물이 쏟아져 나오는 부분을 길게 나열하여 재미와 감동을 주는데, 이를 (　　　　)(이)라고 한다.

4 다음 글의 밑줄 친 부분을 가리키는 말로 적절한 것을 찾아보자.

┌──┐
　춘섬이 이 말을 듣고 무슨 까닭이 있음을 짐작하나 굳이 묻지는 않고 하직하는 아들의 손을 잡고 통곡하면서 말했다.

　"네 어디로 가려 하느냐? 한집에 있어도 거처하는 곳이 멀어 늘 보고 싶었는데, 이제 너를 정처 없이 보내고 어찌 잊으랴. 부디 쉬 돌아와 만나기를 바란다."

　길동이 절하고 문을 나와 멀리 바라보니 첩첩한 산중에 구름만 자욱한데 정처 없이 길을 가니 어찌 가련치 않으리오.

　　　　　　　　　　　　　　　　　　　　　　　　　　－ 허균, 「홍길동전」
└──┘

① 창　　　　　　　② 발림　　　　　　　③ 아니리
④ 장면의 극대화　　⑤ 편집자적 논평

02 고전 소설 주제어 _성품

1단계 문맥으로 어휘 확인하기

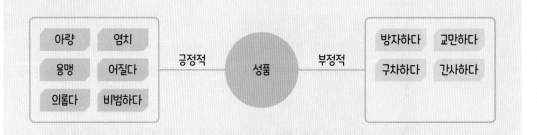

아량(아담할雅 헤아릴量) 너그럽고 속이 깊은 마음씨 ⊕ 관용, 도량

염치(청렴할廉 부끄러워할恥) 체면을 차릴 줄 알며 부끄러움을 아는 마음 ⊕ 파렴치

용맹(날랠勇 사나울猛) 용감하고 사나움 ⊕ 맹용, 무맹 ⊕ 비겁, 비굴

어질다 마음이 너그럽고 착하며 슬기가 있고 덕이 높다.

의(옳을義)**롭다** 정의를 위한 씩씩한 기상(사람이 타고난 마음씨)이 있다.

비범(아닐非 무릇凡)**하다** 보통 수준보다 훨씬 뛰어나다. ⊕ 비상하다, 특출하다 ⊕ 평범하다

방자(놓을放 방자할恣)**하다** ① 어려워하거나 조심스러워하는 태도가 없이 무례하고 건방지다. ② 제멋대로 거리낌 없이 노는 태도가 있다.

교만(교만할驕 게으를慢)**하다** 잘난 체하며 뽐내고 건방지다. ⊕ 오만하다, 거만하다 ⊕ 겸손하다

구차(진실로苟 또且)**하다** 말이나 행동이 떳떳하거나 버젓하지 못하다. ⊕ 군색하다

간사(간음할奸 간사할邪)**하다** ① 자기의 이익을 위해 나쁜 꾀를 부리는 등 마음이 바르지 않다. ② 원칙을 따르지 아니하고 자기의 이익에 따라 변하는 성질이 있다.

● 다음 빈칸에 들어갈 알맞은 단어를 위에서 찾아 문맥에 맞게 써 보자.

(1) 그는 불의를 보면 참지 않는 □□□ 성품을 지녔다.

(2) 그분은 우리 백성들의 안위를 늘 걱정하는 □□ 임금이셨다.

(3) 지도자는 다른 사람들을 이해할 수 있는 □□을 갖추어야 한다.

(4) 의병들은 왜병에 비해 수는 적었지만 □□하게 그들에게 맞서 싸웠다.

(5) 소설에 등장하는 영웅들은 보통 남들과는 다른 □□한 능력을 지니고 있다.

(6) 새로 부임한 사또는 □□하고 □□하게 아랫사람을 마구 부려 원성을 샀다.

(7) □□ 없는 부탁인 건 알았지만 나는 하루만 더 재워 달라고 주인에게 사정했다.

(8) 삼촌은 사업 실패 이후 해마다 친척들을 찾아다니며 □□하게 돈을 빌리고는 했다.

(9) 현명한 통치자는 국가가 아닌 자신의 개인적 이익을 위해 행동하는 □□한 신하를 멀리할 수 있어야 한다.

2단계 문제로 어휘 익히기

1 다음 단어의 의미를 찾아 바르게 연결해 보자.

(1) 염치 •　　　• ㉠ 용감하고 사나움

(2) 용맹 •　　　• ㉡ 깊고 너그러운 마음씨

(3) 아량 •　　　• ㉢ 체면을 차릴 줄 알며 부끄러움을 아는 마음

2 제시된 뜻과 예문을 참고하여 다음 초성에 해당하는 단어를 빈칸에 써 보자.

(1) ㅂㅈ 하다: 어려워하거나 조심스러워하는 태도가 없이 무례하고 건방지다.

　예 스승님은 그의 (　　　　　)한 태도를 몹시 언짢아 하셨다.

(2) ㄱㅅ 하다: 자기의 이익을 위하여 나쁜 꾀를 부리는 등 마음이 바르지 않다.

　예 적들은 (　　　　　)하게 꾀를 써서 우리를 함정에 빠뜨렸다.

3 다음 문장의 괄호 안에 들어갈 알맞은 단어를 골라 보자.

(1) 독립 열사들의 (무도한 / 의로운) 죽음 앞에서 우리는 숙연한 마음을 가질 수밖에 없었다.

(2) 일찍 벼슬자리에 오른 그는 가난한 집에서 글공부하던 어린 시절과 달리 몹시 (교만 / 군색)했다.

(3) 늦잠을 자는 바람에 약속 시간에 늦게 도착했고, 몹시 화가 난 친구 앞에서 나는 (비상 / 구차)한 변명을 늘어놓았다.

4 다음 글의 빈칸에 들어갈 말로 가장 적절한 것을 찾아보자.

> 하루는 박 소저가 시부모께 문안하고 절한 뒤에 엎드려서 시아버지 이 판서에게 아뢰었다.
>
> "내일 아침에 종을 종로에 보내어, 거기서 팔리는 수십 필의 말 중에서 제일 못난 말을 고르라 하십시오. 그 값을 물으면 일곱 냥을 달라고 할 것이니 못 들은 체하고 삼백 냥을 주고 사 오라 하십시오."
>
> "아니 네 말이 이상하지 않느냐?"
>
> "그 까닭은 후일에 알게 되실 것입니다."
>
> 이 판서는 며느리의 _____ 재주를 믿기 때문에 그 말을 들어주었다.
>
> – 작자 미상, 「박씨전」

① 어진　　② 비범한　　③ 교만한　　④ 용맹한　　⑤ 맹랑한

[1~3] 다음 글을 읽고 물음에 답하시오.   2013학년도 3월 고1 전국연합

감상 체크

1. 이 장면의 중심 사건은?

자라가 토끼를 유혹하여 ☐☐으로 데려가고 있음

2. 토끼가 자라를 따라 육지를 떠나는 이유는?

육지에서 ☐☐이 심했기 때문임

3. 자라가 토끼를 수궁으로 데려가는 이유는?

용왕의 병을 고치고 ☐을 이루기 위함

가 "수궁 천 리 멀다 마시오. 유명한 선비며 장군들이 물길 따라 군주를 찾지 않았소?

㉠맹자도 천 리를 멀다 않고 가 양 혜왕을 보았고, 강태공도 문왕 따라 주나라에 가 공 세웠고, 한신이도 소하 따라 한나라 땅에 들어서 그리 귀해졌다오. 토생원도 나를 따라 수궁에 들면 단번에 대장을 할 것이요, 고운 여인들과 밤낮없이 더불어 만세토록 즐거움을 누릴 것이니, 나를 따라 수궁으로 가실 테요, 아니 가실 테요?"

"어서 가십시다."

물가에 가 서니 농짝 같은 물이 들입다 때리는 걸 토끼가 딱 보고서는,

㉡"아이고, 죽어도 못 가겠소. 내 적이나 뭣하면 따라가서 좀 보려고 했더니, 아 여보, 이리 가다가 용궁 문턱도 못 가 보고 죽겄소. 나 아니 갈라오. 별주부나 평안히 가시오."

나 "아이고, 이거 좀 놔라! 아이고, 나 똥 좀 누고 가자. 똥 좀 누고 가, 이놈아. 똥 누고 가!" / "아 이놈아, 물에다 누어!"

"아이고, 물에다 똥 누면 벼락 맞는다면서, 이놈아."

"아 이놈아, 사공은 벼락 맞느라고 볼일을 못 보겠구나."

"아이구 이놈아, 그러면 그건 그렇다 하고 뒤지는 뭣으로 헐 것이냐?"

㉢"아, 시방 뒤지가 어디 있어! 물에다 훌렁훌렁해 버려라. 야 이놈아, 아가리 벌리지 마라. 짠물 입에 들어가면 벙어리 된다. 이놈아, 인제 할 수 없으니 내 등에 업혀라."

이리하여 만경창파 거센 파도를 타고 남해를 바라고 길을 떠나는구나.

ⓐ토끼가 경망하여 자라의 낚시에 걸리기는 하였으되, 오죽이나 고생이 심했으면 정 든 제 고장을 떠나 낯선 고장으로 갈 생각을 하였으랴.

가면 갈수록 뭍도 산도 멀리 물러나고 사방에서 파도만이 출렁출렁 덮쳤다 물러났다 할 뿐이다. 어찌 보면 무시무시하나 토끼는 지금 오히려 기쁘기 그지없다.

다 토끼가 노래를 마치고 작은 배를 벌름거리면서 크게 웃자, 자라는 피식 웃는다.

ⓔ'이놈이 내 등에 앉아서 웃기까지 해? 교만하기 짝이 없군. 이제 네가 어떻게 될지 조금만 더 있어 보아라.' / 자라는 토끼의 노랫소리를 받아서 한 곡 읊는다.

[A]
┌ 한 조각 붉은 마음을 품음이여 / 얼마나 바쁘게 청산에 다녔던고.
│ 이 몸이 수고를 아끼지 않음이여 / 파도를 박차고 갔다 돌아오도다.
│ 간사한 토끼를 얻어 공을 이룸이여 / 한갓 용왕님 기쁜 빛을 보려 하도다.
└ 우리 임금님 병환 나으심이여 / 왕궁이 편안함을 기리도다.

토끼는 자라 노래를 무심히 듣다가, 제가 간사하다는 대목에서 더럭 의심이 나,

"그대 노래 속에 무슨 깊은 사연이 있는 것 같은데 어인 곡절이오?"

하고 물으니, 자라 대꾸한다.

"내 흥이 나서 그저 부른 것인데 무슨 사연이 있으리오."

어휘 체크

◐ 군주: 나라를 다스리는 최고 지위에 있는 사람

◐ 뒤지: 똥을 누고 밑을 씻어 내는 종이

◐ 만경창파: 한없이 넓고 넓은 바다

◐ 경망하여: 행동이나 말이 가볍고 조심성이 없어

◐ 곡절: 순조롭지 아니하게 얽힌 이런저런 복잡한 사정이나 까닭

토끼는 그래도 의심이 풀리지 아니하여 곱씹어 물었다.

"간사한 토끼를 얻어 공을 이루는 게 다 무엇이며, 우리 임금 병이 나으리라 하는 게 또 무슨 말이오?" / 자라가 토끼의 말을 듣고 나서,

ⓜ'이미 뭍이 보이지 않는 바다 한가운데까지 왔으니 내 말뜻을 안다 해도 제 놈이 어찌할 수 없으렷다.' / 하고, 토끼의 물음에는 대꾸 않고 갈 길을 다그친다.

– 작자 미상, 「토끼전」

---

1 ⓐ에 나타나는 서술상의 특징으로 가장 적절한 것은?

① 배경 묘사
② 요약적 제시
③ 장면의 전환
④ 장면의 극대화
⑤ 편집자적 논평

> ● **요약적 제시**: 인물의 상황이나 시간의 흐름을 압축하여 서술하는 방법

기출 문제

2 ㉠~㉢에 대한 설명으로 적절하지 **않은** 것은?

① ㉠: 자라는 토끼를 설득하기 위해 고사를 활용하고 있다.
② ㉡: 토끼는 자라의 의도를 알기 위해 엄살을 부리고 있다.
③ ㉢: 자라의 말은 해학적 표현으로 웃음을 유발하고 있다.
④ ㉣: 자라는 토끼의 행동을 못마땅하게 여기고 있다.
⑤ ㉤: 수궁으로 토끼를 데리고 가는 자라의 느긋함이 담겨 있다.

> ● **고사**: 유래가 있는 옛날의 일. 또는 그런 일을 표현한 어구
>
> ● **해학적**: 익살스럽고도 품위가 있는 말이나 행동이 있는 것

3 [A]에 대한 설명으로 적절하지 **않은** 것은?

① 토끼에 대한 평가가 담겨 있다.
② 용왕에 대한 충성심을 노래하고 있다.
③ 자신의 노력에 대한 자부심이 드러나 있다.
④ 상대의 처지에 공감하는 마음이 담겨 있다.
⑤ 수궁의 앞날에 대한 기대감이 나타나 있다.

08 일차

01 문학 개념어

1단계 문맥으로 어휘 확인하기

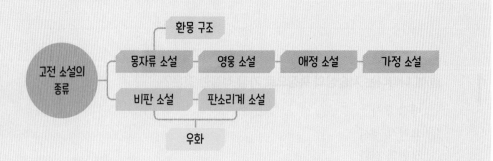

몽자류 소설(꿈夢 글자字 무리類 작을小 말씀說) 제목에 '몽(夢)' 자가 들어가는 소설. 주로 주인공이 꿈속에서 현실과 다른 존재로 태어나 현실과 전혀 다른 일생을 겪은 다음, 꿈에서 깨어나 깨달음을 얻는다는 이야기를 담고 있음 📖「구운몽」

환몽 구조(변할幻 꿈夢 얽을構 지을造) 꿈과 현실을 오가는 이야기 전개 구조. 환몽(허황된 꿈) 구조는 현실 속 주인공의 희망이 꿈속에서 실현되면서 우여곡절을 겪은 뒤 꿈에서 깨어나 깨달음을 얻게 되는 것으로, '현실-꿈-현실'의 구조로 나타남 ❸ 몽유 구조

영웅 소설(꽃부리英 수컷雄 작을小 말씀說) 주인공의 영웅적인 일생을 그린 소설. '영웅의 일생(고귀한 혈통-비정상적 출생-비범한 능력-시련-구출자의 도움-성장 후 위기 상황 발생-위기 극복과 위업 달성)'이라는 서사 구조가 나타남 📖「홍길동전」, 「유충렬전」

애정 소설(사랑愛 뜻情 작을小 말씀說) 남녀 간의 사랑을 주제로 하는 소설 📖「운영전」,「숙영낭자전」,「춘향전」

가정 소설(집家 뜰庭 작을小 말씀說) 가정을 배경으로 하여 가정 문제나 가족생활, 또는 가족 관계를 소재로 삼는 소설 📖「사씨남정기」,「장화홍련전」

비판 소설(비평할批 판가름할判 작을小 말씀說) 현실이나 사회의 문제점을 지적하는 소설 📖「홍길동전」,「사씨남정기」,「토끼전」

판소리계(이을系) **소설**(작을小 말씀說) 판소리 사설이 기록물로 정착되면서 이루어진 소설 📖「심청전」,「춘향전」,「토끼전」,「흥부전」

우화(붙어살寓 말할話) 의인화한 동식물이나 기타 사물을 주인공으로 하여 그들의 행동 속에 풍자와 교훈의 뜻을 나타내는 이야기 📖「토끼전」

● **다음 빈칸에 들어갈 알맞은 단어를 위에서 찾아 문맥에 맞게 써 보자.**

(1) 건국 신화에서 시작된 '영웅의 일생' 구조는 후대에 ☐☐ ☐☐로 계승되었다.

(2) 조선 후기에는 동물을 의인화하여 인간 사회의 모순을 비판하는 ☐☐ 소설이 많이 창작되었다.

(3) 「홍길동전」은 신분제의 문제점, 부패한 지배층의 무능함을 지적하고 있다는 점에서 ☐☐ ☐☐이다.

(4) ☐☐ ☐☐은 처첩 간의 갈등을 다룬 유형과, 계모와 전처 자식 간의 갈등을 다룬 유형 등으로 나뉜다.

(5) ☐☐☐ ☐☐은 주인공이 꿈속에서 다른 인물로 태어나 새로운 삶을 경험한 뒤에 꿈에서 깨며 깨달음을 얻는 ☐☐ ☐☐를 취한다.

(6) 「춘향전」은 판소리를 바탕으로 창작되었다는 점에 초점을 두어 본다면 ☐☐☐☐ ☐☐이고, 이몽룡과 성춘향의 사랑에 초점을 두어 본다면 ☐☐ ☐☐이다.

2단계 문제로 어휘 익히기

1 다음 개념에 해당하는 설명을 찾아 바르게 연결해 보자.

(1) 영웅 소설 •

(2) 애정 소설 •

(3) 가정 소설 •

• ㉠ 남녀 간의 사랑을 주제로 하는 소설

• ㉡ 주인공의 영웅적인 일생을 그린 소설

• ㉢ 가정을 배경으로 하여 가정 문제나 가족생활, 또는 가족 관계를 소재로 삼는 소설

2 다음 문장에 들어갈 알맞은 단어를 〈보기〉에서 찾아 써 보자.

보기

우화   영웅 소설   비판 소설   몽자류 소설

(1) (   )의 대표 작품인 「구운몽」은 주인공이 누렸던 부귀영화가 한낱 꿈에 불과하였음을 깨닫는 이야기를 담고 있다.

(2) 「토끼전」은 동물을 의인화하여 교훈을 전달한다는 점에서 (   )이며, 이기적인 지배층의 어리석음을 풍자하고 있다는 점에서 (   )이다.

3 다음 단어에 대한 설명이 맞으면 ○, 틀리면 × 표시를 해 보자.

(1) '환몽 구조'는 주인공이 꿈을 꾸는 과정을 거쳐 깨달음을 얻는 것으로, '꿈-현실-꿈'의 구조로 나타난다. (○, ×)

(2) '판소리계 소설'은 판소리 사설을 바탕으로 형성된 것으로, 「심청전」, 「춘향전」, 「토끼전」, 「흥부전」이 대표적인 작품이다. (○, ×)

4 다음 글에서 소개하는 소설의 유형으로 가장 적절한 것을 찾아보자.

중국 명나라 때 유현의 아들 유연수는 15세에 장원 급제하여 한림학사가 된다. 유한림은 덕성과 재주를 갖춘 사 씨와 결혼하였으나, 9년이 지나도록 자식이 없어 교 씨를 첩으로 맞아들인다. 간사하고 시기심이 많은 교 씨는 사 씨를 모함하여 내쫓고 자기가 본처가 된다. 그 후 교 씨는 집에 드나드는 손님인 동청과 몰래 만나며 남편을 모함하여 유배를 보낸다. 교 씨는 재산을 가지고 동청과 도망치다가 도둑을 만나 재물을 모두 빼앗기고 궁지에 빠진다. 한편 한림은 혐의가 풀려 유배지에서 풀려나고, 죄가 밝혀진 동청은 처형을 당한다. 한림은 방황하는 사 씨를 찾아 다시 맞아들이고 교 씨를 찾아내어 처형한다.

– 김만중, 「사씨남정기」 줄거리

① 우화   ② 애정 소설   ③ 가정 소설

④ 영웅 소설   ⑤ 몽자류 소설

02 고전 소설 주제어 _행동, 태도

일차

1단계 문맥으로 어휘 확인하기

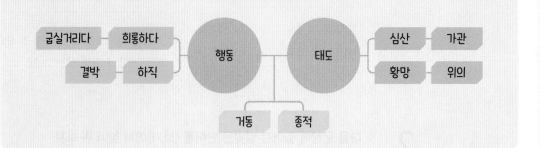

희롱(놀戱 희롱할弄)**하다** ① 말이나 행동으로 실없이 놀리다. ② 손아귀에 넣고 제멋대로 가지고 놀다. ③ 악기 따위를 능숙하게 다루다. ④ 서로 즐기며 놀리거나 놀다.

굽실거리다 남의 비위를 맞추느라고 자꾸 비굴하게 행동하다. ❀ 굽신거리다

하직(아래下 곧을直) ① 먼 길을 떠날 때 웃어른께 작별을 고하는 것 ② 무슨 일이 마지막이거나 무슨 일을 그만둠을 이르는 말 ③ 어떤 곳에서 떠남 ④ 서울을 떠나는 벼슬아치가 임금에게 작별을 아뢰던 일

결박(맺을結 묶을縛) ① 몸이나 손 따위를 움직이지 못하도록 동이어 묶음 ② 자유롭지 못하게 얽어 구속함

심산(마음心 계산算) 마음속으로 하는 궁리나 계획 ❀ 속셈

가관(옳을可 볼觀) 꼴이 볼만하다는 뜻으로, 남의 언행이나 어떤 상태를 비웃는 뜻으로 이르는 말

황망(어렴풋할慌 바쁠忙) 마음이 몹시 급하여 당황하고 허둥지둥하는 면이 있음

위의(위엄威 거동儀) 위엄이 있고 엄숙한 태도나 차림새 ❀ 의관

거동(들擧 움직일動) 몸을 움직임. 또는 그런 짓이나 태도

종적(발자취蹤 자취跡) 없어지거나 떠난 뒤에 남는 자취나 형상

● **다음 빈칸에 들어갈 알맞은 단어를 위에서 찾아 문맥에 맞게 써 보자.**

(1) 덩치가 큰 사내는 아이의 턱을 툭툭 건드리며 □□하고 있었다.

(2) 앞에선 아무 말도 못하고 뒤에서만 수군대는 꼴이 참으로 □□이다.

(3) 그는 워낙 □□ 중이어서 내게 인사도 없이 부리나케 밖으로 뛰쳐나갔다.

(4) 문이 열리면 바깥으로 도망칠 □□으로 그녀는 문 쪽만 계속 쳐다보고 있었다.

(5) 유배를 가게 된 신하는 임금이 계신 경회루를 향해 마지막으로 □□을 하고 떠났다.

(6) 옛날 양반들은 무더운 여름에도 모시 두루마기 정장을 하고 다니는 등 □□가 있었다.

(7) 자신의 실수를 무섭게 꾸짖는 왕 앞에서 신하는 겁을 먹은 채 □□□□ 있었다.

(8) 군사들은 깊은 산속에 숨어 있던 적들을 잡아서 한 명도 빠짐없이 □□하여 도성으로 끌고 왔다.

(9) 마을 사람들은 □□이 수상한 행인을 경찰에 신고했고, 위험을 감지한 그는 곧 □□을 감추어 버렸다.

2단계 문제로 어휘 익히기

1 다음 단어의 의미를 찾아 바르게 연결해 보자.

(1) 가관 •

(2) 위의 •

(3) 거동 •

• ㉠ 몸을 움직임. 또는 그런 짓이나 태도

• ㉡ 격식을 갖춘 위엄 있는 태도나 차림새

• ㉢ 꼴이 볼만하다는 뜻으로, 남의 언행이나 어떤 상태를 비웃는 뜻으로 이르는 말

2 제시된 뜻과 예문을 참고하여 다음 초성에 해당하는 단어를 빈칸에 써 보자.

(1) ㅈㅈ : 떠나거나 사라진 뒤에 남는 흔적이나 자취

　예 잠시 후 눈을 떠 보니 부채를 건네준 여인은 어느새 (　　　　　　)도 없이 사라져 버렸다.

(2) ㅎㅈ : 먼 길을 떠날 때 웃어른께 작별을 고하는 것

　예 나는 아버지께 허리를 굽혀 (　　　　　) 인사를 하고는 손등으로 눈물을 닦았다.

3 다음 문장의 괄호 안에 들어갈 알맞은 단어를 골라 보자.

(1) 입장이 곤란해진 그는 그녀에게 어떻게든 기대어 볼 (거동 / 심산)이었다.

(2) 먹을 것이 떨어진 그는 이웃을 찾아가 (희롱하며 / 굽실거리며) 양식을 빌려 달라고 부탁했다.

(3) 탈놀이 구경에 빠져 있다가 어머니를 잃어버린 아이는 (황망 / 하직) 중에 지고 있던 짐도 두고 달려 나갔다.

4 다음 글의 빈칸에 들어갈 단어로 가장 적절한 것을 찾아보자.

> 딱부리 하는 말이,
> "네 명색이 무엇이냐? 이 집이 아래위 낭청으로 다니며 도적질하는 서대주 집이냐? 나는 동지촌 사는 딱장군이니 와 계시다 일러라."
> 하거늘 쥐란 놈이 골을 내어 대답하고 들어가 고하니, 서대주 크게 성내고 분부하는 말이,
> "어떤 놈이든지 잡아들이라."
> 하니 수십 명 범 같은 쥐들이 명을 듣고 딱부리를 에워싸고 _____을/를 하고 이 뺨 치고 저 뺨 치며 몰아가니 딱부리 애걸하며 비는 말이,
> "내 무슨 잘못이 있다 이리하시오? 내 손주 노릇할 터이니 놓아주고 달아났다 하시오."
> 　　　　　　　　　　　　　　　　　　　　　　　　　　　　– 작자 미상, 「장끼전」

① 거동　　　② 결박　　　③ 분개　　　④ 정복　　　⑤ 하직

앞부분의 줄거리 | 명나라, 홍시랑과 부인 양 씨 사이에 태어난 계월은 어릴 적, 남장을 하고 자란다. 이후 계월은 장사랑의 반란으로 부모와 헤어져 죽을 고비를 맞으나 여공의 도움으로 살아난다. 여공은 계월에게 평국이라 이름 지어 주고, 계월은 여공의 아들인 보국과 함께 공부하여 장원 급제한다. 그 후 서달이 반란을 일으키자 평국과 보국은 전쟁에 출정한다.

가 원수가 벽파도에 다다라 배를 강변에 매고 진을 치며 ㉠호령하기를,

"서달 등을 바삐 잡으라." / 하니 제장이 일시에 고함하고 벽파도를 둘러싸니 서달이 하릴없어 자결하고자 하더니 원수 군사에게 잡혔는지라 원수 장대에 높이 앉아 서달 등을 꿇리고 호령하기를, / "이 도적을 차례로 군문 밖에 내어 베라."

하니 무사 일시에 달려들어 철통을 먼저 잡아내어 베고 그 남은 제장은 차례로 베니라.

나 이때, 군졸이 원수께 여쭈오되, / "어떤 사람이 여인 수인을 데리고 산중에 숨었기로 잡아 대령하였나이다." / 하거늘, 원수 잠깐 머무르고 그 사람을 잡아들이라 하니 무사 ㉡결박하여 대하에 꿇리고 죄목을 물을 새, 이 사람이 넋을 잃었더라. 원수 이르기를, "너희를 보니 대국 °복색이라 적병이 너희를 응하여 °동심합력하였단다. 바로 아뢰라."

이에 시랑이 ㉢황급하여 정신을 진정하여 아뢰기를,

"소인은 전일 대국에서 시랑 벼슬하옵다가 소인 참조에 고향에 돌아가 농업을 일삼다가 장사랑 난에 잡혀 이리이리되와 이곳으로 °정배 온 죄인이오니 죽어 마땅하여이다."

원수 이 말을 듣고, / "네 천자의 성은을 배반하고 역적 장사랑에게 부탁하였다가 성상이 어지사 너를 죽이지 아니하시고 이곳으로 정배하시니 그 은혜를 생각하면 °백골난망이거늘 또 적의 무리에 °내응이 되었다가 이렇듯 잡혔으니 네 어찌 변명하리오."

다 잡아내어 베라 하니 양 부인이 통곡하기를, / "에고 이것이 어인 일인가, 계월아. 너와 한가지 강물에 빠져 그때나 죽었다면 이런 욕을 면할 것을 하늘이 미워 여기사 모진 목숨 살았다가 이 ㉣거동을 보는도다."

하며 기절하거늘, 원수 이 말을 듣고 문득 선생의 이르던 말을 생각하고 대경하여 좌우를 다 치우고 앞에 가까이 앉히고 가만히 묻기를,

"아까 들으니 계월과 한가지 죽지 못함을 한하니 계월은 뉘며 그대 성은 뉘라 하느뇨?"

하니 부인이, / "소녀는 대국 형주 땅 구계촌에 사옵고 양 처사의 여식이오며 가군은 홍시랑이옵고 저 계집은 시비 양윤이요, 계월은 소녀의 딸이로소이다."

하며 전후 °수말을 낱낱이 다 아뢰니 원수 이 말을 듣고 정신이 아득하여 세상사가 꿈같은지라. 급히 뛰어내려 부인을 붙들고 통곡하며 말하기를,

"어머님, 제가 물에 들던 계월이로소이다."

하며 기절하니 부인과 시랑이 이 말을 듣고 서로 붙들고 통곡 기절하니 천여 명 제장과 팔십만 대병이 이 광경을 보고 어쩐 일인지 알지 못하고 서로 돌아보며 혹 눈물을 흘리며 천고에 없는 일이라 하며 영 내리기를 기다리더라.

감상 체크

1. 이 장면의 중심 사건은?
계월이 전쟁터에 나가 적군을 물리치고, 헤어졌던 □□□을 만남

2. 계월이 벽파도로 간 이유는?
□□의 반란을 제압하기 위해서

3. 이 소설의 갈래는?
홍계월의 영웅적 일대기를 그린 □□ 소설

어휘 체크

◐ **복색**: 예전에, 신분이나 직업에 따라서 다르게 맞추어서 차려입던 옷의 꾸밈새와 빛깔

◐ **동심합력하였단다**: 마음을 같이하여 힘을 합쳤단다

◐ **정배**: 죄인을 지방이나 섬으로 보내 정해진 기간 동안 그 지역 내에서 감시를 받으며 생활하게 하던 일. 또는 그런 형벌

◐ **백골난망**: 죽어도 잊지 못할 큰 은혜나 덕을 입음

◐ **내응**: 은밀히 내부에서 적과 통함

◐ **수말**: 일의 시작과 끝

라 보국은 이왕 평국이 부모 잃은 줄을 아는지라, 원수 정신을 진정하여 부모를 장대에 모시고 여쭈오되, / "그때 물에 떠가다가 무릉포 여공을 만나 건져 집으로 돌아가 친자식 같이 길러 그 아들 보국과 한가지로 어진 선생 밑에 함께 공부하게 하여 선생의 덕으로 황성에 올라가 둘이 다 °동방급제하여 한림학사로 있삽다가 서달이 반하여 ⓜ작란하매 소자는 대원수 되고 보국은 중군이 되어 이번 싸움에 적진을 할새, 서달이 도망하여 이곳으로 오옵기에 잡으러 왔삽다가 °천행으로 부모를 만났나이다."

– 작자 미상, 「홍계월전」

◐ 동방급제하여: 같은 때에 대과에 급제하여

◐ 천행: 하늘이 준 큰 행운

1

㉠~ⓜ의 뜻으로 적절하지 않은 것은?

① ㉠: 잘못을 꾸짖거나 나무라며 못마땅하게 여김
② ㉡: 몸이나 손 따위를 움직이지 못하도록 동이어 묶음
③ ㉢: 몹시 어수선하고 급박함
④ ㉣: 몸을 움직임. 또는 그런 짓이나 태도
⑤ ⓜ: 난리를 일으킴

2

윗글의 내용과 일치하지 않는 것은?

① 홍시랑은 여인들과 산중에 숨어 있었다.
② 계월은 서달을 물리치기 위해 벽파도로 갔다.
③ 보국은 계월이 부모님과 헤어졌음을 알고 있었다.
④ 계월과 홍시랑 부부는 처음에 서로를 알아보지 못했다.
⑤ 계월의 군졸은 홍시랑을 서달의 부하로 의심하여 잡아 왔다.

기출 문제

3

윗글의 사건을 영웅 소설의 서사 구조에 대응시켰을 때 적절하지 않은 것은?

〈영웅 소설〉		「홍계월전」
어려서의 고난과 시련	—	물에 빠져 부모와 헤어짐 ……………… ①
°조력자의 등장으로 역경 극복	—	여공의 도움으로 목숨을 구함 ………… ②
탁월한 능력 발휘	—	과거에 장원 급제하여 원수가 됨 ……… ③
또 다른 고난과 시련	—	적과 은밀히 내통한 홍시랑 부부의 목을 베려 함 ……………………………… ④
투쟁에서의 승리	—	반란을 제압하고 큰 공을 세움 ………… ⑤

◐ 조력자: 도와주는 사람

주제별로 알아보는 속담

● 분수, 재능과 관련된 속담

개 발에 편자	옷차림이나 지닌 물건 따위가 제격에 맞지 아니하여 어울리지 않음을 비유적으로 이르는 말 예 지저분한 방 안에 그렇게 비싼 컴퓨터를 놓다니, 정말 개 발에 편자다.	유 개 귀에 방울, 개 대가리에 관
개천에서 용 난다	신분, 지위가 하찮고 천한 집안이나 변변하지 못한 부모에게서 훌륭한 인물이 나는 경우를 이르는 말 예 이 가난하고 어려운 집안에서 너 같은 큰 인물이 나오다니, 정말 개천에서 용 났어.	유 개똥밭에 인물 난다, 시궁에서 용 난다
굼벵이도 구르는 재주가 있다	무능한 사람도 한 가지 재주는 있음을 비유적으로 이르는 말 예 할 줄 아는 게 영 없는 줄 알았는데 네가 이걸 해내다니, 굼벵이도 구르는 재주가 있는 모양이다.	
뛰는 놈 위에 나는 놈 있다	아무리 재주가 뛰어나다 하더라도 그보다 더 뛰어난 사람이 있다는 뜻으로, 스스로 뽐내는 사람을 경계하여 이르는 말 예 나도 반 1등으로 이 대회에 나온 건데, 뛰는 놈 위에 나는 놈 있다더니 다들 나보다 잘하는 것 같네.	유 기는 놈 위에 나는 놈이 있다
뱁새가 황새를 따라가면 다리가 찢어진다	힘에 겨운 일을 억지로 하면 도리어 해만 입는다는 말 예 네 분수를 알아야지. 뱁새가 황새를 따라가면 다리가 찢어진다고 했어.	유 촉새가 황새를 따라가다 가랑이 찢어진다
송충이는 솔잎을 먹어야 한다	자기 분수에 맞게 몸가짐을 하고 행동해야 함을 비유적으로 이르는 말 예 오랫동안 잘해 오던 일을 그만두고 다른 일을 해 보려다 실패한 걸 보니, 역시 송충이는 솔잎을 먹어야 한다는 걸 깨달았어.	

오르지 못할 나무는 쳐다보지도 마라	자기의 능력 밖의 불가능한 일에 대해서는 처음부터 욕심을 내지 않는 것이 좋다는 말 예 지금 네 실력으로 이 경기에 나가겠다고? 욕심 부리지 마. <u>오르지 못할 나무는 쳐다보지도 말</u>라고 했어.	
재주는 장에 가도 못 산다	재주는 돈으로 살 수 있는 것이 아니고 배우고 익혀서 능력을 키워야 하는 것임을 이르는 말 예 피아노를 잘 치고 싶으면 열심히 연습해 봐. <u>재주는 장에 가도 못 산다는</u> 말이 있잖니.	
제비는 작아도 강남 간다	모양은 비록 작아도 제 할 일은 다 한다는 말 예 너는 몸집이 작아서 짐 옮기는 일에 도움이 안 될 줄 알았는데, 이리도 짐을 많이 옮기다니 <u>제비는 작아도 강남 간다는</u> 말이 맞구나.	⊕ 거미는 작아도 줄만 잘 친다, 제비는 작아도 알만 낳는다
하나를 듣고 열을 안다	한마디 말을 듣고도 여러 가지 사실을 미루어 알아낼 정도로 매우 총명한 기운이 있다는 말 예 <u>하나를 듣고 열을 안다</u>더니, 간단하게 설명했는데도 다 알아듣는구나!	⊕ 하나를 부르면 열을 짚는다, 하나를 알면 백을 안다

상황으로 보는 속담

굼벵이도 구르는 재주가 있다

[01~06] 다음 뜻에 해당하는 속담을 〈보기〉에서 찾아 기호를 써 보자.

┌─ 보기 ─┐

㉠ 개 발에 편자
㉡ 하나를 듣고 열을 안다
㉢ 재주는 장에 가도 못 산다
㉣ 거미는 삭아도 줄만 잘 진다
㉤ 오르지 못할 나무는 쳐다보지도 마라
㉥ 뱁새가 황새를 따라가면 다리가 찢어진다

01 비록 모양이 작다 해도 제 할 일은 다 한다는 말 ( )

02 힘에 겨운 일을 억지로 하면 도리어 해만 입는다는 말 ( )

03 옷차림이나 물건 따위가 제격에 안 맞아 어울리지 않음을 비유하는 말

( )

04 한마디 말을 듣고도 여러 가지 사실을 미루어 알아낼 정도로 매우 총명하다는 말

( )

05 자기의 능력을 넘어선 불가능한 일에는 처음부터 욕심을 내지 않는 것이 좋다는 말

( )

06 재주는 돈으로 살 수 없고 배우고 익혀서 능력을 키워야만 얻을 수 있음을 이르는 말

( )

07 다음 글을 읽고, 밑줄 친 내용에 적절한 속담을 써 보자.

┌───┐

　연극배우로부터 시작하여 다수의 영화와 드라마에 출연하며 약 20년간 큰 인기를 얻었던 A씨는 3년 전 돌연 의류 사업을 하겠다며 연예계를 은퇴하였다. 그랬던 그가 얼마 전 의류 사업에 실패하면서 한 일일 드라마를 통해 다시 대중들에게 모습을 드러냈다. 그는 최근 한 인터뷰에서, 전혀 모르던 분야인 의류 사업에 그저 의지만 가지고 도전했던 것을 후회한다고 밝혔다. 다시 배우 활동을 시작한 소감을 묻자, 그는 "나는 연기를 해야 하는 사람이다. 그래서 촬영 현장에 돌아온 지금이 너무 행복하다."라고 말했다.

└───┘

→ _____

[08~11] 다음 빈칸에 알맞은 단어를 쓰고, 속담의 뜻을 찾아 바르게 연결해 보자.

08 [　　　] 귀에 방울 　•
　•　㉠ 모양은 비록 작아도 제 할 일은 다 한다는 말

09 개천에서 [　　　] 난다 　•
　•　㉡ 무능한 사람도 한 가지 재주는 있음을 비유하는 말

10 [　　　]는 작아도 강남 간다 　•
　•　㉢ 옷차림, 물건 등이 제격에 맞지 않아 안 어울림을 비유하는 말

11 [　　　]도 구르는 재주가 있다 　•
　•　㉣ 천한 집안이나 변변하지 못한 부모에게서 훌륭한 인물이 나는 경우를 이르는 말

12 다음 문자 메시지 대화를 읽고, 빈칸에 알맞은 속담을 써 보자.

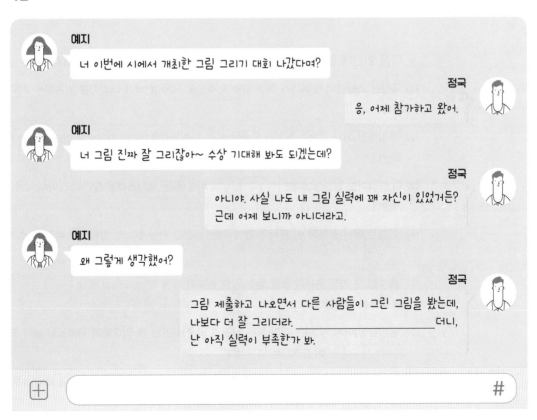

예지
너 이번에 시에서 개최한 그림 그리기 대회 나갔다며?

정국
응, 어제 참가하고 왔어.

예지
너 그림 진짜 잘 그리잖아~ 수상 기대해 봐도 되겠는데?

정국
아니야. 사실 나도 내 그림 실력에 꽤 자신이 있었거든?
근데 어제 보니까 아니더라고.

예지
왜 그렇게 생각했어?

정국
그림 제출하고 나오면서 다른 사람들이 그린 그림을 봤는데,
나보다 더 잘 그리더라. ＿＿＿＿＿＿＿＿＿＿＿더니,
난 아직 실력이 부족한가 봐.

#

09 일차

01 문학 개념어

1단계 문맥으로 어휘 확인하기

초월계(넘을超 넘을越 경계界) 경험이나 일반적인 판단의 범위를 벗어나 그 바깥 또는 그 위에 위치하는 세계. 보통 고전 소설에서는 천상이나 신선 세계, 용궁, 저승 등을 '초월계'라고 함 **반** 현실계

비현실성(아닐非 나타날現 열매實 성품性) 현실과는 동떨어진 성질

전기성(전할傳 기이할奇 성품性) 기이하여 세상에 전할 만한 성질

우연성(짝偶 그럴然 성품性) 원인이나 동기가 없이 우연히 이루어지는 일. 또한 이러한 성질 **반** 필연성

주술적(빌呪 꾀術 과녁的) 불행이나 재해를 막으려고 주문을 외거나 술법을 부리는 일과 관련된 것

우의적(붙어살寓 뜻意 과녁的) 다른 사물에 빗대어 비유적인 뜻을 나타내거나 풍자하는 것

인과응보(인할因 열매果 응할應 갚을報) 불교 사상 중 하나로, 전생에 지은 선악에 따라 현재의 행복과 불행이 있고, 현세에서의 선악의 결과에 따라 내세에서 행복과 불행이 있는 일 **유** 종과득과

권선징악(권할勸 착할善 혼날懲 악할惡) 착한 일을 권장하고 악한 일을 징계함 **유** 권계

● **다음 빈칸에 들어갈 알맞은 단어를 위에서 찾아 문맥에 맞게 써 보자.**

(1) 극심한 가뭄에서 벗어나기 위해 하늘에 주문을 외우며 비가 내리기를 기원하는 기우제는 □□□ 행위이다.

(2) 「홍길동전」에서 길동이 신이한 도술을 부려 허수아비를 8명의 길동으로 만드는 장면에서는 □□□이 드러난다.

(3) 이 드라마는 필연성보다는 □□□에 바탕을 둔 억지스러운 장면이 많아서 내용에 온전히 몰입하기가 어려웠다.

(4) 「심청전」에서 심청이 심 봉사와 함께 사는 공간은 현실계이고, 인당수에 빠진 후 살게 되는 용궁은 □□□이다.

(5) 「흥부전」은 착한 흥부가 복을 받고 악한 놀부가 벌을 받는 모습을 통해 □□□□와 □□□□의 교훈을 전달한다.

(6) 「금방울전」에서 막 씨는 이미 죽은 남편의 영혼을 만난 후 잉태하여 금방울을 낳게 되는데, 이는 고전 소설의 □□□□□이 드러나는 내용이다.

(7) '우화'는 동식물이나 기타 사물을 주인공으로 하여 그들의 행동 속에 풍자와 교훈의 뜻을 나타내는 이야기이므로, □□□으로 이야기를 전달하는 방법 중 하나이다.

2단계 문제로 어휘 익히기

1 다음 개념에 해당하는 설명을 찾아 바르게 연결해 보자.

(1) 전기성 •

(2) 우연성 •

(3) 비현실성 •

• ㉠ 현실과는 동떨어진 성질

• ㉡ 기이하여 세상에 전할 만한 성질

• ㉢ 원인이나 동기가 없이 우연히 이루어지는 일. 또는 이러한 성질

2 제시된 뜻과 예문을 참고하여 다음 초성에 해당하는 단어를 빈칸에 써 보자.

(1) ㄱ ㅅ ㅈ ㅇ : 착한 일을 권장하고 악한 일을 징계함

　　예 고전 소설은 주로 선인과 악인의 대립을 통해 (　　　　)의 교훈을 전달한다.

(2) ㅇ ㅇ ㅈ : 다른 사물에 빗대어 비유적인 뜻을 나타내거나 풍자하는 것

　　예 이 시조는 두꺼비를 통해 탐관오리의 수탈을 (　　　　)으로 비판하고 있다.

3 다음 단어에 대한 설명이 맞으면 ○, 틀리면 × 표시를 해 보자.

(1) 실제의 사실이나 상태가 나타나 있는 세계로서 경험의 범위 안에 있는 세계를 '초월계'라고 한다. 　　　　　　　　　　　　　　　　　　　　　　(○, ×)

(2) 신에게 의탁하여 자신이 원하는 바를 성취하기 위해 주문을 외우는 행위는 '주술적' 행위에 해당한다. 　　　　　　　　　　　　　　　　　　　　(○, ×)

4 다음 설명을 읽고 빈칸에 들어갈 적절한 단어를 찾아보자.

> 　안평국의 둘째 왕자인 성의는 어머니의 병을 고쳐 드리고자 서역(西域)으로 가서 온갖 고생 끝에 일영주(日映珠)라는 선약을 구해 돌아오는데, 이를 시기한 형 항의의 공격을 받아 눈이 멀고 어느 섬에 표류한다. 다행히 구출자의 도움을 받아 중국으로 가게 되고, 그곳에서 어머니가 띄워 보낸 비둘기의 편지를 받고 감격하여 눈을 뜨게 된다. 중국의 공주와 결혼한 성의는 고국에 돌아오며, 이를 알고 다시 성의를 해치려던 항의는 동생의 부하에게 살해되고, 성의는 부왕과 어머니를 만나게 된다.
> 　이러한 내용을 볼 때 「적성의전」의 주제는 불교적인 _____와/과 부모에 대한 효성, 형제간의 우애 등이라고 볼 수 있다.

① 주술　　　② 초월계　　　③ 비현실성　　　④ 인과응보　　　⑤ 윤회 사상

09 일차

02 고전 소설 주제어 _죄와 벌

1단계 문맥으로 어휘 확인하기

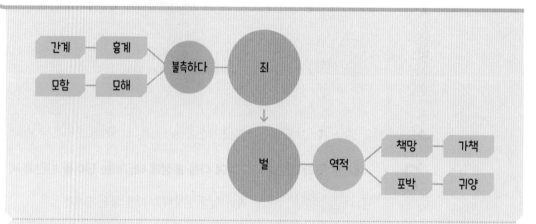

불측(아닐不 잴測)**하다** 생각이나 행동 따위가 괘씸하고 엉큼하다. ④ 음흉하다

흉계(흉할凶 꾀할計) 흉악한 계략 ④ 흉모

간계(간음할奸 꾀할計) 간사한 꾀 ④ 간책

모해(꾀할謀 해로울害) 꾀를 써서 남을 해침

모함(꾀할謀 빠질陷) 나쁜 꾀로 남을 어려운 처지에 빠지게 함 ④ 모함을 잡다

역적(거스를逆 도둑賊) 자기 나라나 민족, 통치자를 반역한 사람

책망(꾸짖을責 바랄望) 잘못을 꾸짖거나 나무라며 못마땅하게 여김 ④ 칭찬

가책(꾸짖을呵 꾸짖을責) 자기나 남의 잘못에 대하여 꾸짖어 책망함

포박(사로잡을捕 묶을縛) 잡아서 묶음. 또는 그런 줄 ④ 박금, 결박

귀양 죄인을 먼 시골이나 섬으로 보내어 일정한 기간 동안 제한된 장소에서만 살게 하던 형벌 ④ 유배, 정배

● **다음 빈칸에 들어갈 알맞은 단어를 위에서 찾아 문맥에 맞게 써 보자.**

(1) 교활한 뺑덕어멈은 어리숙한 심 봉사를 속이려고 흉계와 ⬚⬚를 꾸몄다.

(2) 동생을 죽이고 자신이 왕위를 이어받으려는 항의의 행동은 참으로 ⬚⬚⬚⬚.

(3) 콩쥐는 계모의 구박과 자신을 내치기 위한 온갖 ⬚⬚ 속에서 하루하루를 힘들게 지냈다.

(4) 아버지의 ⬚⬚ 때문에 마음이 아팠지만, 그보다 동생을 다치게 했다는 스스로의 ⬚⬚ 때문에 더 힘들었다.

(5) 왜놈들의 간계와 ⬚⬚가 악독하면 할수록 저들에게 더 적극적으로 맞서 싸우면서 우리 민족의 기개를 보여 줘야 한다.

(6) 암행어사는 탐관오리를 포승줄로 단단히 ⬚⬚하여 관아의 마당에 꿇어앉힌 후, 당장 한양으로 호송하라는 처분을 내렸다.

(7) 유충렬의 아버지 유심은 황제의 자리를 호시탐탐 노리고 있던 ⬚⬚ 정한담의 ⬚⬚을 받아 먼 곳으로 ⬚⬚을 가게 된다.

2단계 문제로 어휘 익히기

1 다음 단어에 대한 설명이 맞으면 ○, 틀리면 ✕ 표시를 해 보자.

(1) 나쁜 꾀로 남을 어려운 처지에 빠지게 하는 것을 '가책'이라고 한다. (○, ✕)

(2) '역적'은 백성의 재물을 탐내어 빼앗는, 행실이 깨끗하지 못한 관리를 뜻하는 말이다. (○, ✕)

(3) 상대를 도와주겠다고 말하면서 속으로는 해칠 생각을 하는 것과 같이 흉악한 계략을 의미하는 단어는 '흉계'이다. (○, ✕)

2 다음 문장에 들어갈 알맞은 단어를 〈보기〉에서 찾아 써 보자.

┌─────── 보기 ───────┐

간계   책망   귀양

└────────────────────┘

(1) 귀한 도자기를 깬 동생은 할아버지의 ( )이/가 떨어지지 않을까 두려워했다.

(2) 도적의 무리는 더 이상 도망갈 곳이 없어지자 ( )을/를 꾸며 관군을 따돌리고 산속으로 숨어들었다.

3 다음 문장의 괄호 안에 들어갈 알맞은 단어를 골라 보자.

(1) 고전 소설의 주인공은 대부분 악인의 (가책 / 모해) 때문에 위기에 빠지게 된다.

(2) 관군들에게 잡혀 한양으로 끌려가던 전우치는 도술을 써서 (포복 / 포박)을 풀고 하늘로 날아올랐다.

4 다음 글의 빈칸에 들어갈 적절한 단어를 찾아보자.

┌──┐

  황제의 은혜와 사랑은 치원에게 비할 사람이 없었다. 이로 인하여 대신들이 질투한 나머지 황제에게 아뢰기를,

  "치원은 소국의 사람으로 재주만 믿고 대신들의 말을 업신여기며 말하기를, '중국은 비록 대국이나 소국만 같지 못하다.'고 한다니 비록 황제의 수레가 들어와도 공손히 이를 받들지 아니함으로써 _____한 일이 있을까 두렵습니다. 먼 곳으로 귀양 보내지 않으면 아니 되겠습니다."

  하니 황제도 옳게 여기고 곧 남쪽 바다의 외로운 섬으로 귀양 보냈다.

– 작자 미상, 「최고운전」

└──┘

① 모함   ② 포박   ③ 불측   ④ 모해   ⑤ 책망

[1~3] 다음 글을 읽고 물음에 답하시오.   2011학년도 3월 고1 전국연합

㉮ 이 무렵, 저 멀리 월출봉 취암사에 도사 한 분이 있으니, 그의 높은 ˚술법은 귀신도 알아내지 못하겠더라. 도사가 학대사를 불러 이르기를,

"내 들건대, 옹달촌에 옹좌수라 하는 놈이 ˚불도를 업신여겨 중을 보면 원수같이 군다 하니, 네 그놈을 찾아가서 (ⓐ)하고 돌아오라."

분부 받고 학대사는 나섰것다.

㉯ "괘씸하다 이 중놈아! 시주하면 어쩐다냐?"

학대사는 이 말 듣고 ˚육환장을 눈 위로 높이 들어 ˚합장 배례로 대답하기를,

"황금으로 일천 냥만 시주하옵시면, 소승이 절에 가서 ˚수륙재를 올릴 적에, 아무면 아무촌 아무개라 외우면서 (ⓑ)을 드릴 제 소원대로 되나이다."

옹좌수가 쏘아붙이되,

"허허, 네놈 말이 가소롭다! 하늘이 만백성을 마련할 제, 부귀빈천, 자손 유무, 복불복을 분별하여 내셨거늘, 네 말대로 한다면 가난할 이 뉘 있으며 무자(無子)할 이 뉘 있으리? 속세에서 일러 오는 인정 마른 중이렷다! 네놈 마음 고약하여 부모 은혜 배반하고, 머리 깎고 중이 되어 부처님의 제자인 양, 아미타불 거짓 공부하는 듯이 어른 보면 동냥 달라, 아이 보면 가자 하니, 불충불효 ˚태심(太甚)하며, (ⓒ)한 네 행실을 내 이미 알았으니 동냥 주어 무엇하리?"

㉰ 술법 높은 학대사는 괴이한 꾀 나는지라, 동자 시켜 짚 한 단을 끌어내어 허수아비 만들어 놓고 보니 영락없는 옹고집의 불측한 상이렷다. 부적을 써 붙이니 이놈의 화상, 말대가리 주걱턱에 어디로 보나 영락없는 옹가더라.

허수아비 거드럭거드럭 옹가집을 찾아가서 사랑문 드륵 열며 분부할 제,

"늙은 종 돌쇠야, 젊은 종 뭉치, 깡쇠야, 어찌 그리 게으르고 방자하냐? 말콩 주고 여물 썰어라! 춘단이는 바삐 나와 방 쓸어라!"

하며 (ⓓ)히 앉았으니 이리 보나 저리 보나 분명한 옹좌수라.

이때 실옹가 들어서며 하는 말이,

"어떠한 손이 왔기로, 이렇듯 사랑채가 소란하게 구느뇨?"

허옹가가 이 말 듣고 나앉으며,

"그대 어쩐 사람이기로 남의 집에 들어와 주인인 체 하느뇨?"

실옹가 버럭 성을 내며 호령하되, / "네가 나의 형세 유족함을 듣고 재물을 탈취코자 안으로 당돌히 들었으니 내 어찌 그저 두랴! 깡쇠야 이놈을 잡아내라."

노복들이 얼이 빠져 이도 보고 저도 보고, 이리 보고 저리 보나 이옹 저옹이 같은지라, 두 옹이 아옹다옹 맞다투니 그 옹이 그 옹이요, 백운심처 깊은 곳에 ˚처사 찾기는 쉬울망정, 백주당상 이 방 안에 우리 댁 좌수님 찾을 가망 전혀 없어, 입 다물고 말 없더니 안채로 들어가서 마님께 아뢰기를,

"일이 났소, 일이 났소! 아씨님 일이 났소! 우리 댁 좌수님이 둘이 되었으니 보던 중 처음일세. 집안에 이런 변이 세상에 또 있는가?"

마님이 이 말 듣고 대경실색 하는 말이,

"애고 애고, 이게 웬 말이냐? 좌수님이 중만 보면 당장에 묶어 놓고 악한 형벌 마구 하여 불도를 업신여기며, 팔십 당년 늙은 모친 (　ⓔ　)한 죄 어찌 없을까 보냐? 땅 신령이 발동하고 부처님이 도술 부려 하늘이 내리신 죄, 인력으로 어찌하리?"

　　　　　　　　　　　　　　　　　　　　　　　　　　　　　　– 작자 미상, 「옹고집전(雍固執傳)」

● 대경실색: 몹시 놀라 얼굴빛이 하얗게 질림

1 ⓐ~ⓔ에 들어갈 단어로 적절하지 않은 것은?

① ⓐ: 모함　　　　② ⓑ: 축원　　　　③ ⓒ: 불측

④ ⓓ: 태연　　　　⑤ ⓔ: 박대

2 윗글의 등장인물에 대한 이해로 적절하지 않은 것은?

① 옹좌수: 평소에 불도를 업신여겼다.
② 허옹가: 실옹가의 집안 종들에 대해 알고 있다.
③ 도사와 학대사: 둘 모두 높은 술법을 가지고 있다.
④ 옹좌수: 도사가 학대사를 보냈다는 것을 짐작했다.
⑤ 마님: 실옹가의 행동에 문제가 있다고 생각하고 있다.

기출 문제
3 〈보기〉의 ㉠~㉣ 중, 윗글에서 확인할 수 있는 것끼리 짝지은 것은?

┌─────────────── 보기 ───────────────┐
│　　고전 소설은 선인과 악인을 선명하게 대립시켜 권선징악(勸善懲惡)을 주제로
│　담아내는 경우가 많다. 그리고 대개 ㉠외모가 출중하고 재주가 남다른 인물을
│　주인공으로 내세워 그들이 고난을 극복하고 행복한 결말에 이르는 과정을 보여
│　준다. 전개 과정에서 ㉡비현실적인 이야기가 등장하기도 하고, ㉢우연적인 사
│　건이 자주 발생하기도 한다. 서술 과정에서는 서술자가 상황에 대한 자신의 생
│　각을 직접 드러내는 부분도 있고, 산문이지만 ㉣운율을 느낄 수 있는 부분도 있
│　다.
└────────────────────────────────────┘

● 출중하고: 여러 사람 가운데서 특별히 두드러지고

① ㉠, ㉡　　　　② ㉠, ㉢　　　　③ ㉡, ㉢

④ ㉡, ㉣　　　　⑤ ㉢, ㉣

01 문학 개념어

1단계 문맥으로 어휘 확인하기

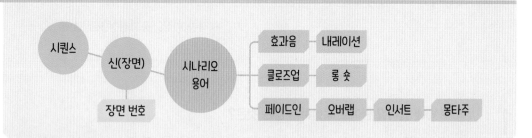

신(장면)(Scene) / **장면 번호**(Scene Number, S#) '신'은 영화의 구성단위로, 사건이 전개되는 하나의 시간과 공간으로 이루어짐. 각 장면의 차례를 나타내거나 장면을 구별하기 위해 붙이는 숫자를 '장면 번호'라고 함

시퀀스(Sequence) 영화에서, 하나의 이야기가 시작되고 끝나는 독립적인 구성단위. 극의 장소, 행동, 시간의 연속성을 가진 몇 개의 장면이 모여서 이루어짐

효과음(Effect, E.) 화면 밖에서 들리는 음향이나 대사에 의한 효과

내레이션(Narration, NAR.) 장면에 나타나지 않으면서 내용이나 줄거리를 장면 밖에서 해설하는 것

클로즈업(Close-Up, C.U.) 배경이나 인물의 일부를 확대하여 촬영하는 것

롱 숏(Long Shot, L.S.) 먼 거리에서 전체 풍경을 찍는 것

페이드인(Fade-In, F.I.) 화면이 점점 밝아지는 것
⑫ 페이드아웃(F.O.)

오버랩(OverLap, O.L.) 앞 화면이 끝나기 전에 뒤 화면이 포개어지면서 장면을 전환하는 기법

인서트(Insert, Ins.) 화면과 화면 사이에 신문이나 편지 따위의 다른 화면을 확대하여 끼워 넣는 것

몽타주(Montage) 따로따로 촬영한 화면을 적절하게 떼어 붙여 편집하는 것

● **다음 빈칸에 들어갈 알맞은 단어를 위에서 찾아 문맥에 맞게 써 보자.**

(1) 영화 감독은 헤어진 연인이 주인공에게 보내 온 편지를 [ ][ ][ ]로 처리하였다.

(2) 새가 자유롭게 하늘을 날아가는 화면 위로 감옥에 갇혀 있는 독립투사의 모습이 [ ][ ][ ]되었다.

(3) 희곡은 막과 장으로 구성되지만, 시나리오는 [ ][ ]으로 구성되며 이는 [ ][ ][ ]로 구분한다.

(4) 관객의 이해를 돕기 위해 역사적 상황을 설명하는 [ ][ ][ ][ ]과 총소리, 폭탄 소리 등의 [ ][ ][ ]을 활용했다.

(5) 인물의 심리를 표현하기 위해서는 [ ][ ][ ][ ]으로, 전체적인 배경을 보여 주기 위해서는 [ ][ ]으로 찍어야 한다.

(6) 잔치에서 사람들이 즐거워하는 화면이 페이드아웃되고, 텅 빈 마당이 [ ][ ][ ][ ]되면서 장면이 자연스럽게 전환되었다.

(7) 남자 주인공이 슬퍼하는 모습들을 모아서 [ ][ ][ ]한 후, 여자 주인공이 떠나는 장면과 엮어 하나의 [ ][ ][ ]를 완성했다.

2단계 문제로 어휘 익히기

1 다음 단어에 대한 설명이 맞으면 ○, 틀리면 × 표시를 해 보자.

(1) 화면과 화면 사이에 다른 화면을 끼워 넣는 것을 '오버랩'이라고 한다. (○, ×)

(2) 화면이 점점 밝아지는 것을 '페이드아웃', 점점 어두워지는 것을 '페이드인'이라고 한다. (○, ×)

(3) S#은 장면 번호를 나타내는 것으로, '장면 번호'란 각 장면의 차례를 나타내거나 장면을 구별하기 위해 붙이는 숫자이다. (○, ×)

2 다음 문장에 들어갈 알맞은 단어를 〈보기〉에서 찾아 써 보자.

보기
롱 숏   인서트   내레이션   오버랩

(1) 텅 빈 화면에 주인공의 ( )(으)로 영화를 시작하여 관객의 시선을 집중시켰다.

(2) Ins.는 ( )을/를 표시하는 것으로, 이를 통해 특정 동작이나 상황을 예술적으로 강조할 수 있다.

3 다음 문장의 괄호 안에 들어갈 알맞은 단어를 골라 보자.

(1) 어제 새로 개봉한 영화는 매우 자극적이고 역동적인 (시퀀스 / 페이드인)(으)로 가득 차 있어 오랫동안 여운을 주었다.

(2) 감독은 영화 속에서 성질이 서로 유사한 화면들을 연결하는 (롱 숏 / 몽타주) 기법을 통해 주제를 전달하거나 인물의 심리 등을 암시한다.

4 다음 빈칸에 들어갈 시나리오 용어로 가장 적절한 것을 찾아보자.

S# 62 홍연네 안방(밤)
홍연, 일기장을 편다. 일기장 끝에 또렷이 적혀 있는 수하의 연필 메모.
( ). 누구 팔인 줄도 모르고 그저 장난으로 그랬을 뿐이다. 아무 뜻도 없단다.
곧 울음이라도 터질 얼굴을 하고 세차게 일기장을 덮는 홍연. 나란히 이부자리 속에 배 깔고 엎드려 어린이 잡지 '새벗'을 뒤적이는 남동생들 옆으로 파고 들어간다. 윗목에서 달달 재봉틀을 돌리던 홍연 모 의아해 돌아보면 이불을 머리까지 덮어쓰는 홍연. 잡지를 들척이던 홍일, 홍삼 중 하나가 방귀를 꾸자 서로 킥킥댄다. 홍연, 씩씩대며 세차게 발길질해 동생들을 이불 밖으로 모두 밀어낸다.
– 이영재 각색, 「내 마음의 풍금」

① 롱 숏   ② 오버랩   ③ 페이드인   ④ 클로즈업   ⑤ 내레이션

02 극 주제어 _시대

일차

1단계 문맥으로 어휘 확인하기

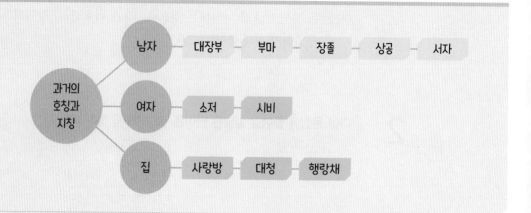

대장부(큰大 어른丈 남편夫) 건장하고 씩씩한 사내
⬤ 졸장부

부마(곁마駙 말馬) 임금의 사위 ⬤ 국서

장졸(장수將 마칠卒) 예전에, 장수와 병졸(군인이나 군대)을 아울러 이르던 말

상공(서로相 공변될公) '재상(이품 이상의 벼슬에 있던 벼슬아치)'을 높여 이르던 말

서자(여러庶 아들子) 양반과 양민 여성 사이에서 낳은 아들 ⬤ 적자

소저(작을小 누이姐) '아가씨'를 한문 투로 이르는 말
⬤ 아가씨, 낭자

시비(모실侍 여자 종婢) 곁에서 시중을 드는 계집종
⬤ 종비

사랑방(집舍 복도廊 방房) 집의 안채와 떨어져 있어 바깥주인이 거처하며 손님을 접대하는 방 ⬤ 안방, 규방

대청(큰大 관청廳) 한옥에서, 몸채(여러 채로 된 살림집에서 주가 되는 집채)의 방과 방 사이에 있는 큰 마루 ⬤ 당, 대청마루

행랑(다닐行 복도廊)채 대문간 곁에 있는 집채로, 주로 심부름하는 사람이나 하인들이 거처하던 방
⬤ 문간채 ⬤ 행랑을 살다

● **다음 빈칸에 들어갈 알맞은 단어를 위에서 찾아 문맥에 맞게 써 보자.**

(1) 양소유는 ⬚⬚로 간택되었으나, 난양 공주와의 혼인을 거부하여 옥에 갇힌다.

(2) 홍길동은 홍 판서의 ⬚⬚로 태어나 홍 판서를 '아버지'라 부르지 못하고 ⬚⬚이라고 불러야 하는 설움을 겪었다.

(3) 늦은 밤, 낯선 인기척이 느껴져 뒤를 돌아보니 최 대감댁 ⬚⬚를 작고 어린 ⬚⬚가 조심스레 모셔 오고 있었다.

(4) 할아버지께서는 나에게 ⬚⬚⬚로 태어났으니, 십만 ⬚⬚을 이끄는 대장군 자리에는 올라야 한다고 말씀하셨다.

(5) 마당쇠는 ⬚⬚⬚에 거처하는 김 대감께 편지를 전하고, ⬚⬚을 지나 자신이 머무는 ⬚⬚⬚로 바삐 걸음을 옮겼다.

2단계 문제로 어휘 익히기

1 다음 단어의 의미를 찾아 바르게 연결해 보자.

(1) 대청 •

(2) 사랑방 •

(3) 행랑채 •

• ㉠ 한옥에서, 몸채의 방과 방 사이에 있는 큰 마루

• ㉡ 집의 안채와 떨어져 있어 바깥주인이 거처하며 손님을 접대하는 방

• ㉢ 대문간 곁에 있는 집채로, 주로 심부름하는 사람이나 하인들이 거처하던 방

2 제시된 뜻과 예문을 참고하여 다음 초성에 해당하는 단어를 빈칸에 써 보자.

(1) ㅈ ㅈ : 예전에, 장수와 병졸을 아울러 이르던 말

예 임경업 장군이 나타나자 적의 (   )들은 두려움에 떨었다.

(2) ㅅ ㅈ : 양반과 양민 여성 사이에서 낳은 아들

예 '적서 차별 제도'는 조선 시대에 본부인이 낳은 적자와 달리 첩이 낳은 (   )를 차별하는 제도였다.

3 다음 단어에 대한 설명이 맞으면 ○, 틀리면 ✕ 표시를 해 보자.

(1) 임금의 사위를 뜻하는 단어는 '대장부'이다. (○, ✕)

(2) '상공'과 '소저'는 모두 양반 계층의 호칭에 해당한다. (○, ✕)

4 다음 빈칸에 들어갈 단어로 가장 적절한 것을 찾아보자.

> 한림이 화원 별당에 들어가 행장을 차려 떠나려 할 때, 정 소저를 모시는 _____인 춘운이 소매를 잡고 눈물을 흘리며 말하였다.
> "상공이 한림원에 가셔도 밤에 잠을 이루지 못하시는데, 이제 만 리 밖에 가시니 불 밝혀 지키다 울까 합니다."
> 한림이 웃으며 말하였다.
> "대장부는 나라 일을 당하여 자신의 목숨을 돌아보지 아니하니 어찌 사사로운 감정을 생각하겠는가? 춘랑은 부질없이 슬퍼하여 꽃 같은 얼굴을 상하게 말고, 소저를 편히 모셔 내가 공을 이루어 허리에 말 같은 인(印)을 차고 돌아오기를 기다리라."
> 하고 떠났다.
>
> – 김만중, 「구운몽」

① 부마   ② 소저   ③ 시비   ④ 상공   ⑤ 대장부

[1~3] 다음 글을 읽고 물음에 답하시오. 2010학년도 11월 고1 전국연합

S# 79. ㉠마당 – 대청

정숙과 옥희 마당을 횡단한다.

옥희 (대청으로 올라오며) 이 꽃 예쁘지? / 정숙 응. 웬 꽃이니?

S# 80. 안방

그들 들어오며 / 옥희 아저씨 안 돌아오셨우? / 정숙 응.

옥희 엄마 말이지 말이지, 이 꽃 저 사랑 아저씨가 줬어.

정숙 사랑 아저씨가? / 옥희 응. 엄마 갖다주라구.

꽃을 들고 냄새를 맡고 있던 정숙 흠칫 놀란다. 그리고 짐짓 무서운 것을 생각하는 듯이 방 안을 휘 한번 둘러본다.

옥희 엄마 또 골났우? / 정숙 골은? / 옥희 꽃병에 물 넣어 올게.

하며 꽃병을 들고 ㉡문으로 나간다. / 꽃을 들고 냄새를 맡으며 곰곰이 생각하는 애절한 감정. / 이윽고 옥희 꽃병에 물을 넣어가지고 들어온다.

정숙 옥희야! (하며 옥희의 두 손을 잡으며) 이 꽃 정말 아저씨가 엄마 갖다주라고 주셨니? / 옥희 응. / 정숙 이런 걸 받아 오면 못써!

옥희 왜 못쓰우? / 정숙 못써! / 옥희, 꽃병에 꽃을 꽂는다.

옥희의 소리 꽃을 그렇게도 좋아하는 엄마가 이 꽃을 받고 그처럼 성을 낼 줄은 몰랐어요. 엄마가 그렇게도 성을 내는 것을 보니까 그 꽃을 내가 가져왔다고 그러지 않고 아저씨가 주더라고 거짓말을 한 것이 참 잘했다고 나는 속으로 생각했어요.

S# 83. 안방

불도 켜지 않은 방. / 창에서 흘러 들어오는 월광이 지금 피아노를 치고 있는 정숙의 언저리를 환히 비치고 있다. 항상 제자리에 놓여 있던 죽은 남편의 사진이 자취를 감추었다. 정숙 나직이 노래를 부른다.

S# 84. ㉢사랑방

정숙의 노랫소리. / 이를 듣고 있는 선호의 격정된 얼굴. / 피아노와 노랫소리는 차츰 고조되어 간다. 그러자 갑자기 피아노와 노랫소리 딱 멎는다.

S# 85. 안방

피아노 위에 엎드려서 소리 없이 흐느끼는 정숙. / 이때 밖에서 선호의 기침 소리.

선호 (E.) 아주머니! 주무십니까?

소스라치듯 머리를 들며 눈물 자국을 훔치는 정숙.

선호 (E.) 헴! / 정숙 조용히 문을 열고 ㉣마루로 나간다.

S# 86. 마당 – ⑩대청

휘황히 밝은 달빛 아래 선호가 잠든 옥희를 안고 서 있다.

대청 끝까지 걸어 나와 이를 본 정숙, 어쩔 줄을 모른다.

정숙 아니 쟤가……. / **선호** 곤히 자는 걸 깨우기가 안돼서…….

정숙, 선호의 팔에서 옥희를 받아 안는다. / 눈과 눈이 콱 부딪친다.

잠시 동안 서로의 시선은 피할 도리가 없다. / 정숙 돌아서 안방으로 돌아간다.

지그시 보던 선호 돌아선다.
                                                    – 임희재 각색, 「사랑방 손님과 어머니」

1
㉠~⑩ 중, 안방과 대립적인 의미를 갖는 공간으로 가장 적절한 것은?

① ㉠   ② ㉡   ③ ㉢   ④ ㉣   ⑤ ⑩

2
윗글에 대한 반응으로 적절하지 <u>않은</u> 것은?

① 정숙은 꽃을 선호가 줬다고 믿고 있는 것 같아.
② 정숙은 피아노를 치며 정서적 안정감을 되찾고 있어.
③ 정숙이 부르는 노랫소리는 선호의 내적 갈등을 심화시키는 것 같아.
④ 죽은 남편의 사진은 정숙을 억압하고 있는 현실적 제약을 의미하는 거야.
⑤ 정숙이 부르는 노래는 정숙의 심리를 간접적으로 드러내는 기능을 하는군.

> ❥ **내적 갈등**: 등장인물의 내면에서 일어나는 갈등
> ❥ **제약**: 조건을 붙여 내용을 제한함. 또는 그 조건

기출 문제

3
윗글을 영화로 제작하기 위해 논의한 내용으로 적절하지 <u>않은</u> 것은?

① S# 79에서 S# 80으로 넘어갈 때, 공간의 변화를 보여 주기 위해 카메라의 위치를 달리하여 촬영합시다.
② S# 80에서는 인물의 생각을 직접적으로 전달하기 위한 내레이션을 활용합시다.
③ S# 84에서는 인물의 표정을 강조하기 위해 클로즈업 기법을 활용하도록 합시다.
④ S# 85에서는 인물의 등장을 예고하기 위한 효과음을 활용합시다.
⑤ S# 86에서는 상대방에 대한 태도를 드러내기 위해 냉정한 어조로 대사를 처리합시다.

주제별로 알아보는 **관용 표현**

● 손, 발과 관련된 관용 표현

손(을) 떼다

① 하던 일을 그만두다.
예 아버지는 택시 운전에서 손을 떼신 지 오래되셨다.
② 하던 일을 끝마치고 다시 손대지 않다.
예 지금 속도대로만 하면 오늘 안에 이 작업에서 손을 뗄 수 있을 것 같다.

손(을) 벌리다

무엇을 달라고 요구하거나 구걸하다.
예 집안 사정이 어려워지자, 어머니는 친척 어른들께 손을 벌리기 시작하셨다.

⊕ 손을 내밀다

손(이) 크다

① 씀씀이가 후하고 크다.
예 손이 큰 할머니는 우리 집에 오실 때 늘 음식들을 푸짐하게 싸 가지고 오신다.
② 수단이 좋고 많다.
예 그 친구는 손이 커서 벌이는 사업마다 성공을 한다.

⊕ 손이 걸다

손을 맞잡다

서로 뜻을 같이 하여 긴밀하게 협력하다.
예 시의 공공 기관과 기업들은 지역 일자리 창출을 위해 손을 맞잡기로 하였다.

손이 닳도록

① 몹시 간절하게 비는 모양을 이르는 말
예 누나는 어머니께 잘못했다고 손이 닳도록 빌었다.
② 몹시 고된 일에 시달리는 모양을 이르는 말
예 어머님은 홀로 자식들을 키우시느라 평생을 손이 닳도록 고생하셨다.

손꼽아 기다리다

기대에 차 있거나 안타까운 마음으로 날짜를 꼽으며 기다리다.
예 나는 친구들과 함께 여행을 가기로 한 날을 손꼽아 기다렸다.

발(이) 넓다

사귀어 아는 사람이 많아 활동하는 범위가 넓다.
예 그 친구는 이쪽 방면에 발이 넓은 편이라 주변 사람들이 그에게 도움을 많이 청한다.

발(이) 빠르다	알맞은 조치를 신속히 취하다. 예 소방관이 발 빠르게 대응한 덕분에 화재 피해를 줄일 수 있었다.	
발 벗고 나서다	적극적으로 나서다. 예 나는 그 친구의 일이라면 무엇이든지 발 벗고 나설 준비가 돼 있다.	⑨ 맨발(을) 벗고 나서다
발에 채다	여기저기 흔하게 널려 있다. 예 요즘 이 음식을 파는 식당이 발에 챌 정도로 많다.	⑨ 발길에 채다
발등에 불(이) 떨어지다	일이 몹시 절박하게 닥치다. 예 게으른 오빠는 내내 놀다가 발등에 불이 떨어져서야 과제를 시작했다.	⑨ 불똥이 떨어지다
발목(을) 잡다	① 어떤 일에 꽉 잡혀서 벗어나지 못하게 하다. 예 다른 일이 내 발목을 잡고 있어서 이 일에 집중이 안 된다. ② 남의 어떤 약점을 잡다. 예 형사는 전과 사실을 빌미로 범죄자의 발목을 잡고 협박했다.	

그림으로 보는 관용 표현

손이 크다 / 손을 맞잡다 / 발에 채다 / 발 벗고 나서다

손이 크다

손을 맞잡다

발에 채다

발 벗고 나서다

[01~06] 다음 뜻에 해당하는 관용 표현을 찾아 가로, 세로, 대각선으로 표시해 보자.

수	손	방	정	으	로	서	발	자
발	목	이	떼	맞	밑	에	이	말
이	아	주	크	대	채	사	리	달
빠	굴	구	골	다	헤	눈	손	발
르	놋	지	에	벗	벌	야	이	두
다	아	실	발	지	부	대	닳	돌
앙	무	영	목	정	기	두	도	노
손	을	맞	잡	다	말	발	록	루
밀	말	천	다	치	나	아	랄	몸

01 씀씀이가 후하고 크다.

02 여기저기 흔하게 널려 있다.

03 서로 뜻을 같이 하여 긴밀하게 협력하다.

04 알맞은 조치를 신속히 취하다.

05 몹시 간절하게 비는 모양을 이르는 말

06 어떤 일에 꽉 잡혀서 벗어나지 못하게 하다.

[07~11] 다음 문장의 괄호 안에 들어갈 알맞은 단어를 골라 보자.

07 과제 제출 마감을 앞두고 당장 발등에 불이 (난 / 떨어진) 나는 정신이 없었다.

08 어머니는 아버지가 성공해 돌아오는 그날만을 손꼽아 (세고 / 기다리고) 계셨다.

09 현재 가장 큰 문제는 자극적인 컴퓨터 게임들이 학생들의 발목을 (노린 / 잡는)다는 것이다.

10 이 일이 적성에 맞지 않았던 그녀는 얼른 일에서 손을 (떼고 / 붙이고) 달아날 궁리를 하였다.

11 극심한 생활고로 힘겨웠던 그는 이곳저곳에 손을 (줘 / 벌려) 보았지만, 그에게 도움을 주는 곳이 단 한 곳도 없었다.

12 다음 문자 메시지 대화를 읽고, 빈칸에 알맞은 관용 표현을 써 보자.

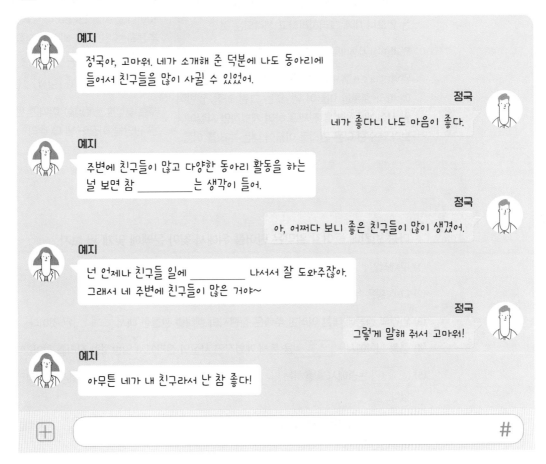

11 일차

01 인문 주제어 _철학

1단계 문맥으로 어휘 확인하기

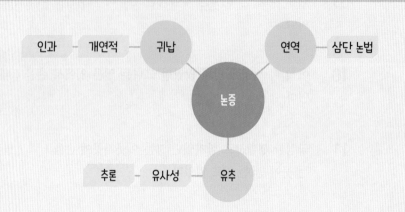

논증(논의할論 증거證) 옳고 그름을 이유를 들어 밝힘. 또는 그 근거나 이유

귀납(돌아올歸 들일納) 개별적인 특수한 사실이나 원리로부터 일반적이고 보편적인 명제 및 법칙을 유도해 내는 일

개연적(덮을蓋 그럴然 과녁的) 반드시 그렇다고 할 수는 없으나 대개 그러하리라고 생각되는 것

인과(인할因 열매果) 원인과 결과를 아울러 이르는 말

연역(멀리 흐를演 당길繹) 어떤 명제로부터 추론 규칙에 따라 결론을 이끌어 냄. 또는 그런 과정. 일반적인 사실이나 원리를 전제로 하여 개별적인 사실이나 보다 특수한 다른 원리를 이끌어 내는 추리를 이름

삼단 논법(석三 구분段 논의할論 법도法) 전제가 되는 두 개의 명제로부터 새로운 결론을 이끌어 내는 방법. 예를 들면 '새는 동물이다. 닭은 새이다. 따라서 닭은 동물이다.'와 같이 추리하는 방법을 이름 ⊕ 삼단 추리

유추(무리類 옮길推) 두 개의 사물이 여러 면에서 비슷하다는 것을 근거로 다른 속성도 유사할 것이라고 추론하는 일. 서로 비슷한 점을 비교하여 하나의 사물에서 다른 사물로 추리함 ⊕ 유비 추리

유사성(무리類 같을似 성품性) 서로 비슷한 성질

추론(옮길推 논의할論) 어떠한 판단을 근거로 삼아 다른 판단을 이끌어 냄 ⊕ 추리

● **다음 빈칸에 들어갈 알맞은 단어를 위에서 찾아 문맥에 맞게 써 보자.**

(1) 구체적인 ☐☐을 거치지 않은 주장은 삼가시길 바랍니다.

(2) 그 상황은 누구나 충분히 예상할 만한 ☐☐☐ 상황이었다.

(3) 인간의 행동에 대한 이러한 추측은 침팬지의 행태를 관찰한 데서 ☐☐된 것이다.

(4) 경험 철학에서는 ☐☐을 통해 개별적인 사실의 진리에서 일반적인 진리를 찾아간다.

(5) ☐☐ 논증에서 활용하는 ☐☐☐☐을 통해 유도된 결론은 전제가 참이라면 그 결과도 참일 수밖에 없다.

(6) ☐☐적 사고는 사물 간의 ☐☐☐을 판단해 보거나, 상황의 ☐☐ 관계를 따져 보는 과정을 통해 이루어진다.

2단계 문제로 어휘 익히기

1 다음 문장에 들어갈 알맞은 단어를 〈보기〉에서 찾아 써 보자.

> 보기
>
> 논증   인과   추론   삼단 논법

(1) 과학적 사고를 하기 위해서는 현상의 우연성보다는 (   )성을 중시해야 한다.

(2) 추리 소설 속 탐정들은 여러 가지 증거를 바탕으로 누가 범인인지를 (   )한다.

(3) 학자들의 연구가 진정한 학문으로 인정받기 위해서는 그 주장이 객관적인 방법에 의해 (   )되어야 한다.

2 다음 문장의 괄호 안에 들어갈 알맞은 단어를 골라 보자.

(1) 그것은 어디까지나 사건의 진실에 대한 아버지의 심정적 (유도 / 유추)에 불과할 뿐이다.

(2) 영화의 내용이 흥미롭게 전개되려면 사건들이 (개연적 / 객관적)으로 연결되어 있어야 한다.

3 다음 단어에 대한 설명이 맞으면 ○, 틀리면 × 표시를 해 보자.

(1) 유추의 논증 방식에서 사물 간의 '유사성'은 결론을 이끌어 내는 근거에 해당한다.

(○, ×)

(2) '삼단 논법'은 '모든 인간은 죽는다.', '소크라테스는 인간이다.', '따라서 소크라테스는 죽는다.'와 같이 '대전제-소전제-결론'의 과정에 따라 결론을 이끌어 내는 방식을 말한다.

(○, ×)

4 다음에 제시된 논증 과정에 해당하는 단어를 찾아보자.

> • 나는 손이 두 개다. 동생도 손이 두 개다. 아버지도 손이 두 개다.
> • 나와 동생, 아버지는 모두 사람이다.
>
> ↓
>
> 따라서 모든 사람은 손이 두 개다.

① 유추   ② 논박   ③ 변증   ④ 귀납   ⑤ 연역

02 인문 주제어 _사상

1단계 문맥으로 어휘 확인하기

반증　모순
오류
왜곡
범하다

패러다임
양상　기제
구축　조성

오류(그릇할誤 그릇될謬) ① 그릇되어 이치에 맞지 않는 일 ⓤ 와류 ② 바르지 못한 논리적 과정 및 그로 인해 생긴 추리나 판단

모순(창矛 방패盾) ① 어떤 사실의 앞뒤, 또는 두 사실이 이치상 어긋나서 서로 맞지 않음을 이르는 말 ② 두 가지의 판단, 사태 따위가 동시에 성립하지 못하고 서로 배척하는 상태로, 두 판단이 중간에 존재하는 것이 없이 대립하여 양립하지 못하는 관계를 이름

반증(돌이킬反 증거證) ① 어떤 사실이나 주장이 옳지 아니함을 그에 반대되는 근거를 들어 증명함. 또는 그런 증거 ② 어떤 사실과 모순되는 것 같지만, 거꾸로 그 사실을 증명하는 것

왜곡(비뚤歪 굽을曲) 사실과 다르게 해석하거나 그릇되게 함

범(범할犯)**하다** ① 법률, 도덕, 규칙 따위를 어기다. ② 잘못을 저지르다. ③ 들어가서는 안 되는 경계나 지역 따위를 넘어 들어가다.

패러다임(paradigm) 어떤 한 시대 사람들의 견해나 사고를 근본적으로 규정하고 있는 테두리로서의 인식의 체계. 또는 사물에 대한 이론적인 틀이나 체계

양상(모양樣 서로相) 사물이나 현상의 모양이나 상태

기제(틀機 억제할制) ① 기계적으로 구성되어 있는 조직이나 공식 따위의 내부 구성 ② 인간의 행동에 영향을 미치는 심리의 작용이나 원리

구축(얽을構 쌓을築) 체제, 체계 따위의 기초를 닦아 세움

조성(지을造 이룰成) ① 무엇을 만들어서 이룸 ② 분위기나 정세(상황) 따위를 만듦

● 다음 빈칸에 들어갈 알맞은 단어를 위에서 찾아 문맥에 맞게 써 보자.

(1) 현대 사회에서 대중 매체는 문화를 창출하는 □□가 된다.

(2) 이 드라마는 역사적 사실을 □□하여 큰 논란을 불러일으켰다.

(3) 그녀의 분노는 그녀가 그를 너무 사랑했었다는 □□일 수도 있다.

(4) 어떤 인물에 대한 이해는 그가 살았던 시대의 □□□□ 안에서 이루어져야 한다.

(5) 이번 프로젝트에서는 진행자가 개발자들의 작업물을 뒤섞어 버리는 □□를 □했다.

(6) 그 사람의 견해는 우리가 처한 현실과 □□되는 것이 대부분이어서 받아들여지지 않았다.

(7) 현대인들의 삶의 □□이 자연 친화적으로 변화하면서 도심 속에 많은 공원들이 □□되었다.

(8) 이번 회담에서 임원은 기존의 방식과는 전혀 다른 새로운 무역 체제를 □□하기로 결정하였다.

2단계 문제로 어휘 익히기

1 다음 단어의 의미를 찾아 바르게 연결해 보자.

(1) 반증 •　　　　　• ㉠ 사물, 현상의 모양이나 상태

(2) 조성 •　　　　　• ㉡ 어떤 상황이나 분위기를 만듦

(3) 양상 •　　　　　• ㉢ 어떠한 주장에 대해 반대되는 근거를 들어 증명함

2 제시된 뜻과 예문을 참고하여 다음 초성에 해당하는 단어를 빈칸에 써 보자.

(1) ㅂ 하다: 실수나 잘못을 저지르다.

　예 그녀는 수많은 시행착오를 (　　　　)한 끝에 방법을 터득하였다.

(2) ㅇㄱ : 사실과 달리 그릇되게 하거나 진실과 다르게 함

　예 그는 남의 말을 (　　　　)하여 듣는 나쁜 버릇을 지니고 있다.

(3) ㄱㅈ : 인간의 행동에 영향을 미치는 심리의 작용이나 원리

　예 동화는 어린이를 사회화하는 대표적 (　　　　)라고 볼 수 있다.

(4) ㄱㅊ : 어떤 일이나 조직, 체계의 기초를 닦아 쌓거나 마련함

　예 도서관에서는 서책으로 정리되어 있던 광범위한 정보를 데이터베이스로 (　　　　)하는 것에 많은 시간을 소비했다.

3 다음 문장의 괄호 안에 들어갈 알맞은 단어를 골라 보자.

(1) 이 프로그램은 실행하는 과정에서 바로 (오보 / 오류)가 검사된다.

(2) 많은 학자들은 그의 이론이 과학 분야에서 하나의 (패러다임 / 패러독스)(으)로 자리를 잡아 가고 있다는 것에 동의했다.

4 다음 글에 제시된 ⓐ, ⓑ의 관계와 관련 있는 단어를 찾아보자.

옛날 초나라에 무기 상인이 시장에서 창과 방패를 팔고 있었다. 상인은 방패를 들고 ⓐ"이 방패는 아주 견고하여 어떤 창이라도 막아 낼 수 있습니다."라고 외친 후, 창을 들고 ⓑ"이 창의 예리함은 어떤 방패라도 한 번에 뚫어 버립니다."라고 외쳤다. 그러자 이를 구경하던 한 어린아이가 "그 예리한 창으로 견고한 방패를 찌르면 어떻게 되나요?"라고 묻자 상인은 말문이 막혀 그 자리에서 서둘러 달아나고 말았다.

① 밀접　　　　② 반어　　　　③ 보완　　　　④ 협력　　　　⑤ 모순

독해 체크

1. 이 글의 핵심어는?

☐☐

2. 문단별 중심 내용은?

1 ☐☐ 에 대한 칸트의
견해

2 ☐☐ 의 견해를 비판
하는 입장에서 제시한 셸러
의 인격 개념

3 셸러가 주장하는 ☐
☐ 와 감정의 특징

4 셸러가 주장한 ☐☐
의 역할

5 인격에 대한 셸러의 견
해와 셸러의 인격관이 지닌
☐☐

3. 이 글의 주제는?

인격에 대한 ☐☐ 와
☐☐ 의 견해

[1~3] 다음 글을 읽고 물음에 답하시오. 　　　　2016학년도 9월 고2 전국연합

1 칸트는 '인간(人間)'이란 이성을 바탕으로 자신이 지켜야 할 도덕 법칙을 ⓐ인식하고 이를 실천할 수 있는 '실천 능력'을 가진 존재라고 생각하였다. 그리고 이러한 도덕적 인간성을 '인격(人格)'이라 불렀고, 이는 인간이라면 누구나 동일하게 가지고 있는 보편적인 것이라 보았다.

2 셸러는 칸트의 이러한 견해가 인간의 감정은 ⓑ배제하고 이성만을 강조하였으며, 인간의 개별성을 간과하고 인간을 몰개성적인 존재로 보았다는 점을 비판하면서 새로운 인격 개념을 제시하였다. 셸러는 인간의 감정을 강조하면서 인격은 인간으로 하여금 어떠한 가치를 ⓒ지향하게 하는 감정 작용의 통일체라고 주장했다. 따라서 셸러의 인격 개념을 이해하기 위해서는 가치와 감정에 관한 셸러의 논의를 살펴볼 필요가 있다.

3 셸러는 가치가 경험 이전에 존재하기 때문에 선험적이라고 보았다. 그리고 가치에는 객관적인 위계질서가 있는데 재화, 도구처럼 유용함과 관련된 가치는 낮은 가치이며, 도덕성과 같은 정신적 가치는 높은 가치라고 구분하면서 이러한 가치의 위계질서를 직관적으로 파악하는 것이 감정이라고 주장했다. 또한 셸러는 감정에도 객관적인 위계질서가 있으며, 낮은 감정은 그에 대응하는 낮은 가치를, 높은 감정은 높은 가치를 선택한다고 보았다. 인격은 이러한 감정 작용을 통해 더 높은 가치를 선택하여 선(善)을 실현할 수도 있고, 또 낮은 가치를 선택하여 악을 실현할 수도 있다는 것이다.

4 셸러에 의하면 이처럼 가치의 위계를 직관적으로 파악하는 감정이 인간에게는 선천적으로 주어져 있지만, 가치를 선택해야 하는 순간에 자신이 처한 내외적 상황에 따라 그러한 선천적 감정의 지향과는 다른 선택을 할 수도 있다는 것이다. 셸러는 가치 선택의 순간에서 내외적 상황에 구애받지 않고 더 높은 가치를 선택하는 것이 선(善)이고, 이렇게 인간을 선(善)으로 이끄는 감정이 사랑이라고 보았다. 반대로 인간에게는 미움이라는 감정이 있는데, 셸러는 미움이 인간이 더 높은 가치를 선택하는 것을 방해한다고 보았다. 미움으로 인해 인간은 가치들 간의 위계를 잘못 파악하는 가치 ⓓ왜곡에 빠지거나, 더 높은 가치를 제대로 감지하지 못하는 가치 맹목에 빠질 수 있다고 주장했다.

5 이처럼 셸러는 인간의 감정이 어떤 가치를 지향하느냐에 따라 인격이 달라지므로 인격은 보편적인 것이 아니라 개별적인 것이라고 파악했다. 그리고 성숙한 인격이란 사랑을 통해 항상 보다 높은 가치를 선택하여 선(善)을 실현하는 감정 작용이라 보았다. 따라서 셸러는 훌륭한 인격을 갖추기 위해서는 보다 높은 감정을 통해 높은 가치를 추구하려는 노력이 중요하다고 강조하면서 도덕 교육의 ⓔ토대를 정립했다.

어휘 체크

◐ **간과하고**: 큰 관심 없이 대강
보아 넘기고

◐ **선험적**: 경험에 앞서서 인식
의 주관적 형식이 인간에게 있
다고 주장하는 것

◐ **위계질서**: 관리나 벼슬의 등
급, 직책의 상하 관계에서 마땅
히 있어야 하는 차례와 순서

◐ **선천적**: 태어날 때부터 지니
고 있는 것

1 ⓐ~ⓔ의 사전적 의미로 적절하지 <u>않은</u> 것은?

① ⓐ: 사물을 분별하고 판단하여 앎

② ⓑ: 받아들이지 아니하고 물리쳐 제외함

③ ⓒ: 더 높은 단계로 오르기 위하여 어떠한 것을 하지 아니함

④ ⓓ: 사실과 다르게 해석하거나 그릇되게 함

⑤ ⓔ: 어떤 사물이나 사업의 밑바탕이 되는 기초와 밑천을 비유적으로 이르는 말

2 윗글에서 셸러가 주장한 내용으로 적절한 것은?

① 인격과 감정은 서로 독립적으로 작용한다.

② 가치 맹목은 가치들 간의 위계 관계를 잘못 파악한 것이다.

③ 가치는 객관적 위계질서를, 감정은 주관적 위계질서를 지닌다.

④ 미움은 인간이 가치를 선택하지 못하도록 무력화시키는 감정이다.

⑤ 인간의 감정이 어떤 가치를 지향하느냐에 따라 인격의 차이가 나타난다.

기출 문제

3 윗글의 셸러의 입장에서 〈보기〉를 이해한 내용으로 적절하지 <u>않은</u> 것은?

〉 보기 〈

영희가 사는 동네에는 A와 B, 두 개의 커피 전문점이 있다. A는 영희의 집에서 가깝고 가격도 저렴하지만 제3세계의 노동력을 착취하여 생산된 원두를 수입해서 사용하고 있다. B는 A보다 거리도 멀고 가격도 비싸지만 노동력에 대한 정당한 대가를 지불하고 수입한 원두를 사용하고 있다. 영희는 최근 이러한 사실을 알게 되었다.

① 영희가 커피 전문점 A에서 커피를 구입한다면 영희는 낮은 가치를 선택하는 것이겠군.

② 영희가 비싼 가격에 상관없이 커피 전문점 B를 선택한다면, '선(善)'을 실현한 것이라고 볼 수 있겠군.

③ 영희가 커피 전문점 A를 선택하는 것도, B를 선택하는 것도 모두 '인격'의 감정 작용에서 비롯된 것이겠군.

④ 영희가 고민 없이 커피 전문점 B가 아닌 A를 선택한다면 그것은 가치를 파악하는 '감정'이 선천적으로 없기 때문이겠군.

⑤ 영희가 갈등을 하지 않고 커피 전문점 A가 아닌 B를 선택했다면 그것은 '높은 감정'이 이끈 행동이라고 할 수 있겠군.

❍ **제3세계**: 지리학적으로는 아프리카, 아시아, 라틴아메리카 대륙의 나라들을, 경제학적으로는 세계의 모든 빈곤한 나라들을 말함

❍ **착취하여**: 계급 사회에서 생산 수단을 소유한 사람이 생산 수단을 갖지 않은 직접 생산자로부터 그 노동의 성과를 아무런 대가 없이 취득하여

01 인문 주제어 _윤리

1단계 문맥으로 어휘 확인하기

규범(법規 법範) ① 마땅히 따라야 하거나 따를 만한 본보기 ② 사실에 대한 자연법칙과는 달리, 인간이 행동하거나 판단할 때 마땅히 따라야 할 법칙과 원리 ❸ 규모, 승구

전경(법典 경서經) 인간이 행동하거나 판단할 때에 마땅히 따르고 지켜야 할 가치 판단의 기준

변별적(분별할辨 다를別 과녁的) ① 사물의 옳고 그름이나 좋고 나쁨을 가리는. 또는 그러한 것 ② 세상일에 대한 바른 생각이나 판단을 하는. 또는 그러한 것

체제(몸體 억제할制) ① 생기거나 이루어진 틀. 또는 그런 됨됨이 ❸ 체재 ② 사회를 하나의 유기체로 볼 때에, 그 조직이나 양식, 또는 그 상태를 이르는 말 ③ 일정한 정치 원리에 바탕을 둔 국가 질서의 전체적 경향 ④ 각 부분이 목적에 맞도록 유기적으로 통일된 전체

위상(자리位 서로相) 어떤 사물이 다른 사물과의 관계 속에서 가지는 위치나 상태

인습(인할因 익힐習) 이전부터 전하여 내려오는 습관 ❸ 구습

맹목적(소경盲 눈目 과녁的) 주관이나 원칙이 없이 덮어놓고 행동하는. 또는 그러한 것

종속(좇을從 무리屬)**되다** 자주성(스스로 일을 처리할 수 있는 능력이나 성질)이 없이 주가 되는 것에 딸려 붙게 되다.

답습(밟을踏 엄습할襲)**하다** 예로부터 해 오던 방식이나 수법(수단과 방법)을 좇아 그대로 행하다. ❸ 도습하다, 습답하다, 인습하다

● **다음 빈칸에 들어갈 알맞은 단어를 위에서 찾아 문맥에 맞게 써 보자.**

(1) 이번 행사는 우리나라의 국제적 ☐☐을 높이는 계기가 되었다.

(2) 오늘날 많은 나라들이 경제적, 문화적으로 주요 선진국에 ☐☐되어 있다.

(3) 대통령이 정치를 주도하는 ☐☐를 구축하기 위해 많은 사람들이 노력했다.

(4) 그는 지금까지 사회적 윤리 ☐☐을 나름대로 지키면서 살아왔다고 자부했다.

(5) 전통을 단순히 ☐☐하는 것보다는 창조적으로 변화시키는 것이 더 중요하다.

(6) 그녀가 낡은 ☐☐을 ☐☐☐으로 따르는 것을 사람들은 이해하지 못했다.

(7) 나는 ☐☐에 따라 가치 판단을 하는 것이 무조건 옳은 것만은 아니라고 생각했다.

(8) 시험의 난이도가 너무 낮게 출제되면 학생들의 실력을 ☐☐☐으로 가늠하기가 어렵다.

2단계 문제로 어휘 익히기

1 다음 단어의 의미를 찾아 바르게 연결해 보자.

(1) 전경 •   • ㉠ 이전부터 전해 내려오는 낡은 관습

(2) 인습 •   • ㉡ 마땅히 따르고 지켜야 할 가치 판단의 기준

(3) 위상 •   • ㉢ 어떤 사람이나 일이 특정한 상황에서 처한 위치나 상태

2 다음 문장에 들어갈 알맞은 단어를 〈보기〉에서 찾아 써 보자.

보기

답습   위상   종속   규범

(1) 그의 논문은 기존의 논의를 (   )하고 있을 뿐 독창적인 부분이 없다.

(2) 예술이 상업 자본에 (   )되지 않기 위해서는 많은 예술가들의 노력이 필요하다.

(3) 아이들은 모방을 통해 사회생활을 바람직하게 이끄는 사회 (   )을 자연스럽게 익혀 나간다.

3 다음 문장의 괄호 안에 들어갈 알맞은 단어를 골라 보자.

(1) 전투 상황에 맞게 관련 부대를 효율적인 (체제 / 제도)로 재편성했다.

(2) 그들은 아직도 전근대적인 (인습 / 예절)의 굴레에서 헤어나지 못하고 있었다.

4 다음 ㉠, ㉡에 들어갈 단어가 바르게 묶인 것을 찾아보자.

• 아무리 좋은 말도 _____㉠_____으로 수용하려 하면 스스로 사고할 수 있는 능력이 떨어지게 된다.

• 어떤 상황이든 단편적으로 보고 판단하지 말고 _____㉡_____ 시각으로 바라보는 연습을 해야 한다.

	㉠	㉡		㉠	㉡
①	비판적	변별적	②	맹목적	변별적
③	맹목적	독립적	④	이성적	이상적
⑤	체계적	자율적			

02 인문 주제어 _심리학

문맥으로 어휘 확인하기

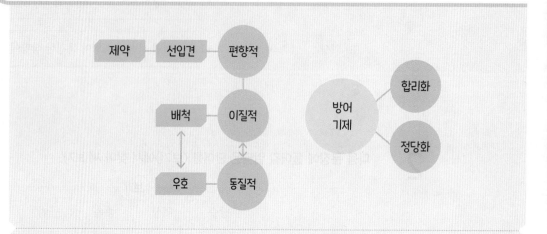

편향적(치우칠偏 향할向 과녁的) 한쪽으로 치우친 경향이 있는. 또는 그러한 것

선입견(먼저先 들入 볼見) 어떤 사람이나 사물 또는 주의나 주장에 대하여, 직접 경험하지 않은 상태에서 미리 마음속에 굳어진 견해 ❸ 선입관

제약(억제할制 맺을約) 조건을 붙여 내용을 제한함. 또는 그 조건

이질적(다를異 바탕質 과녁的) 성질이 다른. 또는 그러한 것

배척(물리칠排 물리칠斥) 따돌리거나 거부하여 밀어내침 ❸ 배빈, 척빈

동질적(같을同 바탕質 과녁的) 성질이 같은. 또는 그러한 것

우호(벗友 좋을好) 개인 간이나 국가 간에 서로 친하고 사이가 좋음

방어 기제(막을防 막을禦 틀機 억제할制) 두렵거나 불쾌한 정황이나 욕구 불만에 직면하였을 때 스스로를 방어하기 위하여 자동적으로 취하는 적응 행위 ❸ 적응 기제

합리화(합할合 다스릴理 될化) ① 이론이나 이치에 합당하게 함 ② 낭비적 요소나 비능률적 요소를 없애 더 능률적으로 체제를 개선함 ③ 어떤 일을 한 뒤에, 자책감이나 죄책감에서 벗어나기 위하여 그것을 정당화함. 또는 그런 방어 기제

정당화(바를正 마땅할當 될化) 정당성(사리에 맞아 옳고 정의로운 성질)이 없거나 정당성에 의문이 있는 것을 무엇으로 둘러대어 정당한 것으로 만듦

● **다음 빈칸에 들어갈 알맞은 단어를 위에서 찾아 문맥에 맞게 써 보자.**

(1) 어떤 이유로든 폭력을 □□□할 수는 없다.

(2) 우리는 스트레스를 받는 상황으로부터 자신을 보호하기 위해 □□ □□를 사용한다.

(3) 여우는 먹고 싶은 포도를 따지 못하자 덜 익은 포도였을 것이라며 자기 □□□를 했다.

(4) 어떤 사람을 처음 마주했을 때에는 □□□을 버리고 그 사람의 됨됨이를 판단해야 한다.

(5) 수입 물품에 대한 사람들의 선호도가 □□□이어서 수입국을 선정하는 데 □□이 많다.

(6) 서로 같은 정당을 지지하며 □□□ 성향을 드러낸 그들은 □□적인 관계를 맺게 되었다.

(7) 이민자들의 수가 많아지면서 □□□ 문화를 □□하고 수용을 거부하는 사례가 줄어들고 있다.

2단계 문제로 어휘 익히기

1 제시된 뜻과 예문을 참고하여 다음 초성에 해당하는 단어를 빈칸에 써 보자.

(1) ㅇ ㅈ ㅈ : 성질이 다른 것

   예 여행을 통해 낯선 나라의 (　　　　) 문화를 경험할 수 있다.

(2) ㅂ ㅊ : 반대하거나 거부하여 밀어 내침

   예 그는 친구들에게 신뢰를 잃고 단체 모임에서 (　　　　)되었다.

(3) ㅅ ㅇ ㄱ : 어떤 대상에 대하여 이미 마음속에 가지고 있는 고정적인 관념이나 관점

   예 관찰자는 미리 어떤 (　　　　)을 가지고 관찰에 임해서는 안 된다.

2 다음 문장에 들어갈 알맞은 단어를 〈보기〉에서 찾아 써 보자.

┌─────────── 보기 ───────────┐

제약　　우호　　동질적　　편향적　　합리화

└────────────────────────────┘

(1) 그녀의 변명은 내게 구차한 자기 (　　　　)(으)로밖에 들리지 않았다.

(2) 두 나라의 문화는 서로 다르지만 이념적 부분에서는 (　　　　)(인) 성향을 드러냈다.

(3) 대통령은 다른 나라들과 (　　　　) 관계를 유지하기 위해 여러 회담에 적극적으로 참여하였다.

3 다음 단어에 대한 설명이 맞으면 ○, 틀리면 × 표시를 해 보자.

(1) '편향적'이라는 것은 양쪽에 균형이 잡히지 아니하고 한쪽으로 시각이 치우친 경우를 가리키는 단어이다.　　　　　　　　　　　　　　　　(○, ×)

(2) '정당화'는 본래 정당성이 충족되어 있는 것을 많은 사람들에게 알리어 정당성을 인정 받도록 만들었을 때 쓰는 단어이다.　　　　　　　　(○, ×)

4 다음 글의 ㉠, ㉡에 공통적으로 들어갈 단어를 찾아보자.

┌──┐

　　주변 사람들에게 서운한 일이 생겼을 때, 자신의 감정을 표현하고 이유를 묻기보다 상대 방과의 관계를 정리해 버리는 사람들이 있다. 이렇게 불편한 상황을 이어 가는 것보다 관 계를 끊어 버리고 정서적인 단절을 선택하는 것을 심리학적으로는 '자아 ＿＿㉠＿＿' (이)라고 부른다. 사람들의 ＿＿㉡＿＿이/가 작용하는 이유는 정서적으로 단절되면 상대방 의 감정을 느끼지 않고 죄책감 없이 상대방을 멀리할 수 있기 때문이다.

└──┘

① 인신공격　　② 감정 회피　　③ 자기 주도　　④ 정신 분석　　⑤ 방어 기제

2014학년도 6월 고2 전국연합

[1~3] 다음 글을 읽고 물음에 답하시오.

1 바라는 욕구가 있지만 그것이 원만히 ⓐ충족되지 못하는 경우에 우리는 긴장하거나 불편함을 느낀다. 이것이 우리가 흔히 말하는 스트레스이다. 운 좋게 스트레스가 저절로 해소될 수도 있지만 매번 이러한 °요행을 바랄 수는 없으므로 우리는 스트레스를 해소할 수 있는 적절한 방법을 °강구해야 한다.

2 스트레스를 효과적으로 해소하려는 것을 '대처'라고 하는데, 여기에는 두 가지 방법이 있다. 하나는 '문제 중심적 대처 방법'이고, 다른 하나는 '정서 중심적 대처 방법'이다. 전자는 스트레스를 일으키는 상황을 적극적으로 변화시키거나 문제 상황을 직접 해결하기 위한 여러 가지 방법을 생각한 후 가장 적합한 방법을 선택하여 스트레스 상황을 없애는 방법이다. 반면 후자는 문제를 직접 해결하기보다는 스트레스 상황을 ⓑ인식하는 방법을 바꾸어 스트레스를 해소하는 방법이다.

3 특히, 후자의 방법을 ⓒ'방어 기제(defense mechanism)'라고 부른다. 방어 기제는 무의식적으로 사실을 왜곡함으로써 불안을 줄이고 자아를 보호하려는 것이다. 방어 기제에는 고통스러운 생각을 의식에 떠오르지 않도록 하는 '억압', 불안을 일으키는 생각과 반대로 행동하거나 불안이 없다고 생각하는 '부인', 사회적으로 °용납되지 않는 감정이나 행동에 대해 논리적으로나 사회적으로 그럴 듯한 이유를 붙여 자신의 행동을 정당화하고 보호하는 '합리화' 등이 있다. 합리화에는 몇 가지 유형이 있다. 어떤 목표를 ⓓ달성하기 위해 노력했으나 실패했을 때, 원래 그 목표 달성을 원하지 않았다고 생각하는 '신 포도형', 현재의 불만족스러운 상황을 자신이 가장 원했던 것이라고 믿는 '달콤한 레몬형', 자신의 능력에 대해 허구적 신념을 가짐으로써 실패의 원인을 정당화하는 '망상형' 등이 그것이다. 이러한 방어 기제는 거짓말이나 변명과 달리 무의식적으로 이루어진다.

4 한편 방어 기제는 스트레스 상황에 대처하기 위해 사용하는데, 이를 사용한다고 해서 그 사람을 °미숙하다고 볼 수는 없다. 때에 따라서는 문제 중심적 대처 방법보다 더 효과적으로 스트레스를 해소할 수도 있다. 방어 기제는 대체로 실패에 따른 부정적 정서를 완화하여 긴장과 불안을 줄여 주기 때문이다. 그러나 방어 기제를 사용한다 하더라도 스트레스를 주는 상황 자체를 바꾸지는 못한다. 방어 기제는 사실을 왜곡하고 자기를 ⓔ기만하며 고통스런 상황을 일시적으로 벗어날 수 있게 할 뿐이다.

독해 체크

1. 이 글의 핵심어는?
☐☐☐☐

2. 문단별 중심 내용은?
1 스트레스의 ☐☐과 스트레스 ☐☐ 방법의 필요성
2 스트레스에 ☐☐하는 두 가지 방법
3 ☐☐ 중심적 대처 방법인 방어 기제의 종류
4 ☐☐☐ 사용의 효과와 한계

3. 이 글의 주제는?
스트레스에 대처하는 ☐☐과 그 특징

어휘 체크

○ **요행**: 뜻밖에 얻는 행운
○ **강구해야**: 좋은 대책과 방법을 궁리하여 찾아내거나 좋은 대책을 세워야
○ **용납되지**: 어떤 물건이나 상황이 받아들여지지
○ **미숙하다고**: 일 따위에 익숙하지 못하여 서투르다고

● 정답과 해설 19쪽

1 문맥상 ⓐ~ⓔ와 바꿔 쓰기에 적절하지 <u>않은</u> 것은?

① ⓐ: 종속되지 ② ⓑ: 느끼는
③ ⓒ: 적응 기제 ④ ⓓ: 이루기
⑤ ⓔ: 속이며

2 윗글의 서술 방식을 분석한 내용으로 적절한 것은?

① 중심 화제를 유형별로 나누어 설명하고 있다.
② 구체적인 사례를 들어 대상의 특징을 설명하고 있다.
③ 문제 현상의 원인을 다각도로 분석하여 설명하고 있다.
④ 시간의 흐름에 따른 대상의 변화 과정을 자세히 제시하고 있다.
⑤ 특정 상황에 관련된 다양한 이론을 제시하여 시사점을 이끌어 내고 있다.

❍ **시사점**: 어떤 일에 관하여 미리 넌지시 알려 주는 요소

기출 문제

3 윗글을 바탕으로 〈보기〉를 이해한 내용으로 적절하지 <u>않은</u> 것은?

보기

(가) 은희는 공부를 열심히 하려고 하는데, 아파트로 이사 온 후 위층의 소음 때문에 고통을 겪고 있다. 위층에 사는 어린아이가 뛰어다니는 소리 때문에 주말과 저녁 시간에는 공부를 거의 할 수가 없다.

(나) 철수는 음료수 자동판매기에 동전을 넣고 마시고 싶은 음료수 버튼을 눌렀다. 그런데 음료수가 나오지 않았다. 동전 반환 버튼을 눌렀지만 동전도 나오지 않아 화가 났다.

① (가)의 은희와 (나)의 철수는 바라는 욕구가 충족되지 못해서 스트레스를 받고 있다.
② (가)의 은희가 성적 저하의 원인을 위층의 소음 때문이라고 변명했다면, 이는 무의식적으로 대처한 것이다.
③ (가)의 은희가 위층 주인에게 소음이 발생되지 않도록 조심해 달라고 말했다면, 이는 '문제 중심적 대처 방법'을 선택한 것이다.
④ (나)의 철수가 원래부터 음료수를 그다지 먹고 싶지 않았다고 위안 삼았다면, 철수는 '신 포도형'으로 합리화한 것이다.
⑤ (나)의 철수가 자동판매기 관리자에게 전화를 걸어 음료수를 받았다면, 철수는 스트레스를 일으킨 상황을 해결한 것이다.

❍ **저하**: 정도, 수준, 능률 따위가 떨어져 낮아짐

특강 체크 주제별로 알아보는 **한자 성어**

● 관계와 관련된 한자 성어

교학상장
(가르칠敎 배울學 서로相
길長)

가르치고 배우는 과정에서 스승과 제자가 함께 성장함
예 김 감독은 자신의 실력만으로 우승한 것이 아니라, 선수들과 교학상장하며
좋은 성과를 낸 것이라고 말했다.

금지옥엽
(쇠金 가지枝 구슬玉
나뭇잎葉)

① 금으로 된 가지와 옥으로 된 잎이라는 뜻으로, 임금의 가족을 높
여 이르는 말 ② 매우 소중하고 귀한 자식을 이르는 말 ③ 구름의 아
름다운 모양을 이르는 말
예 딸아이를 금지옥엽으로 받들며 키웠더니, 제 것만 아는 아이가 되었다.

◆ 경지옥엽(瓊枝玉葉)

난형난제
(어려울難 형兄 어려울難
아우弟)

누구를 형이라 하고 누구를 아우라 하기 어렵다는 뜻으로, 두 사물이
비슷하여 낫고 못함을 정하기 어려움을 이르는 말
예 두 연주자는 난형난제의 실력을 가지고 있어, 누가 더 최고라고 말하기 어
렵다.

◆ 난백난중(難伯難仲): 누가 맏
형이고 누가 둘째 형인지 분간
하기 어렵다는 뜻으로, 비교되는
대상의 우열을 가리기 어려움을
이르는 말

동병상련
(같을同 병들病 서로相
불쌍히 여길憐)

같은 병을 앓는 사람끼리 서로 가엾게 여긴다는 뜻으로, 어려운 처지
에 있는 사람끼리 서로 가엾게 여김을 이르는 말
예 병원에서 만난 두 사람은 동병상련을 느끼고 서로를 위로했다.

반면교사
(돌이킬反 낯面 가르칠敎
스승師)

사람이나 사물 따위의 부정적인 면에서 얻는 깨달음이나 가르침을
주는 대상을 이르는 말
예 선생님께서는 반면교사로 삼을 수 있는 사람들의 행태를 예로 들어 인성
교육을 진행하셨다.

백년해로
(일백百 해年 함께偕 늙을老)

부부가 되어 한평생을 사이좋게 지내고 즐겁게 함께 늙음
예 신랑 신부는 많은 하객들 앞에서 백년해로를 맹세했다.

◆ 백년동락(百年同樂)

유유상종
(무리類 무리類 서로相
좇을從)

같은 무리끼리 서로 사귐
예 동생 친구들을 보니 유유상종이라고, 비슷한 성향의 아이들끼리 모여 놀고
있었다.

천생연분
(하늘天 날生 인연緣 나눌分)

하늘이 정하여 준 인연
예 사람들은 서로 부족한 부분을 채워 주며 화목하게 잘 살아가는 그 부부를 천생연분이라고 칭했다.

천생연분에 보리 개떡: 아무리 친한 사람도 다 제 짝이 있어 보리 개떡을 먹을망정 의좋게 산다는 말

청출어람
(푸를靑 날出 어조사於 쪽藍)

쪽에서 뽑아낸 푸른 물감이 쪽보다 더 푸르다는 뜻으로, 제자나 후배가 스승이나 선배보다 나음을 비유적으로 이르는 말
예 요리 풋내기였던 그가 스승보다 더 훌륭한 요리를 해내며 청출어람이라는 평가를 받았다.

타산지석
(다를他 뫼山 갈之 돌石)

다른 산의 나쁜 돌이라도 자신의 산의 옥돌을 가는 데에 쓸 수 있다는 뜻으로, 본이 되지 않은 남의 말이나 행동도 자신의 지식과 인격을 수양하는 데에 도움이 될 수 있음을 비유적으로 이르는 말
예 동생은 언니의 행동을 타산지석으로 삼아, 자신은 절대 그러지 않겠다고 결심했다.

호각지세
(서로互 뿔角 갈之 기세勢)

역량이 서로 비슷비슷한 위세
예 이번 반장 선거에서 두 후보의 지지율은 호각지세를 이루었다.

호형호제
(부를呼 형兄 부를呼 아우弟)

서로 형이니 아우니 하고 부른다는 뜻으로, 매우 가까운 친구로 지냄을 이르는 말
예 그는 군수와의 친분을 과시하기 위해, 그와 호형호제하는 사이라고 떠들고 다녔다.

曰 왈형왈제(曰兄曰弟)

유래로 보는 한자 성어

난형난제(難兄難弟)

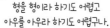

형을 형이라 하기도 어렵고 아우를 아우라 하기도 어렵구나.

한나라 말기의 학자 진식은 의식 있는 선비로서 사람들에게 덕망이 매우 높았다. 그에게는 큰 아들 진기와 작은 아들 진심이 있었는데, 두 아들 역시 아버지 못지않은 학문과 덕행을 지니고 있었다. 어느 날 진기의 아들 진군과 진심의 아들 진충이 함께 놀다가 서로 아버지의 공적과 덕행에 대해 논하게 되었다. 두 아들은 서로 자기 아버지가 낫다고 입씨름을 벌이다가 판정이 나지 않아 할아버지를 찾아가서 묻기로 하였다. 두 손자가 찾아와 각자 자기의 편을 들어줄 것을 요구하자, 진식은 난처해하며 다음과 같이 답했다.
"너희들의 아버지는 나이를 따진다면 분명 형제간이지만, 품성이나 학문에서는 형을 형이라 하기도 어렵고 아우를 아우라 하기도 어렵구나[難兄難弟]."

01 다음 빈칸에 들어갈 한자 성어의 뜻을 〈보기〉에서 골라 기호를 써 보자.

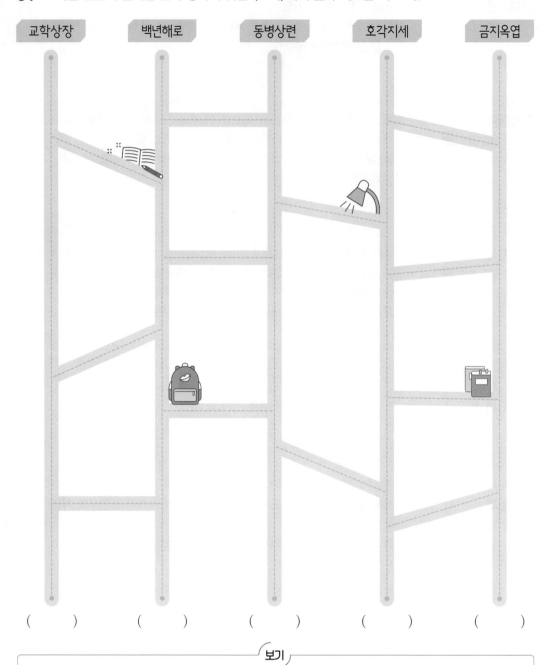

| 교학상장 | 백년해로 | 동병상련 | 호각지세 | 금지옥엽 |

(   )   (   )   (   )   (   )   (   )

보기

ㄱ 아주 귀한 자손을 이르는 말
ㄴ 부부가 되어 평화롭게 살면서 함께 늙음
ㄷ 가르치고 배우는 과정에서 스승과 제자가 함께 성장함
ㄹ 양쪽의 역량이 비슷해서 서로 낫고 못함이 없이 맞선 기세
ㅁ 어려운 처지에 있는 사람끼리 서로 동정하고 도움을 이르는 말

[02~06] 다음 한자 성어의 뜻을 찾아 바르게 연결해 보자.

02 청출어람(靑出於藍) •

03 반면교사(反面敎師) •

04 천생연분(天生緣分) •

05 난형난제(難兄難弟) •

06 타산지석(他山之石) •

• ㉠ 제자가 스승보다 나음을 비유적으로 이르는 말

• ㉡ 하늘에서 미리 정해 준 것처럼 꼭 맞는 부부 인연. 또는 그 부부

• ㉢ 서로 비슷비슷하여 우열을 가리기 어려움을 비유적으로 이르는 말

• ㉣ 사람이나 사물의 부정적인 면에서 얻는 깨달음이나 가르침을 주는 대상을 이르는 말

• ㉤ 남의 산에 있는 돌이라도 나의 옥을 다듬는 데에 쓸 수 있다는 뜻으로, 다른 사람의 하찮은 언행 또는 허물까지도 자신을 수양하는 데 도움이 됨을 비유적으로 이르는 말

[07~08] 제시된 뜻과 예문을 참고하여 다음 초성에 해당하는 한자 성어를 빈칸에 써 보자.

07 ㅇㅇㅅㅈ : 같은 무리끼리 서로 왕래하며 사귐

예 (   )이라더니 꼭 고만고만한 녀석들끼리 맨날 몰려다니는구나.

08 ㅂㄴㄷㄹ : 부부가 되어 한평생을 같이 살며 함께 즐거워함

예 그는 그녀의 두 손을 살포시 잡고 같이 (   )하며 지내자고 말했다.

[09~11] 다음 문장의 괄호 안에 들어갈 알맞은 한자 성어를 골라 보자.

09 그들은 어릴 때부터 (호형호제 / 호연지기)하며 가족처럼 친하게 지낸 사이이다.

10 형제간 경영권 다툼을 벌이고 있는 ○○ 기업을 (타산지석 / 촌철살인)으로 삼아, 우리 기업은 투명 경영을 실천하고 있다.

11 그에게 (청렴결백 / 청출어람)의 상징이라는 칭호를 붙인 것은 그가 스승이 끝내 알아내지 못한 이 질병의 치료법을 밝혀냈기 때문이다.

01 인문 주제어_역사

1단계 문맥으로 어휘 확인하기

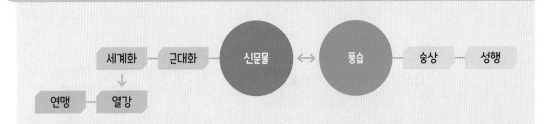

신문물(새로울新 글월文 만물物) 기존과 다른 새로운 문물(문화의 산물. 곧 정치, 경제, 종교, 예술, 법률 따위의 문화에 관한 모든 것을 통틀어 이르는 말)

근대화(가까울近 대신할代 될化) 사회나 문화, 제도 따위가 근대(중세와 현대 사이의 시대. 지난 지 얼마 되지 않는 가까운 시대)적인 상태가 됨. 또는 그렇게 함 ⊕ 개화

세계화(세대世 경계界 될化) 세계 여러 나라를 이해하고 받아들임. 또는 그렇게 되게 함 ⊕ 반세계화

열강(벌일列 강할強) 국제 문제에서 큰 역할을 담당하는 여러 강한 나라들 ⊕ 강대국

연맹(잇달을聯 맹세할盟) 공동의 목적을 가진 단체나 국가가 서로 돕고 행동을 함께 할 것을 약속함. 또는 그런 목적으로 만든 조직체 ⊕ 동맹

풍습(바람風 익힐習) 풍속(옛날부터 그 사회에 전해 오는 생활 전반에 걸친 습관 따위를 이르는 말)과 습관을 아울러 이르는 말 ⊕ 기습

숭상(높을崇 오히려尚) 높이 우러르며 소중하게 여김 ⊕ 숭앙, 숭배, 존경

성행(성할盛 다닐行) 매우 성하게(기운이나 세력이 한창 왕성하게) 유행함

● **다음 빈칸에 들어갈 알맞은 단어를 위에서 찾아 문맥에 맞게 써 보자.**

(1) 신라의 무열왕은 당나라와 ☐☐을 맺고 함께 전투에 참여하여 백제를 멸망시켰다.

(2) 불교를 배척하고 유교를 ☐☐하는 정책 때문에 조선 시대에는 불교 문화가 쇠퇴하였다.

(3) 사실주의는 객관적인 사물을 있는 그대로 재현하려고 하는 창작 태도로, 19세기에 ☐☐하였다.

(4) 나는 유명한 번역가가 되어 아름다운 우리 문학을 외국에 알리고 ☐☐☐하는 데 기여하고 싶다.

(5) 우리나라에는 예로부터 아기의 첫돌에 찹쌀이나 찰수수쌀로 경단을 만들어 먹으며 아기의 건강한 성장을 기원하는 ☐☐이 있다.

(6) 1960년대와 1970년대에는 산업화와 ☐☐☐ 속에서 급격하게 퇴락해 갔던 농촌의 현실을 고발하고 있는 시나 소설이 많이 창작되었다.

(7) 19세기 말부터 20세기 초는 제국주의가 전개된 시기로, 제국주의 ☐☐들은 자국의 영토를 확장하기 위하여 경쟁적으로 약소국들을 침략하였다.

(8) 중국과 일본에 다녀온 사절단을 통해 ☐☐☐이 들어왔고, 이로 인해 폐쇄적이었던 조선의 생활뿐만 아니라 사고관에도 차츰 변화가 생기기 시작했다.

2단계 문제로 어휘 익히기

1 다음 단어의 의미를 찾아 바르게 연결해 보자.

(1) 풍습 •　　　• ㉠ 높여 소중히 여김

(2) 숭상 •　　　• ㉡ 매우 왕성하게 널리 퍼짐

(3) 성행 •　　　• ㉢ 풍속과 습관을 아울러 이르는 말

2 다음 문장에 들어갈 알맞은 단어를 〈보기〉에서 찾아 써 보자.

보기

열강　　신문물　　근대화　　세계화

(1) 김 훈장은 마을에 유입된 (　　　　)을/를 보며 못마땅한 표정으로 혀를 찼다.

(2) 중국은 청일 전쟁에서 패배한 후, 계속되는 서구 (　　　　)들의 침략에 저항하였다.

(3) 현대 사회에서는 교통과 통신, 여러 매체의 발달로 인해 (　　　　)의 속도가 이전보다 빨라지고 있다.

3 제시된 뜻과 예문을 참고하여 다음 초성에 해당하는 단어를 빈칸에 써 보자.

(1) ㄱㄷㅎ : 사회나 문화, 제도 따위가 근대적인 상태가 됨

예 우리나라는 (　　　　) 과정에서 전통적인 대가족 구조가 급속하게 줄어들고, 핵가족이 일반적인 형태로 자리 잡기 시작했다.

(2) ㅇㅁ : 공동의 목적을 가진 단체나 국가가 서로 돕고 행동을 함께 할 것을 약속함

예 이번 지역별 축구 대항전에서 우승하기 위해 주변의 세 학교가 (　　　　)을 맺고, 최고의 선수들을 모아 연습하기로 결정하였다.

4 다음 글의 빈칸에 공통적으로 들어갈 단어로 가장 적절한 것을 찾아보자.

　　1876년 외국 선박의 출입을 허용하면서 서구로부터 다양한 _____이/가 들어오기 시작했다. 이는 우리의 전통과 충돌하면서도 차츰 민중들의 생활 전반에 영향을 미치기 시작했다. 새롭게 들어온 사상이 봉건사상에 매여 있던 민중들의 의식을 변화시켰다면, _____은/는 민중들의 일상생활에 파고들어 삶의 방식을 바꾸어 놓았다. 특히 석유, 축음기, 성냥, 염료, 양초, 시계, 화장품 등의 상품들은 일상생활에 커다란 변화를 일으켰으며, 민중들의 생활을 보다 편리하게 만들어 주었다.

① 풍습　　② 열강　　③ 신문물　　④ 근대화　　⑤ 세계화

02 인문 주제어_역사

1단계 문맥으로 어휘 확인하기

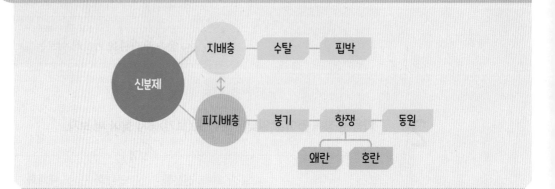

신분제(몸身 나눌分 억제할制) 봉건 시대에 존재했던, 태어날 때부터 부모에게 물려받는 고정된 계급 제도

지배층(지탱할支 짝配 층層) 권력을 독차지하여 가짐으로써 정치적·경제적·사회적으로 우월한 세력을 지니고 있는 계층 ❸ 피지배층

수탈(거둘收 빼앗을奪) 강제로 빼앗음 ❸ 약탈, 착취

핍박(닥칠逼 닥칠迫) ① 형세(살림살이의 형편)가 절박함 ② 바싹 죄어서 몹시 괴롭게 굶

봉기(벌蜂 일어날起) 벌 떼처럼 사람들이 곳곳에서 떼 지어 세차게 들고일어남

항쟁(막을抗 다툴爭) 상대에 맞서 싸움 ❸ 항전 ❹ 굴복, 투항, 항복

동원(움직일動 관원員) 어떤 목적을 달성하고자 사람을 모으거나 물건, 수단, 방법 따위를 집중함

왜란(왜국倭 어지러울亂) ① 왜인(倭人)이 일으킨 난리 ② 조선 선조 25년(1592)에 일본이 침입한 전쟁. 선조 31년(1598)까지 7년 동안 두 차례에 걸쳐 침입하였으며, 1597년에 재침략한 것을 정유재란으로 달리 부르기도 함 ❸ 임진왜란

호란(오랑캐胡 어지러울亂) ① 호인(胡人)들이 일으킨 난리 ② 조선 인조 14년(1636)에 청나라가 침입한 난리. 청나라의 군신(君臣) 관계 요구를 조선이 거부하자 청나라 태종이 20만 대군을 거느리고 침략하였고, 결국 인조는 삼전도에서 항복하고 청나라에 대하여 신하로서의 예를 행하기로 함 ❸ 병자호란

● **다음 빈칸에 들어갈 알맞은 단어를 위에서 찾아 문맥에 맞게 써 보자.**

(1) 홍수로 인한 피해를 복구하기 위해 온갖 중장비가 ☐☐되었다.

(2) 마을의 백성들은 수령의 포악한 정치에 불만을 품고, 결국 ☐☐를 일으켰다.

(3) 고구려의 유민들은 나라가 망한 후에도 포기하지 않고 끝까지 신라에 ☐☐을 하였다.

(4) 승려는 고려 시대에 ☐☐☐에 속했지만 조선 시대에는 피지배층인 천민으로 지위가 낮아졌다.

(5) 조선 후기에는 ☐☐☐가 흔들리며 경제적으로 성장한 상인들이 양반 족보를 사들이기도 하였다.

(6) 일제의 거센 ☐☐과 가혹한 ☐☐로 인해 농민들은 고향을 등지고 타향으로 떠날 수밖에 없었다.

(7) 「임진록」은 일본의 침입으로 인해 발발한 ☐☐이라는 역사적 사실에 허구적인 요소를 더하여 창작된 역사 소설이다.

(8) 「박씨전」은 청나라와 치른 ☐☐에서 치욕적인 패배를 겪었던 현실과는 다르게, 가공의 인물인 '박 씨'의 활약을 제시함으로써 당대의 민중들이 심리적으로 보상받을 수 있게 창작된 작품이다.

1 다음 단어의 의미를 찾아 바르게 연결해 보자.

(1) 호란 •

(2) 왜란 •

(3) 지배층 •

(4) 신분제 •

• ㉠ 조선 선조 25년(1592)에 일본이 침입한 전쟁

• ㉡ 조선 인조 14년(1636)에 청나라가 침입한 난리

• ㉢ 봉건 시대에 존재했던, 태어날 때부터 부모에게 물려받는 고정된 계급 제도

• ㉣ 권력을 독차지하여 가짐으로써 정치적·경제적·사회적으로 우월한 세력을 지니고 있는 계층

2 다음 문장의 괄호 안에 들어갈 알맞은 단어를 골라 보자.

(1) 조선 시대 말기에는 지배층의 불합리한 (수탈 / 박탈)로 인해 곳곳에서 민란이 일어나 나라가 어지러웠다.

(2) 날이 갈수록 경제가 어려워지자 정부에서는 침체된 소비를 활성화하기 위해 온갖 정책을 (동원 / 동반)했다.

3 다음 단어에 대한 설명이 맞으면 ○, 틀리면 × 표시를 해 보자.

(1) '항쟁'은 '전쟁을 반대함'을 의미하는 단어이다. (○, ×)

(2) 백성들이 부패한 관리들의 포악한 정치에 맞서 싸운 것은 '핍박'이라고 칭할 수 있다.
(○, ×)

(3) 의병들이 일제의 식민지 지배에 반대하며 들고일어났던 행위는 '봉기'라고 일컫는다.
(○, ×)

4 다음 글의 빈칸에 공통적으로 들어갈 단어로 가장 적절한 것을 찾아보자.

「토끼전」에서 토끼는 당시 _____의 횡포에 시달리는 민중 또는 가난한 농민을 대표하는 인물이라고 볼 수 있다. 당시의 _____은 민중들을 착취하는 데만 관심이 있을 뿐, 민중들의 생활이나 어려움에는 관심이 없었다. 민중들은 이러한 현실 속에서 삶의 고달픔을 느끼며 이상적 공간을 꿈꾸기도 하였지만, 그것이 이루어지는 일은 현실적으로 불가능하였다.

① 노년층　　② 소외층　　③ 평민층　　④ 지배층　　⑤ 피지배층

독해 체크

1. 이 글의 핵심어는?

☐☐☐와 상언, 격쟁

2. 문단별 중심 내용은?

1 조선 시대의 백성들이 ☐☐☐과 원통함을 호소할 수 있게 만들어진 제도들 - 신문고, 상언, 격쟁

2 신문고를 치는 ☐☐와 사안의 처리 방법

3 신문고의 ☐☐이 상실된 이유

4 ☐☐과 ☐☐의 차이점 및 쇠퇴 이유

5 억울함을 호소할 방법이 없어진 ☐☐들의 대응 방법

3. 이 글의 주제는?

신문고, 상언, 격쟁의 ☐☐과 절차 및 변화 과정

어휘 체크

• **사유**: 일의 까닭

• **득실**: 얻음과 잃음

• **사안**: 법률이나 규정 따위에서 문제가 되는 일이나 안

• **회유**: 어루만지고 잘 달래어 시키는 말을 듣도록 함

• **취조**: 범죄 사실을 밝히기 위하여 혐의자나 죄인을 조사함

[1~3] 다음 글을 읽고 물음에 답하시오.　　2009학년도 9월 고1 전국연합

1 조선 시대 백성들이 억울함과 원통함을 호소할 수 있는 (　ⓐ　)로 ㉠신문고와 ㉡상언·㉢격쟁이 있었다. 신문고는 태종이 중국의 제도를 본떠 만든 것으로, 억울한 일을 당한 백성들이 북을 쳐서 왕에게 직접 호소할 수 있도록 한 것이다. 그러나 아무 때나 신문고를 칠 수 있는 것은 아니었다. 서울에 사는 사람들은 먼저 담당 관원에게 호소해야 했다. 그래서 해결이 되지 않으면 사헌부를 찾아가고, 그래도 해결이 되지 않을 때에야 비로소 신문고를 칠 기회가 주어졌다. 지방에 사는 사람들도 고을 수령, 관찰사, 사헌부의 순으로 호소한 후에도 만족하지 못하게 되면 신문고를 칠 기회가 주어졌다.

2 신문고를 치고자 하는 사람은 그것이 설치된 의금부의 당직청을 찾았다. 그러면 신문고를 지키는 영사(令史)가 의금부 관리에게 이 사실을 보고했다. 보고를 받은 관리는 °사유를 확인하여 역모에 관한 일이면 바로 신문고를 치게 하였다. 그러나 정치의 °득실이나 억울한 일에 대해서는 절차를 밟았다는 확인서를 조사한 다음에야 북 치는 것을 허락했다. 신문고를 치면 의금부의 관원이 왕에게 보고하였으며, 보고된 °사안에 대해 왕이 지시를 내리면 해당 관청에서는 5일 안에 처리해야 했다. 신문고를 친 사람의 억울함이 사실이면 이를 해결해 주었고, 거짓이면 엄한 벌을 내렸으며, 그 일과 관련된 담당 관원에게는 철저하게 책임을 물었다.

3 그러나 수령이나 관찰사 또는 서울의 해당 관원들은 자신들과 관련된 문제가 신문고를 통해 왕에게 알려지는 것을 꺼려서 백성들에게 압력을 행사하거나 °회유를 통해 신문고를 치지 못하게 할 때가 많았다. 또한 중죄인을 다스리는 의금부에 대한 백성들의 두려움도 신문고에 접근하는 것을 어렵게 했다. 이러한 이유로 신문고는 결국 중종 이후 그 기능이 (　ⓑ　)되어 유명무실해졌다.

4 그러자 상언과 격쟁을 통해 억울함을 호소하는 백성들이 늘어나게 되었다. 상언은 왕의 행차가 있을 때 그 앞에 나아가 글을 올려 억울함을 호소하는 것이고, 격쟁은 왕이 있는 곳 근처에서 시끄럽게 징을 울려 왕의 이목을 끈 다음, 말로 자신의 억울함을 호소하는 것으로 중국이나 일본에서는 찾아볼 수 없는 조선의 독특한 제도였다. 상언은 신문고에 비해 절차가 간편하여 일반 백성들이 이용하기 쉬운 것이었지만, 글을 알아야 한다는 점에서 주로 양반층이 이용하였다. 반면 격쟁은 글을 몰라도 되기 때문에 평민들이 많이 이용하였으나, 격쟁을 하는 사람은 먼저 형조의 °취조를 받아야 하는 부담을 감수해야 했다. 19세기에 들어서 세도 정치로 인해 정치 기강이 문란해지고 백성들에 대한 (　ⓒ　)의 억압과 (　ⓓ　)이/가 심해지면서 상언과 격쟁에 대한 제약도 강화되었다.

5 그렇게 되자 어려움을 풀 길이 막힌 백성들은 지방관이나 악덕 지주들의 죄상을 폭로하기 위해 집단으로 상급 기관에 항의하거나, 물리적인 힘을 (　ⓔ　)하여 대응하기도 했다.

• 정답과 해설 20쪽

1 문맥상 ⓐ~ⓔ에 들어갈 단어로 적절하지 <u>않은</u> 것은?

① ⓐ: 통로

② ⓑ: 성행

③ ⓒ: 지배층

④ ⓓ: 수탈

⑤ ⓔ: 동원

기출 문제

2 윗글에 사용된 설명 방법으로 옳은 것을 〈보기〉에서 고른 것은?

> ───── 보기 ─────
> ㄱ. 대상의 진행 과정을 설명하고 있다.
> ㄴ. 용어의 개념을 풀이하여 대상을 설명하고 있다.
> ㄷ. 잘 알려진 사실에 빗대어 대상을 설명하고 있다.
> ㄹ. 구체적인 사례를 열거하여 대상을 설명하고 있다.

① ㄱ, ㄴ   ② ㄱ, ㄷ   ③ ㄴ, ㄷ

④ ㄴ, ㄹ   ⑤ ㄷ, ㄹ

> ❥ **용어**: 일정한 분야에서 주로 사용하는 말

3 ㉠~㉢에 대한 설명으로 적절하지 <u>않은</u> 것은?

① ㉠은 ㉡에 비해 절차가 복잡하였다.

② ㉡과 ㉢은 ㉠과 달리 조선에만 있는 제도였다.

③ ㉡은 평민들이 주로 이용하였고, ㉢은 글을 아는 양반층이 주로 이용하였다.

④ ㉠, ㉡, ㉢은 모두 백성들이 왕에게 자신들의 억울함과 원통함을 호소하기 위한 제도였다.

⑤ ㉠은 관원들의 압력과 의금부에 대한 백성들의 두려움 때문에 점차 기능을 잃게 되었고, ㉡과 ㉢은 제도에 대한 제약이 강화되면서 점차 기능을 잃게 되었다.

01 사회 주제어 _정치, 사회 문화

1단계 문맥으로 어휘 확인하기

공동체(함께共 같을同 몸體) 생활이나 행동 또는 목적 따위를 같이하는 집단

대중화(큰大 무리衆 될化) 대중 사이에 널리 퍼져 친숙해짐. 또는 그렇게 되게 함

지역화(땅地 지경域 될化) ① 지역의 특색을 살리거나 지역의 특색이 드러나게 함 ② 경제적, 정치적 협력이 동일한 지역에 있는 국가들 간에 이루어지는 경향

독자적(홀로獨 스스로自 과녁的) ① 남에게 기대지 아니하고 혼자서 하는 것 ② 다른 것과 구별되는 혼자만의 특유한 것

전유물(오로지專 있을有 만물物) 혼자 독차지하여 가지는 물건 ⑪ 공유물: 두 사람 이상이 공동으로 소유하는 물건

연안국(따를沿 언덕岸 나라國) 강·바다·호수와 맞닿아 있는 나라

요충지(중요할要 찌를衝 땅地) 땅의 생긴 모양이나 형세가 군사적으로 아주 중요한 곳 ❤ 요해지, 형승

관계망(빗장關 걸릴係 그물網) 어떤 사물이나 현상이 서로 연관되어 그물처럼 얽히어 있는 조직이나 짜임새 ❤ 사회관계망

유대(맬紐 띠帶) 끈과 띠라는 뜻으로, 둘 이상을 서로 연결하거나 결합하게 하는 것. 또는 그런 관계 ⑪ 유대 관계, 적대 관계

협약(도울協 맺을約) ① 협상에 의하여 조약(낱낱의 부분을 밝혀서 맺은 언약)을 맺음. 또는 그 조약 ❤ 협상조약 ② 단체와 개인, 또는 단체와 단체 사이에 협정을 체결함(계약, 조약 등을 공식적으로 맺음). 또는 그 협정 ⑪ 근로 협약 ③ 국가와 국가 사이에 문서를 교환하여 계약을 맺음. 또는 그 계약

● **다음 빈칸에 들어갈 알맞은 단어를 위에서 찾아 문맥에 맞게 써 보자.**

(1) 과거에는 자동차가 부유한 사람들의 □□□이었지만, 현대에는 사람들에게 □□□되었다.

(2) 그는 □□□에 소속된 사람으로서 지켜야 할 규범을 어기고, □□□으로 행동하여 비난받았다.

(3) 우리 고향은 □□□ 사업을 발전시키기 위하여 지역의 특산품과 관광 명소 등을 활용할 방법을 강구하고 있다.

(4) 두 나라는 자유로운 무역을 위해 실무자들이 직접 만나 경제적 □□을 맺은 뒤, 지체하지 않고 이를 바로 실행하였다.

(5) 현대의 사람들은 디지털 매체를 기반으로 한 사회적 □□□ 서비스(SNS)를 통해 장소에 구애받지 않고 타인과의 □□를 맺고 있다.

(6) 크로아티아는 유럽 발칸반도 서부의 아드리아해 동부에 접해 있는 □□□으로, 대표적 도시 중 하나인 두브로브니크는 13세기 지중해의 전략적 □□□였다.

2단계 문제로 어휘 익히기

1 다음 단어의 의미를 찾아 바르게 연결해 보자.

(1) 연안국 •

(2) 관계망 •

(3) 공동체 •

• ㉠ 강·바다·호수와 맞닿아 있는 나라

• ㉡ 생활이나 행동 또는 목적 따위를 같이하는 집단

• ㉢ 어떤 사물이나 현상이 서로 연관되어 그물처럼 얽히어 있는 조직이나 짜임새

2 다음 단어에 대한 설명이 맞으면 ○, 틀리면 ✕ 표시를 해 보자.

(1) 혼자 독차지하여 가지는 물건을 '공유물'이라고 한다. (○, ✕)

(2) 지역이 세계의 정치, 경제, 사회의 주체가 되는 현상을 '대중화'라고 한다. (○, ✕)

(3) '요충지'란 땅의 생긴 모양이나 형세가 군사적으로 아주 중요한 곳을 말한다. (○, ✕)

3 다음 문장에 들어갈 알맞은 단어를 〈보기〉에서 찾아 써 보자.

┌─────── 보기 ───────┐
협약   독자적   전유물   지역화   공동체
└────────────────────┘

(1) 문화와 예술은 소수 특권층만을 위한 (   )이/가 아니다.

(2) 고조선은 다른 국가들과 구별되는 (   )인 문화를 이루며 발전하였다.

(3) 이장님은 마을 축제의 주제와 대표 캐릭터의 선정을 위해 이웃 동네 이장님과 만나 (   )을/를 진행하였다.

(4) 우리 기업은 세계화 전략과 (   ) 전략을 동시에 진행하며 국내외 시장을 모두 공략하는 것을 올해 목표로 설정하였다.

4 다음 글의 빈칸에 들어갈 단어로 가장 적절한 것을 찾아보자.

지난 회담에서 두 나라의 정상은 핵심적인 신기술 분야의 개발 제약 문제와 환경 오염 문제를 해결하기 위해 양국 간의 긴밀한 협력이 필요하다는 점에 동의하였다. 이에 따라 두 정상은 기후, 반도체 기술, 인적 교류에 있어 새로운 _____ 관계를 형성할 것을 약속하였다.

① 유대   ② 지역화   ③ 대중화   ④ 독자적   ⑤ 관계망

14 일차

02 사회 주제어 _사회 일반

1단계 문맥으로 어휘 확인하기

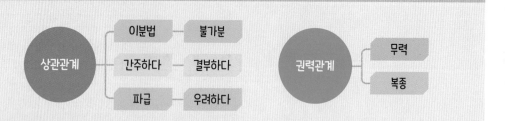

상관관계(서로相 빗장關 빗장關 걸릴係) 두 가지 가운데 한쪽이 변화하면 다른 한쪽도 따라서 변화하는 관계

이분법(두二 나눌分 법도法) 어떤 범위 안에서 서로 배척되는 두 개의 부분으로 나누는 것 **예** 만물을 생물과 무생물로 나누는 것, 동물을 척추동물과 무척추동물로 나누는 것

불가분(아닐不 옳을可 나눌分) 나눌 수가 없음 **윤** 불가분리 **맨** 가분

간주(볼看 지을做)**하다** 상태, 모양, 성질 따위가 그와 같다고 보거나 그렇다고 여기다. **윤** 여기다, 생각하다, 치부하다

결부(맺을結 줄付)**하다** 일정한 사물이나 현상을 서로 연관시키다.

파급(물결波 미칠及) 어떤 일의 여파나 영향이 차차 다른 데로 미침 **윤** 전파

우려(근심憂 생각할慮)**하다** 근심하거나 걱정하다.

권력관계(권세權 힘力 빗장關 걸릴係) 합법적으로 권력을 행사하여 성립하는 지배와 복종의 사회관계

무력(굳셀武 힘力) ① 군사상의 힘 ② 때리거나 부수는 따위의 육체를 사용한 힘

복종(입을服 좇을從) 남의 명령이나 의사를 그대로 따라서 좇음

● **다음 빈칸에 들어갈 알맞은 단어를 위에서 찾아 문맥에 맞게 써 보자.**

(1) 두 명 이상의 후보에게 표시한 투표 용지는 무효로 □□한다.

(2) 공부하는 시간과 성적 사이에는 □□□□가 없다고 생각한다.

(3) 많은 사회학자들이 개인과 사회는 □□□의 관계에 있다고 생각한다.

(4) 전문가들은 이번 사건이 향후 5년간 경제 발전을 저해할 수 있다고 □□하였다.

(5) 인간의 행동을 상황 맥락을 배제한 채 선과 악이라는 □□□으로만 설명해서는 안 된다.

(6) 사회 선생님께서 현대의 문제점들을 과거의 역사적 사건들과 □□하여 설명해 주시니 이해하기가 더 수월했다.

(7) 무역을 통해 새로운 문물이 우리 마을에 들어오면서 그로 인한 □□ 효과는 우리가 예상했던 것보다 훨씬 더 컸다.

(8) 그들은 전쟁에서 승리한 후 상대편의 우두머리를 □□으로 제압하고, 강제로 자신들에게 □□할 것을 약속받았다.

(9) 언론사의 뉴스 보도를 수용할 때에는 여당과 야당 간의 □□□□가 보도 내용에 영향을 미치지는 않았는지 판단해 보아야 한다.

1 다음 단어를 활용하기에 적절한 문장을 찾아 바르게 연결해 보자.

(1) 파급 •

(2) 불가분 •

(3) 이분법 •

• ㉠ 현대 사회에서 정치와 경제는 [   ]의 관계에 있다.

• ㉡ 적이 아니면 동지라는 [   ]적 사고로 인해 그들은 점점 고립되었다.

• ㉢ 이번 부동산 정책의 변화는 우리 경제에 큰 [   ]을 미칠 것으로 예상된다.

2 제시된 뜻과 예문을 참고하여 다음 초성에 해당하는 단어를 빈칸에 써 보자.

(1) ㅇㄹ 하다: 근심하거나 걱정하다.

예 청소년들에게 나쁜 영향을 미칠 것을 (   )하여 프로그램의 시청 등급을 조정하였다.

(2) ㄱㅂ 하다: 일정한 사물이나 현상을 서로 연관시키다.

예 세금 납부의 문제는 사회 복지 정책의 문제와도 (   )하여 생각할 수 있다.

(3) ㄱㄹㄱㄱ : 합법적으로 권력을 행사하여 성립하는 지배와 복종의 사회관계

예 집단 간의 (   )에 따라 일이 진행되는 순서가 다르게 돌아갔다.

3 다음 문장의 괄호 안에 들어갈 알맞은 단어를 골라 보자.

(1) 갈등을 빨리 해결하기 위해 (권리 / 무력)을/를 행사하려는 것은 옳지 않은 판단이다.

(2) 일부 결과만 보고 그것을 일반적인 법칙으로 (간주 / 간과)하는 것은 잘못된 생각이다.

(3) 그는 왕의 그릇된 명령에 무조건 (복종 / 복창)하지 않고 백성들의 입장을 대변하다가 벼슬을 잃고 귀양을 떠나게 되었다.

4 다음 글의 빈칸에 들어갈 말로 가장 적절한 것을 찾아보자.

커피에 들어 있는 카페인은 적당히 섭취할 경우 인지 능력 및 운동 능력을 높여 주고 우울증을 예방해 주는 등 인간의 건강에 도움을 준다. 하지만 과도하게 섭취하거나 체질에 맞지 않을 경우 과민 반응이나 불안감을 유발하거나 수면을 방해할 수도 있다. 이 때문에 커피와 건강의 _____는 학계에서 아직 뜨거운 논란의 대상이 되고 있다.

① 상관관계   ② 공생 관계   ③ 배척 관계   ④ 상보 관계   ⑤ 대립 관계

독해 체크

1. 이 글의 핵심어는?

☐☐과 지식

2. 문단별 중심 내용은?

1 권력에 대한 사람들의 일반적 인식 – 권력을 ☐☐로 여김

2 권력에 대한 푸코와 글쓴이의 견해 – 권력은 ☐☐ 간의 관계임

3 ☐☐☐☐의 형성 원인 및 권력의 특징과 작용 원리

4 권력과 지식의 관계 – ☐☐☐☐의 관계

5 ☐☐과 권력의 ☐☐☐☐를 올바르게 판단할 수 있는 안목의 필요성

3. 이 글의 주제는?

권력의 실체와 이를 제대로 이해할 수 있는 올바른 ☐☐의 필요성

[1~3] 다음 글을 읽고 물음에 답하시오. 2010학년도 6월 고2 전국연합

1 우리는 흔히 권력을 ˚양도하거나 교환할 수 있는 재화나 소유물로 생각한다. '@기득권층이 개혁의 발목을 잡아서'라는 말은 권력의 소유 개념에서 나온 말이다. 마치 권력이 손에서 손으로 건네줄 수 있는 물건이라도 되는 것처럼 여기면서 일단 어떤 사람의 손에 들어가면 강제로 그것을 빼앗지 않는 한, 영원히 그 사람의 소유라고 여기는 것이다.

2 그러나 20세기 후반 푸코는, 권력은 소유물이 아니라 전략이며 사람과 사람의 관계라고 주장하였다. 다시 말해서 사람과 사람 사이의 관계는 대부분 권력과 연관되어 있다는 것이다. 따라서 사람이 모인 사회는 지배·피지배의 ⓑ이분법적 관계로 나뉘는 것이 아니라 마치 그물코처럼 무수한 복수의 권력으로 뒤덮여 있다.

3 그런데 사람들 사이의 관계 속에서 서로 간에 미치는 힘은 균형을 이루는 것이 아니라, 언제나 ⓒ불균형을 이룬다. 그 비대칭의 불균형한 힘의 관계가 곧 '권력관계'이다. 힘의 불균형이 있다면 친구 사이나 직장 동료 사이의 관계도 역시 '권력관계'이다. 권력은 소유라기보다는 행사되는 것이고, ˚점유가 아니라 사람들을 배치하고 조작하는 기술과 기능에 의해 효과가 발생되는 것이다.

4 이러한 '권력'은 '지식'과 ⓓ불가분의 관계를 맺고 있다. 인간의 육체에 직접적인 강제를 가하는 왕조 시대의 권력으로부터 사회 전체에 널리 퍼져 교묘하게 사람들을 감시하는 근대적 규율 관계로 넘어올 수 있었던 것은 바로 지식 덕분이었다. 과거의 권력은 물리적 폭력에 가까웠다. 힘은 있을지언정 지적인 것과 거리가 멀었다. 그러나 근대 이후의 권력은 이와 다르다. 무력으로 권력을 얻었다 하더라도 권력자는 자신의 권력을 유지하기 위해 주변에 온갖 학자들을 불러 모은다. 논리적으로 설득하지 못하는 물리적 폭력은 상대방의 진정한 복종을 얻기는 어렵기 때문이다.

5 권력과 관계있는 지식의 가치 판단 기준은 '진실'이다. 그런데 '진실'은 과연 진실일까? 한 사회의 지적 지배권을 ˚장악한 사람들이 '진실'이라고 결정하는 것이 바로 진실이 되는 게 아닐까? 개발 정보를 이용해 부동산 투기를 하고 개인적인 ˚축재를 한 것에 대해 자본주의 사회에서 돈을 추구하는 것이 뭐가 나쁘냐고 하는 사람들의 수가 압도적으로 많으면, 그 사회는 그것을 ˚범법이 아니라 능력으로 인정할 것이다. 이렇듯 지식은 자율적인 지적 구조라기보다는 사회 통제 체계와 연결되어 있다. 한 사회에서 '진실', '학문', '지식'이란 결코 순수한 것만은 아니다. 그것은 언제나 권력과 욕망에 물들어 있다. 그러므로 우리는 이러한 ⓔ상관관계를 제대로 이해할 수 있는 안목을 길러야 할 것이다.

어휘 체크

⊃ **양도하거나:** 재산이나 물건을 남에게 넘겨주거나

⊃ **점유:** 물건이나 영역, 지위 따위를 차지함

⊃ **장악한:** 무엇을 마음대로 할 수 있게 휘어잡은

⊃ **축재:** 재물을 모아 쌓음

⊃ **범법:** 법을 어김

1 @~@의 사전적 의미로 적절하지 <u>않은</u> 것은?

① @: 사회, 경제적으로 여러 가지 권리를 누리고 있는 계층

② ⓑ: 차별이 있어 고르지 아니함

③ ⓒ: 어느 한쪽으로 기울거나 치우침

④ ⓓ: 나눌 수가 없음

⑤ ⓔ: 한쪽이 변화하면 다른 한쪽도 따라서 변화하는 관계

2 윗글의 주제로 가장 적절한 것은?

① 권력관계의 변화 과정

② 권력을 소유하기 위한 방법

③ 권력의 가치를 판단하는 기준

④ 권력의 실체에 대한 올바른 이해

⑤ 권력을 소유물로 보는 것의 문제점

기출 문제

3 윗글을 읽고 〈보기〉를 이해한 것으로 적절한 것은?

┌─ 보기 ─┐

　사람이 가지고 있는 것이 어느 것이나 빌리지 아니한 것이 없다. 임금은 백성으로부터 힘을 빌려서 높고 부귀한 자리를 가졌고, 신하는 임금으로부터 권세를 빌려 은총과 귀함을 누리며, 아들은 아비로부터, 지어미는 지아비로부터, 비복(婢僕)은 상전으로부터 힘과 권세를 빌려서 가지고 있다.

　그 빌린 바가 또한 깊고 많아서 대개는 자기 것으로 하고 끝내 반성할 줄 모르고 있으니, 어찌 미혹(迷惑)한 일이 아니겠는가? 그러다가도 혹 잠깐 사이에 그 빌린 것이 도로 돌아가게 되면, 만방(萬邦)의 임금도 외톨이가 되고, 백승(百乘)을 가졌던 집도 외로운 신하가 되니, 하물며 그보다 더 미약한 자야 말할 것이 있겠는가?

◑ **비복**: 계집종과 사내종을 아울러 이르는 말

◑ **미혹한**: 무엇에 홀려 정신을 차리지 못한
◑ **만방**: 세계의 모든 나라
◑ **백승**: 백 대의 수레

① 권력을 얻기 위한 지식의 필요성을 강조하고 있군.

② 권력을 가진 자의 물리적인 폭력을 비판하는 말이군.

③ 권력을 소유의 개념으로 여기는 것을 경계하고 있군.

④ 권력이 욕망에 물들어 진실성을 잃게 될 것을 염려하는군.

⑤ 권력관계를 지배와 피지배의 이분법적 구조로 이해하는군.

주제별로 알아보는 **속담**

● 기회, 노력과 관련된 속담

공든 탑이 무너지랴	공들여 쌓은 탑은 무너질 리 없다는 뜻으로, 힘을 다하고 정성을 다하여 한 일은 그 결과가 반드시 헛되지 아니함을 비유적으로 이르는 말 예 매일 열심히 공부했으니 시험 결과는 당연히 좋을 거야. 공든 탑이 무너지겠어?

⊕ **공든 탑도 개미구멍으로 무너진다**: 조그마한 실수나 방심으로 큰일을 망쳐 버린다는 말

낙숫물이 댓돌을 뚫는다	작은 힘이라도 꾸준히 계속하면 큰일을 이룰 수 있음을 비유적으로 이르는 말 예 공부에 재능이 없다고 절망만 하고 있지 말고 낙숫물이 댓돌을 뚫는다고 했으니 꾸준히 노력해 봐.

떡 본 김에 제사 지낸다	우연히 운 좋은 기회에, 하려던 일을 해치운다는 말 예 떡 본 김에 제사 지낸다고 새 가구를 넣기 위해 집 안 대청소를 시작했다.

⊕ **소매 긴 김에 춤춘다**

매화도 한철 국화도 한철	① 모든 사물은 저마다 한창때가 있다는 말 ② 한창 좋은 시절도 그때가 지나고 나면 그뿐이라는 말 예 매화도 한철 국화도 한철이니 가장 건강하고 머리가 좋을 때 많은 일들에 도전해 보기 바란다.

메뚜기도 유월이 한철이다	① 제때를 만난 듯이 한창 날뜀을 이르는 말 ② 누구나 한창 활동할 수 있는 시기는 얼마 되지 아니하니 그때를 놓치지 말라는 말 예 그렇게 잘나가던 사람도 이렇게 금방 인기가 시들해지는 걸 보니 메뚜기도 유월이 한철이라는 말이 딱 맞네.

⊕ **뻐꾸기도 유월이 한철이다**

무쇠도 갈면 바늘 된다	꾸준히 노력하면 어떤 어려운 일이라도 이룰 수 있다는 말 예 농구 실력이 늘지 않아 의기소침한 동생에게 무쇠도 갈면 바늘 된다는 말이 있다는 것을 알려 주었다.

쇠뿔도 단김에 빼랬다	든든히 박힌 소의 뿔을 뽑으려면 불로 달구어 놓은 김에 해치워야 한다는 뜻으로, 어떤 일이든지 하려고 생각했으면 한창 열이 올랐을 때 망설이지 말고 곧 행동으로 옮겨야 함을 비유적으로 이르는 말 예 쇠뿔도 단김에 빼랬다고 회사가 크게 성장할 때 더 과감한 투자를 하는 것이 필요하다.

열 번 찍어 아니 넘어가는 나무 없다	아무리 뜻이 굳은 사람이라도 여러 번 권하거나 꾀고 달래면 결국은 마음이 변한다는 말 **예** 열 번 찍어 아니 넘어가는 나무 없다고 하니 부모님을 계속 설득해 봐야지.
우물을 파도 한 우물을 파라	일을 너무 벌여 놓거나 하던 일을 자주 바꾸어 하면 아무런 성과가 없으니 어떠한 일이든 한 가지 일을 끝까지 하여야 성공할 수 있다는 말 **예** 자꾸 다른 일을 벌이고 싶다면 우물을 파도 한 우물을 파라는 말을 생각하면서 마음을 다잡아라.
천 리 길도 한 걸음부터	무슨 일이나 그 일의 시작이 중요하다는 말 **예** 천 리 길도 한 걸음부터라고 3년 동안 적금을 잘 관리하면 목돈을 모을 수 있을 것이다.
하늘은 스스로 돕는 자를 돕는다	하늘은 스스로 노력하는 사람을 성공하게 만든다는 뜻으로, 어떤 일을 이루기 위해서는 자신의 노력이 중요함을 이르는 말 **예** 다른 사람에게 의지해서 문제를 해결하려고 하지 말고, 하늘은 스스로 돕는 자를 돕는다고 했으니 자립적으로 문제를 해결하는 능력을 길러 봐.
한술 밥에 배부르랴	① 어떤 일이든지 단번에 만족할 수는 없다는 말 ② 힘을 조금 들이고 많은 효과를 기대할 수 없다는 말 **예** 그것 조금 노력하고 성과를 바라다니 한술 밥에 배부를 수는 없어.

⦿ 오르지 못할 나무는 쳐다보지도 마라: 자기의 능력 밖의 불가능한 일에 대해서는 처음부터 욕심을 내지 않는 것이 좋다는 말

⦿ 첫술에 배부르랴

상황으로 보는 속담

우물을 파도 한 우물을 파라

[01~06] 다음 뜻에 해당하는 속담을 〈보기〉에서 찾아 기호를 써 보자.

┌─ 보기 ┐

㉠ 소매 긴 김에 춤춘다

㉡ 쇠뿔도 단김에 빼랬다

㉢ 천 리 길도 한 걸음부터

㉣ 우물을 파도 한 우물을 파라

㉤ 하늘은 스스로 돕는 자를 돕는다

㉥ 열 번 찍어 아니 넘어가는 나무 없다

01　우연히 운 좋은 기회에, 하려던 일을 해치운다는 말　　　　　　　(　　　　　)

02　어떤 일을 하려고 생각하였으면 망설이지 말고 곧 행동으로 옮기라는 말
　　　　　　　　　　　　　　　　　　　　　　　　　　　　　　(　　　　　)

03　아무리 큰일이라도 작은 일부터 시작된다는 의미로, 그 일의 시작이 중요하다는 말
　　　　　　　　　　　　　　　　　　　　　　　　　　　　　　(　　　　　)

04　아무리 뜻이 굳은 사람일지라도 여러 번 권하거나 여러 번 달래면 결국 마음이 변한다는 말
　　　　　　　　　　　　　　　　　　　　　　　　　　　　　　(　　　　　)

05　하던 일을 자주 바꾸어 하면 아무 성과가 없으니, 한 가지 일을 끝까지 하여야 성공할 수 있다는 말　　　　　　　　　　　　　　　　　　　　　　　　(　　　　　)

06　하늘은 스스로 노력하는 사람을 도와 성공하게 만든다는 의미로, 어떤 일을 이루기 위해서는 자신의 노력이 가장 중요하다는 것을 이르는 말　　　　　　(　　　　　)

07　다음 글을 읽고, 밑줄 친 내용에 적절한 속담을 써 보자.

┌───┐

　그동안 한 번도 분점을 허락하지 않았던 ○○ 곰탕 장인이 처음으로 자신의 비법을 전수한 사람이 있다고 한다. 장인은 비법 전수뿐만 아니라 자신의 상점과 같은 상호를 사용한 분점을 개업하는 것도 허락하였다고 한다. 많은 사람들의 비법 전수 요청에도 한 번을 응하지 않았던 장인의 마음을 어떻게 바꾸었는지 묻자, 비법 전수자는 <u>몇 년 동안 단 하루도 빼놓지 않고 장인의 가게를 찾아가 일을 돕고, 반복해서 장인을 설득하였다고</u> 대답하였다.

└───┘

→ _____

[08~11] 다음 빈칸에 알맞은 단어를 쓰고, 속담의 뜻을 찾아 바르게 연결해 보자.

08 공든 ☐이 무너지랴 ・

・ㄱ 모든 것은 한창때가 지나면 반드시 쇠하고 만다는 말

09 한술 ☐에 배부르랴 ・

・ㄴ 노력을 멈추지 않으면 어떤 어려운 일도 이룰 수 있다는 말

10 ☐도 갈면 바늘 된다 ・

・ㄷ 노력을 꾸준히 해야지, 조금만 하고는 큰 효과를 바랄 수 없다는 말

11 매화도 한철 ☐도 한철 ・

・ㄹ 정성을 다하여 노력한 일은 헛되지 않아 반드시 좋은 결과를 얻는다는 말

[12~14] 제시된 뜻과 예문을 참고하여 다음 초성에 해당하는 단어를 빈칸에 써 보자.

12 떡 본 김에 ㅈ ㅅ 지낸다: 기회가 좋은 때에 일을 치른다는 말

예 아버지께서는 친척들이 모인 자리에서 청첩장을 나누어 주며 떡 본 김에 (   ) 지낸다고 모인 김에 모두에게 소식을 전한다고 말씀하셨다.

13 ㅁ ㄸ ㄱ 도 유월이 한철이다: 제때를 만난 듯이 날뛰는 사람을 비유적으로 이르는 말

예 (   )도 유월이 한철이라더니, 다른 사람들은 생각하지 않고 온통 자기 세상인 것처럼 나서는 그의 모습이 영 못마땅하구나.

14 낙숫물이 ㄷ ㄷ 을 뚫는다: 작은 힘이라도 끈기 있게 계속하면 큰일을 이룰 수 있다는 말

예 친구들과 어울리지도 않고 방에서 혼자 계속 바둑만 두고 앉아 있어서 걱정이 많았는데, 낙숫물이 (   )을 뚫는다더니 네가 결국 해냈구나!

01 사회 주제어 _법률

1단계 문맥으로 어휘 확인하기

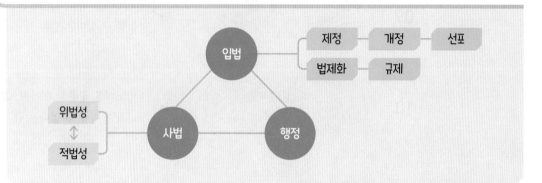

입법(설립 立 법도 法) ① 법률을 제정함 ② 삼권 분립(국가의 권력을 입법, 사법, 행정으로 분리하는 것)의 하나로, 의회에서 법률을 제정하는 행위

제정(억제할 制 정할 定) 제도나 법률 따위를 만들어서 정함 ⑨ 입제

개정(고칠 改 바를 正) 주로 문서의 내용 따위를 고쳐 바르게 함 ⑨ 경정

선포(베풀 宣 베布) 세상에 널리 알림

법제화(법도 法 억제할 制 될 化) 법률로 정하여 놓음

규제(법규 規 억제할 制) ① 규칙이나 규정에 의하여 일정한 한도를 정하거나 정한 한도를 넘지 못하게 막음 ② 규칙으로 정함. 또는 그 정하여 놓은 것 ⑨ 규정

사법(맡을 司 법도 法) 국가의 기본적인 작용의 하나. 어떤 문제에 대하여 법을 적용하여 그 적법성과 위법성, 권리관계(권리와 의무 사이의 법률관계) 따위를 확정하여 선언하는 일

위법성(어길 違 법도 法 성품 性) 어떤 행위가 범죄 또는 불법 행위로 인정되는 객관적 요건

적법성(갈 適 법도 法 성품 性) 법에 어긋남이 없이 맞는 것 ⑨ 합법성

행정(다닐 行 정사 政) ① 정치나 사무를 행함 ② 국가 통치 작용 가운데 입법 작용과 사법 작용을 제외한 국가 작용. 법 아래에서 법의 규제를 받으면서 국가 목적 또는 공익을 실현하기 위하여 행하는 능동적이고 적극적인 국가 작용

● **다음 빈칸에 들어갈 알맞은 단어를 위에서 찾아 문맥에 맞게 써 보자.**

(1) 정부는 대출 ☐☐의 완화와 세금의 인하를 통해 경기를 회복시켰다.

(2) 의회는 이 지역에 쓰레기 처리 시설을 만든다는 내용의 새로운 ☐☐을 예고했다.

(3) 환경 문제가 심각해지면서 세계 각국에서 환경 보호 기준을 ☐☐☐하는 추세이다.

(4) 국가나 지방 자치 단체는 법 아래에서 국가적 목적이나 공익을 실현하는 ☐☐ 주체이다.

(5) 올해의 과학 문화 도시로 선정된 ○○시는 지역 문화와 과학이 공존하는 도시를 만들겠다는 비전을 ☐☐했다.

(6) 국회에서 새로운 법률을 ☐☐하거나 기존 법률의 내용을 ☐☐할 때에는 국민들의 다양한 의견을 반영해야 한다.

(7) 어떤 문제의 ☐☐☐과 ☐☐☐을 따지는 국가의 ☐☐ 기능은 특정 정치 세력에 의해 오염되어서는 안 된다.

2단계 문제로 어휘 익히기

1 다음 단어의 의미를 찾아 바르게 연결해 보자.

(1) 입법 •

(2) 행정 •

(3) 사법 •

• ㉠ 의회에서 법률을 제정하는 행위

• ㉡ 국가의 기본적인 작용의 하나로, 어떤 문제에 대하여 법을 적용하여 그 적법성과 위법성, 권리관계 따위를 확정하여 선언하는 일

• ㉢ 국가의 통치 작용 중, 법 아래에서 법의 규제를 받으면서 국가 목적 또는 공익을 실현하기 위하여 행하는 능동적이고 적극적인 국가 작용

2 다음 문장에 들어갈 알맞은 단어를 〈보기〉에서 찾아 써 보자.

> ┌─ 보기 ─┐
>
> 선포   규제   제정   적법성

(1) 그 사람에게 내려진 업무 정지 처분이 (   )이/가 있는 것인지 논란이 벌어졌다.

(2) 이 법은 합법적인 절차로 (   )된 것이므로, 국민은 이를 따라야 할 의무가 있다.

(3) △△군에서는 수산 자원을 보호하고 어업 질서를 확립하기 위해 불법 어업과의 전쟁을 (   )하였다.

3 제시된 뜻과 예문을 참고하여 다음 초성에 해당하는 단어를 빈칸에 써 보자.

(1) ㄱ ㅈ : 주로 문서의 내용 따위를 고쳐 바르게 함

　예 새 학생회에서는 이전의 학생회 운영 규칙 중 일부를 (   )하였다.

(2) ㅇ ㅂ ㅅ : 어떤 행위가 범죄 또는 불법 행위로 인정되는 객관적 요건

　예 고의로 타인에게 피해를 끼쳐서 그 행위의 (   )이 인정되면, 법률에 의해 불법 행위에 대한 책임이 성립한다.

4 다음 글의 빈칸에 들어갈 단어로 적절한 것을 찾아보자.

> 　환경부에서 공공 기관의 '일회용품 사용 줄이기' 권고 사항을 _____하였다. 기존에는 일회용품 사용 줄이기를 '권장한다'고 표현했던 것을, 일부 조항에서 '(일회용품을) 사용하지 않아야 한다.'는 등의 강제성 있는 의무 사항으로 바꾼 것이다.

① 규제　　　② 적발　　　③ 철회　　　④ 행사　　　⑤ 법제화

02 사회 주제어 _법률

1단계 문맥으로 어휘 확인하기

배상 — 청구
추징 — 납부 } 돈, 물건   판결 — 집행 — 불복 — 전례

청구(청할請 구할求) ① 남에게 돈이나 물건 따위를 달라고 요구함 ② 상대편에 대하여 일정한 행위나 재물을 내어 줄 것을 요구하는 일

배상(물어줄賠 갚을償) 남의 권리를 침해한 사람이 그 손해를 물어 주는 일

납부(들일納 줄付 / 들일納 붙을附) 세금이나 공과금 따위를 관계 기관에 냄 ⑪ 불납

추징(쫓을追 부를徵) ① 부족한 것을 뒤에 추가하여 거두어들임 ② 형법상 몰수(범죄 행위에 관련된 물건 따위를 국가가 강제로 빼앗음)하여야 할 물건을 몰수할 수 없을 때에 몰수할 수 없는 부분에 해당하는 값의 금전을 거두어들이는 일

판결(판가름할判 결정할決) ① 시비나 선악을 판단하여 결정함 ⑪ 부결 ② 법원이 변론을 거쳐 소송 사건에 대하여 판단하고 결정하는 재판

집행(잡을執 다닐行) ① 실제로 시행함 ② 법률, 명령, 재판, 처분 따위의 내용을 실행하는 일 ③ 사법상 또는 행정법상의 의무를 이행하지 아니하는 사람에 대하여 국가가 강제 권력으로 그 의무의 이행을 실현하는 작용

불복(아닐不 입을服) 남의 명령이나 결정 따위에 대하여 복종·항복·복죄(죄를 순순히 인정함) 따위를 하지 아니함

전례(법典 법식例) 규칙이나 법칙으로 삼는 근거가 되는, 이전에 있던 사례

● **다음 빈칸에 들어갈 알맞은 단어를 위에서 찾아 문맥에 맞게 써 보자.**

(1) 최근 유럽에서는 기후 변화로 인해 ☐☐ 없는 극심한 가뭄이 발생하였다.

(2) 공사 현장의 안전 관리를 강화하기 위해서는 더욱 강력한 법 ☐☐이 필요하다.

(3) 가게 주인은 시에서 내린 영업 정지 처분 명령에 ☐☐하여 법원에 소송을 냈다.

(4) 국세청에서는 고액의 세금을 장기간 의도적으로 내지 않는 사람들의 자산을 압류하여 세금 ☐☐을 하고 있다.

(5) 판사는 원고가 피고에 의해 피해를 입은 사실을 모두 인정하며, 피고에게 원고가 입은 피해를 보상하라는 ☐☐을 내렸다.

(6) 어제 내가 낸 접촉 사고를 이유로 들어 상대편 차량 운전자는 자신의 차가 입은 손해를 ☐☐해 줄 것을 나에게 ☐☐했다.

(7) ◇◇시에서는 시민들의 지방세 ☐☐ 편의를 위해 휴대 전화로 고지서를 받고 바로 지방세를 납부할 수 있게 하는 서비스를 시행 중이다.

2단계 문제로 어휘 익히기

1 다음 문장에 들어갈 알맞은 단어를 〈보기〉에서 찾아 써 보자.

> 보기
>
> 집행   전례   배상   청구

(1) 이 집으로 이사를 온 후 처음으로 도시가스 요금 (   ) 고지서를 받았다.

(2) 법원의 이번 판결에 대해 법 관계자들은 '(   ) 없는 판결'이라고 평가하였다.

(3) 국가는 모든 국민이 신뢰할 수 있도록 공정한 법 (   )을/를 위해 노력해야 한다.

2 다음 문장의 괄호 안에 들어갈 알맞은 단어를 골라 보자.

(1) A씨는 이번 사건 때문에 사내 징계 위원회에서 내린 징계가 부당하다며 (불복 / 복종) 의사를 밝혔다.

(2) △△카드 회사에서는 대학 등록금을 △△카드로 (청구 / 납부)하는 고객에게 큰 혜택을 주는 행사를 하고 있다.

3 제시된 뜻과 예문을 참고하여 다음 초성에 해당하는 단어를 빈칸에 써 보자.

(1) ㅍㄱ : 법원이 소송 사건에 대하여 법률에 따라 변론을 거쳐 판단하고 결정하는 재판

  예 슈퍼에서 물건을 훔친 이 씨에게 절도죄 (   )이 내려졌다.

(2) ㅊㅈ : 형법상 몰수해야 할 물건을 몰수할 수 없을 때에 그 부분에 해당하는 값의 금전을 징수하는 일

  예 ○○구 경찰서에서는 투기가 의심되는 공무원 김 씨의 땅값을 (   )하기 위해 수사를 시작했다.

4 다음 글의 ㉠~㉤ 중 그 쓰임이 적절하지 <u>않은</u> 것을 찾아보자.

> 추석 연휴 첫날 해외여행을 떠나려다 항공기 기체 결함으로 여행이 28시간 지연된 승객들에게 항공사가 최대 70만 원을 ㉠배상해야 한다는 법원 판단이 나왔다. 판사는 승객 125명이 해당 항공사를 상대로 낸 손해 ㉡납부 ㉢청구 소송에서 항공사는 원고들에게 각 65만 원~70만 원을 지급하라는 ㉣판결을 내렸다. 하지만 해당 항공사는 이에 ㉤불복하여 다시 소송을 준비 중이다.

① ㉠   ② ㉡   ③ ㉢   ④ ㉣   ⑤ ㉤

독해 체크

1. 이 글의 핵심어는?

☐☐☐ 책임법

2. 문단별 중심 내용은?

1 제조물 책임법의 제정 배경 및 ☐☐
2 제조물 책임법의 개념과 제조물, ☐☐☐☐의 범위
3 제조물 ☐☐의 유형
4 제조물 책임법상 피해자의 손해 ☐☐ 청구 요건

3. 이 글의 주제는?

제조물 ☐☐☐의 개념과 주요 내용

[1~3] 다음 글을 읽고 물음에 답하시오.   2019학년도 6월 고1 전국연합

1 현대 산업 사회에서는 주로 대량 생산이 이루어지기 때문에 그 과정에서 결함 상품이 발생하고, 이에 따라 소비자의 피해도 발생한다. 이런 경우 피해를 입은 소비자가 구제를 받기 위해서는 제조물의 제조 과정에서 제조자의 과실이 있었고 그 과실에 따른 결함으로 피해가 발생하였음을 입증하여야 하는데 그것은 상당히 어렵다. 이에 소비자가 쉽게 피해 구제를 받을 수 있도록 하기 위해 제조물 책임법을 (㉠) 시행하고 있다.

2 제조물 책임법은 제조업자에게 고의나 과실이 없더라도 제조물 결함으로 생명·신체·재산상 손해를 입은 사람에 대해 제조업자가 손해 배상 책임을 지게 하는 법률이다. 이 법이 적용되는 제조물과 제조업자의 범위를 살펴보면, 제조물은 공산품, 가공식품 등의 제조 또는 가공된 물품을 의미하는 것으로, 일상생활에서 사용하고 있는 거의 모든 물품이 포함된다. 또한 중고품, 폐기물, 부품, 원재료도 적용 대상이 된다. 그러나 미가공 농수축산물 등은 원칙적으로 제조물의 범위에서 제외되는데, 농[A] 수축산물 등 일차 농산품에까지 확대할 경우 농업인 등이 쉽게 소송의 대상이 될 뿐만 아니라 연대 책임 조항에 의하여 유통업자와 가공업자의 과실에 대해서도 불공정하게 책임을 질 우려가 있기 때문이다. 그리고 손해 배상의 책임 주체인 제조업자에는 부품 또는 완성품의 제조업자, 제조물 수입을 업(業)으로 하는 자, 자신을 제조자 혹은 수입업자로 표시한 자가 포함된다. 제조업자를 알 수 없는 경우에는 제조물의 공급업자도 해당된다.

3 제조물 책임은 제조물에 결함이 존재하는가 여부에 의해 결정되는데, 결함의 유형에는 제조상의 결함, 설계상의 결함, 표시상의 결함이 있다. 제조상의 결함은 제조업자가 제조 또는 가공상의 주의 의무를 이행하였음에도 불구하고 제조물이 원래 의도한 설계와 다르게 제조 또는 가공됨으로써 안전하지 못하게 된 경우이며, 설계상의 결함은 제조업자가 소비자를 고려하여 합리적으로 설계했다면 피해나 위험을 줄이거나 피할 수 있었음에도 그렇게 하지 않아 제조물이 안전하지 못하게 된 경우를 말한다. 표시상의 결함은 제조업자가 합리적인 설명·지시·경고 또는 그밖의 표시를 하였더라면 해당 제조물에 의하여 발생할 수 있는 피해나 위험을 줄이거나 피할 수 있었음에도 이를 표시하지 않은 경우를 말한다.

4 그런데 피해자가 제조업자에게 손해 배상을 (㉡) 원칙적으로 제조물의 결함 사실과 손해 발생의 사실, 그리고 제조물의 결함과 손해 발생의 인과 관계를 입증해야 한다. 하지만 소비자의 입장에서 이를 입증하는 것은 쉽지 않다. 그래서 제조물 책임법은 소비자가 제조물을 통상적인 방법으로 사용하다가 사고가 발생했다는 사실만 입증하면 해당 제조물 자체에 결함이 있었고 그 결함으로 인하여 피해가 발생한 것으로 추정하도록 하고 있다.

어휘 체크

◑ **구제:** 자연적인 재해나 사회적인 피해를 당하여 어려운 처지에 있는 사람을 도와줌
◑ **과실:** 부주의나 태만 따위에서 비롯된 잘못이나 허물
◑ **입증하여야:** 어떤 증거 따위를 내세워 증명하여야
◑ **연대:** 여럿이 함께 무슨 일을 하거나 함께 책임을 짐
◑ **통상적:** 특별하지 아니하고 예사로운 것

● 정답과 해설 23쪽

1 ㉠과 ㉡에 들어갈 말로 가장 적절한 것은?

	㉠	㉡
①	제정하여	추징하려면
②	제정하여	청구하려면
③	개정하여	집행하려면
④	선포하여	고소하려면
⑤	구현하여	청구하려면

기출 문제

2 윗글을 읽고 해결할 수 있는 질문으로 적절한 것을 〈보기〉에서 고른 것은?

─ 보기 ─

ㄱ. 제조물 책임법이 제정된 배경은 무엇인가?

ㄴ. 제조물의 결함을 해결할 수 있는 방안은 무엇인가?

ㄷ. 제조물 책임법이 적용되는 제조물과 제조업자의 범위는 어디까지인가?

ㄹ. 제조물 책임법상 피해자가 손해 배상을 청구할 수 있는 기한은 언제까지인가?

① ㄱ, ㄴ   ② ㄱ, ㄷ   ③ ㄴ, ㄷ

④ ㄴ, ㄹ   ⑤ ㄷ, ㄹ

3 [A]를 바탕으로 〈보기〉의 ⓐ~ⓖ를 '제조물'과 '제조업자'로 바르게 분류한 것은?

─ 보기 ─

ⓐ 복숭아   ⓔ 복숭아 생산자

ⓑ 화장품   ⓕ 중고 자동차 수입업자

ⓒ 중고 자동차   ⓖ 자동차 부품을 만든 자

ⓓ 복숭아 통조림

	제조물	제조업자
①	ⓐ, ⓑ	ⓔ, ⓕ
②	ⓐ, ⓑ, ⓓ	ⓔ, ⓕ
③	ⓑ, ⓒ	ⓔ, ⓖ
④	ⓑ, ⓒ, ⓓ	ⓕ, ⓖ
⑤	ⓒ, ⓓ	ⓔ, ⓖ

01 사회 주제어 _경제

1단계 문맥으로 어휘 확인하기

산업(낳을産 업業) 인간의 생활을 경제적으로 풍요롭게 하기 위하여 재화(사람이 바라는 바를 충족시켜 주는 모든 물건)나 서비스를 생산하는 사업

무역(바꿀貿 바꿀易) ① 지방과 지방 사이에 서로 물건을 사고팔거나 교환하는 일 ② 나라와 나라 사이에 서로 물품을 매매하는 일

고용(품팔雇 쓸用) 삯(일한 데 대한 품값으로 주는 돈이나 물건)을 주고 사람을 부림
고용(품팔雇 품팔이傭) 삯을 받고 남의 일을 해 줌

실업(잃을失 업業) ① 생업을 잃음 ⑥ 실직 ② 일할 의사와 노동력이 있는 사람이 일자리를 잃거나 일할 기회를 얻지 못하는 상태

퇴보(물러날退 걸음步) ① 뒤로 물러감 ② 정도나 수준이 이제까지의 상태보다 뒤떨어지거나 못하게 됨

위축(시들萎 오그라들縮) 어떤 힘에 눌려 졸아들고 기를 펴지 못함. 주로 경기나 시세 따위가 약세로 돌거나 활성화되지 못함을 이름

절하(끊을切 아래下) 화폐 가치의 수준을 낮춤 ⑪ 절상

제고(끌提 높을高) 수준이나 정도 따위를 끌어올림

촉진(재촉할促 나아갈進) 어떤 일을 재촉해 더 잘 진행되도록 함

급증(급할急 더할增) 갑작스럽게 늘어남 ⑪ 급감

● **다음 빈칸에 들어갈 알맞은 단어를 위에서 찾아 문맥에 맞게 써 보자.**

(1) 작년부터 지속된 경제 하락세가 기부자들의 심리적 ☐☐을 가져왔다.

(2) 이웃 나라와의 잦은 분쟁은 성장하던 나라 경제에 ☐☐를 가져올 수도 있다.

(3) 회사에서는 생산성 ☐☐를 위해 작년 대비 새 기계 구입을 50% 이상 늘렸다.

(4) 자국의 ☐☐을 보호하기 위해 ☐☐ 활동 중 수입에 제한을 두는 나라가 늘고 있다.

(5) 오늘 뉴욕 외환 시장에서는 미국 달러의 가치가 주요 상대국 화폐에 비하여 ☐☐되었다.

(6) ○○시에서 가정의 달을 맞아 꽃 소비를 ☐☐하는 캠페인을 벌이자 지역 내 카네이션 판매량이 ☐☐ 하였다.

(7) 최근 한 기업에서는 많은 장애인들에게 일자리를 제공하여 장애인 ☐☐을 늘리고, 영상 자료를 배포하여 장애인 ☐☐ 문제에 대한 사람들의 관심을 촉구했다.

문제로 어휘 익히기

1 다음 단어를 활용하기에 적절한 문장을 찾아 바르게 연결해 보자.

(1) 산업 •

(2) 급증 •

(3) 실업 •

• ㉠ 작년, 사상 최악의 경제 불황으로 많은 [   ]이 유발되었다.

• ㉡ 김 시장은 이번 연설에서 우리 시가 관광 [   ] 도시로 거듭나고 있다고 강조했다.

• ㉢ 국내 시장을 넘어 전 세계에 떡볶이를 수출하기 시작하면서 떡 판매량이 30% 이상 [   ]하였다.

2 다음 문장의 괄호 안에 들어갈 알맞은 단어를 골라 보자.

(1) 두 나라는 경제 협력 강화와 산업화 (퇴보 / 촉진)을/를 목표로 공동 연구를 하기로 합의하였다.

(2) ◇◇시에서는 취업난을 해소하고자 청년 (고용 / 실업)을 지원하는 여러 가지 프로그램을 운영 중이다.

3 제시된 뜻과 예문을 참고하여 다음 초성에 해당하는 단어를 빈칸에 써 보자.

(1) ㅈ ㅎ : 화폐 가치의 수준을 낮춤

예 전문가들은 한국 원화의 평가 (   ) 폭은 작을 것이라고 예상했다.

(2) ㅇ ㅊ : 어떤 힘에 눌려 졸아들고 기를 펴지 못함

예 최근 농수산물 가격이 크게 오르면서 사람들의 소비 심리가 (   )되었다.

(3) ㅁ ㅇ : 나라와 나라 사이에 서로 물품을 매매하는 일

예 한국과 우즈베키스탄이 (   ) 협정을 체결하기 위한 첫 협상을 개최하였다.

4 다음 글의 밑줄 친 부분과 바꾸어 쓸 수 있는 말로 가장 적절한 것을 찾아보자.

　　A기업은 다음 달 5일 자사의 공식 온라인 사이트를 전면 개편해 새롭게 공개할 것을 발표하였다. 새로운 온라인 사이트에서는 고객들의 쇼핑 편의성을 높이기 위해 최신 서버를 갖추어 접속 속도를 높일 것이라고 전하였다. 또한 간편한 회원 가입 절차를 적용하고, 안전한 온라인 결제가 가능하도록 새로운 시스템을 도입할 것을 공지했다.

① 급증하기　　② 야기하기　　③ 제고하기　　④ 절하하기　　⑤ 초래하기

02 사회 주제어 _경제

문맥으로 어휘 확인하기

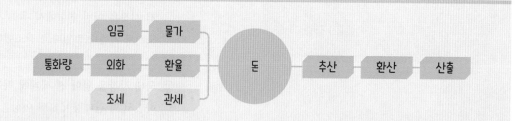

물가(만물物 값價) 물건의 값. 여러 가지 상품이나 서비스의 가치를 종합적이고 평균적으로 본 개념임

임금(품팔이賃 쇠金) 근로자가 노동의 대가로 사용자에게 받는 보수. 급료, 봉급, 수당, 상여금 따위가 있으며 현물 급여도 포함됨 ⊕ 삯돈

환율(바꿀換 율率) 자기 나라 돈과 다른 나라 돈의 교환 비율 ⊕ 외국환 시세, 외환율

외화(바깥外 재화貨) ① 외국의 돈. 외국의 통화로 표시된 수표나 유가 증권(사법상 재산권을 표시한 증권으로 어음, 수표 등) 따위도 포함함 ⊗ 내화 ② 외국에서 들여오는 화물

통화량(통할通 재화貨 헤아릴量) 나라 안에서 실제로 쓰고 있는 돈의 양

관세(빗장關 세금稅) 국세의 하나. 관세 영역을 통해 수출·수입되거나 통과되는 화물에 대하여 부과되는 세금으로, 수출세, 수입세, 통과세의 세 종류가 있으나 현재 우리나라에는 수입세만 있음 ⊕ 통관세

조세(구실租 세금稅) 국가 또는 지방 공공 단체가 필요한 경비로 사용하기 위하여 국민이나 주민으로부터 강제로 거두어들이는 금전. 국세와 지방세가 있음 ⊕ 세금

추산(옮길推 계산算) 짐작으로 미루어 셈함. 또는 그런 셈

환산(바꿀換 계산算) 어떤 단위나 척도로 된 것을 다른 단위나 척도로 고쳐서 헤아림

산출(계산算 날出) 계산하여 냄

● **다음 빈칸에 들어갈 알맞은 단어를 위에서 찾아 문맥에 맞게 써 보자.**

(1) 경제 상황이 어려워지면서 국민들은 ☐☐ 부담이 늘어 힘들다고 호소했다.

(2) 일반적으로 ☐☐☐이 너무 많아지면 화폐의 가치가 떨어지고 물가가 상승한다.

(3) ○○시에서는 책 1쪽을 거리 2M로 ☐☐하여 적용하는 '책 읽기 마라톤 대회'를 개최했다.

(4) 소비자 ☐☐는 계속 치솟는데, ☐☐은 오르지 않아 근로자들의 시름이 깊어지고 있다.

(5) 지난달 이 산에 발생한 화재로 인한 피해 금액을 ☐☐해 보았더니 백억 원이 넘을 것이라는 ☐☐이 나왔다.

(6) 여러 나라와 활발한 관계를 맺고 살아가는 오늘날에는 ☐☐이 국민 경제뿐 아니라 개인 생활에도 큰 영향을 미친다.

(7) 큰 금액의 ☐☐를 우리나라 세관에 신고하지 않고 해외로 가져가거나, 외국 상품을 ☐☐ 없이 국내로 들여오면 처벌을 받는다.

2단계 문제로 어휘 익히기

1 다음 문장에 들어갈 알맞은 단어를 〈보기〉에서 찾아 써 보자.

┌─── 보기 ───┐
외화   물가   환산   추산
└─────────┘

(1) 가뭄으로 농산물 가격이 인상되면서 밥상 (   )에 비상이 걸렸다.

(2) 한 기업에서 이곳에 외국인 전용 매장을 열어 (   )을/를 벌어들이고 있다.

(3) 최근 미국으로 진출한 야구 선수 ○○○의 경제적 파급 효과가 약 2조 원에 이를 것으로 (   )된다.

2 다음 단어에 대한 설명이 맞으면 ○, 틀리면 × 표시를 해 보자.

(1) 어떤 단위나 척도로 된 것을 다른 단위나 척도로 고쳐서 헤아리는 것을 '환율'이라고 한다. (○, ×)

(2) '조세'는 국가 또는 지방 공공 단체에서 쓰이는 경비를 마련하기 위해 국민이나 주민이 자발적으로 내는 금전을 의미한다. (○, ×)

3 제시된 뜻과 예문을 참고하여 다음 초성에 해당하는 단어를 빈칸에 써 보자.

(1) ㅅ ㅊ : 계산하여 냄

　예 생산자는 제품 가격 (   ) 시 제품의 제작 및 개발에 든 모든 비용을 고려한다.

(2) ㅌ ㅎ ㄹ : 나라 안에서 실제로 쓰고 있는 돈의 양

　예 시중에 (   )이 부족하면 경제 활동이 위축되는 결과를 가져올 수 있다.

(3) ㅇ ㄱ : 근로자가 노동의 대가로 사용자에게 받는 보수

　예 적자 상황에서도 사장은 직원들의 생계를 고려해 올해 (   )을 올려 주었다.

4 다음 글의 빈칸에 공통적으로 들어갈 단어로 적절한 것을 찾아보자.

┌─────────────────────────────────────┐
│　　정부가 치솟는 국제 곡물 가격의 안정화를 위하여 한시적으로 수입 식용 옥수수의 │
│ _____을/를 받지 않기로 했다. 이에 따라 다음 달부터 식용 옥수수를 _____ 없 │
│ 이 수입할 수 있게 된다. 식용 옥수수는 제과, 제빵, 제면, 음료, 맥주 등의 원료로 사용되 │
│ 는 만큼, 정부는 이번 조치로 관련 가공식품 가격이 안정될 것으로 기대하고 있다. │
└─────────────────────────────────────┘

① 외화   ② 관세   ③ 조세   ④ 물가   ⑤ 환율

독해 체크

1. 이 글의 핵심어는?

◻◻ 규제 수단

2. 문단별 중심 내용은?

1 정부의 수입 ◻◻ 방법에 대한 의문

2 수입 규제 수단 ① - ◻◻

3 수입 규제 수단 ② - 수입 수량 ◻◻

4 수입 수량 할당 적용 및 관세 부과의 ◻◻

5 현실 경제에서 관세를 인하하고 수입 수량 할당을 ◻◻◻하는 이유

3. 이 글의 주제는?

정부의 수입 규제 수단 및 그 ◻◻

[1~3] 다음 글을 읽고 물음에 답하시오. 2012학년도 3월 고2 전국연합

1 국가 간의 경제 거래 가운데 가장 기본적이고 중요한 거래는 국제 무역이다. 각 나라의 정부는 무역 활동에 개입하지 않고 ˚자유방임의 입장을 취할 수도 있고, 자국의 산업을 보호하고 ⓐ육성하기 위하여 수입을 규제하거나 수출을 지원하는 등 무역에 개입할 수도 있다. 그렇다면 정부는 어떤 방법으로 수입을 규제할 수 있을까?

2 수입 규제 수단 가운데 대표적인 것은 ㉠관세와 ㉡수입 수량 ˚할당이다. 관세란 수입 상품에 ⓑ부과하는 세금을 말한다. 관세가 부과되면 해당 상품의 국내 가격이 상승하여 수요가 감소하게 되고 그렇게 되면 수입량도 감소한다. 예를 들어 우리나라가 농산물을 관세 없이 자유롭게 수입하다가 정부에서 농산물에 관세를 부과하였다고 하자. 그러면 수입 농산물의 국내 가격은 관세를 더한 만큼 높아져 소비자들의 수요량은 감소한다.

3 수입 수량 할당은 일정 기간의 수입량을 일정 수준으로 제한하는 것이다. 자유 무역에서는 국내 생산이 수요를 충족시키지 못할 경우 부족한 만큼을 수입할 수 있다. 이때의 시장 가격은 수요와 공급이 만나는 지점에서 형성되고 시장 거래량은 수요량과 일치한다. 그런데 수입 수량을 제한할 경우에는 수입이 자유로운 경우보다 수입량이 감소하게 된다. 예를 들어 포도주의 국내 생산이 수요를 충족시키지 못한다면 생산량을 늘리거나 초과 수요만큼 수입을 해야 한다. 그런데 국내 생산량에 변함이 없고 수입도 일정량만 할 수 있다면 수요에 비해 공급이 부족한 상황이 된다. 그러면 국내에서의 포도주 가격이 상승하게 되고 이것은 수요량 감소로 이어지게 된다.

4 수입 수량 할당이 적용되거나 관세가 부과되면 수입 상품의 국내 가격이 상승하면서 수입 상품에 대한 소비를 억제하는 한편 해당 품목의 국내 생산을 ⓒ촉진하는 효과가 있다. 이때 수입 상품의 가격 상승분은 관세를 부과하는 경우에는 정부의 수입이 되는 반면에 수입 수량을 할당하는 경우에는 수입업자의 ˚이윤이 된다.

5 한편 현실 경제에서는 관세를 ⓓ인하하고 수입 수량 할당을 완화하는 경우가 많다. 가계나 기업의 경우는 소득이 지출보다 많은 것이 바람직하지만 국가 경제에서는 ˚무역 수지가 균형을 이루는 것이 바람직하기 때문이다. 물론 단기적으로 보면 국제 거래에서도 ˚흑자가 바람직하다. 수출이 잘되어 생산이 늘면 고용이 증가하고 소득이 증대되는 효과가 있기 때문이다. 그러나 장기적인 흑자는 국내 ˚경기를 ⓔ과열시키고 물가를 상승시킬 우려가 있고 거래 상대국과의 마찰을 초래할 수 있다. 따라서 한 국가의 물가 안정과 경제 성장을 위해서는 무역 수지가 균형을 이루는 것이 바람직하다.

어휘 체크

❍ **자유방임:** 각자의 자유에 맡겨 간섭하지 아니함

❍ **할당:** 몫을 갈라 나눔. 또는 그 몫

❍ **이윤:** 장사 따위를 하여 남은 돈

❍ **무역 수지:** 일정 기간 동안 한 나라의 총수입과 총수출 간의 차이

❍ **흑자:** 수입이 지출보다 많아 잉여 이익이 생기는 일

❍ **경기:** 매매나 거래에 나타나는 호황·불황 따위의 경제 활동 상태

● 정답과 해설 25쪽

1 ⓐ~ⓔ의 사전적 의미로 적절하지 **않은** 것은?

① ⓐ: 길러 자라게 함
② ⓑ: 세금이나 부담금 따위를 매기어 부담하게 함
③ ⓒ: 어떤 힘에 눌려 졸아들고 기를 펴지 못함
④ ⓓ: 가격 따위를 낮춤
⑤ ⓔ: 경기가 지나치게 상승함

❍ **부담금**: 어떤 일에 드는 경비를 대기 위해 여럿에게 나누어 떠맡기는 돈

2 윗글의 내용과 일치하는 것은?

① 수출에 대해서는 자유방임의 입장을 취하는 나라가 더 많다.
② 무역 활동 가운데 정부가 수출을 지원하는 품목은 미리 정해져 있다.
③ 국제 거래에서 장기적인 흑자를 유지한다면 국내 상품의 수출이 활발해지면서 물가가 안정된다.
④ 정부가 지속적으로 수입을 규제하고 수출을 지원하면 국제 거래 상대국과의 마찰을 없앨 수 있다.
⑤ 정부가 수입을 규제하는 정책을 펴면 수입 상품의 국내 가격이 올라 국내 생산자와 소비자 모두에게 영향을 끼친다.

❍ **지속적**: 어떤 상태가 끊이지 않고 오래 계속되거나 유지되는 것

기출 문제

3 윗글을 통해 ㉠과 ㉡을 이해한 것으로 적절한 것은?

① ㉠은 ㉡에 비해 수입 억제 효과가 크다.
② ㉡은 ㉠에 비해 수요량 감소 효과가 크다.
③ ㉡이 ㉠보다 현실 경제에서 자주 사용되는 방법이다.
④ ㉠과 ㉡ 모두 국내 산업을 보호하는 효과가 있다.
⑤ ㉠과 ㉡ 모두 가격 상승에 따른 이윤을 정부가 얻게 된다.

● 정치와 관련된 한자 성어

가렴주구
(잔풀苛 거둘斂 벨誅 구할求)

세금을 가혹하게 거두어들이고, 무리하게 재물을 빼앗음
예 왕실의 가렴주구 때문에 살림살이가 더욱 팍팍해진 도민들은 분노하여 난리를 일으켰다.

● 수탈(收奪)

가정맹어호
(잔풀苛 정사政 사나울猛
어조사於 범虎)

가혹한 정치는 호랑이보다 무섭다는 뜻으로, 혹독한 정치의 폐가 큼을 이르는 말
예 관리들의 곡식 수탈이 심해지면서 가정맹어호 세상에 대한 민심이 들끓기 시작했다.

강구연월
(편안할康 네거리衢 연기煙
달月)

번화한 큰 길거리에서 달빛이 연기에 은은하게 비치는 모습을 나타내는 말로, 태평한 세상의 평화로운 풍경을 이르는 말
예 새해 소망을 묻는 인터뷰에서 한 국민은 '새해에는 분열과 갈등이 해소되어 강구연월의 시대가 열렸으면 좋겠다.'고 말했다.

고복격양
(북鼓 배腹 부딪칠擊 흙壤)

태평한 세월을 즐김을 이르는 말. 중국 요임금 때 한 노인이 배를 두드리고 땅을 치면서 요임금의 덕을 찬양하고 태평성대를 즐겼다는 데서 유래함
예 안정되고 평화로운 나라에서는 고복격양의 웃음소리가 가득하다.

● 격양지가(擊壤之歌): 땅을 두드리며 부르는 노래라는 뜻으로, 매우 살기 좋은 시절을 말함

사대교린
(일事 큰大 사귈交 이웃鄰)

큰 나라를 받들어 섬기고 이웃 나라와는 화평하게 지냄
예 조선 초기에는 사대교린 정책에 따라 명나라는 받들어 섬기고 일본과는 평화적으로 교류하였다.

삼순구식
(석三 열흘旬 아홉九 먹을食)

삼십 일 동안 아홉 끼니밖에 먹지 못한다는 뜻으로, 몹시 가난함을 이르는 말
예 육이오 전쟁 이후 폐허가 된 땅에서 우리 가족은 삼순구식으로 지낼 수밖에 없었다.

● 상루하습(上漏下濕): 위에서는 비가 새고 아래에서는 습기가 오른다는 뜻으로, 매우 가난한 집을 비유적으로 이르는 말

수렴청정
(드리울垂 발簾 들을聽
정사政)

임금이 어린 나이로 즉위하였을 때, 왕대비나 대왕대비가 이를 도와 정사를 돌보던 일. 왕대비가 신하를 접견할 때 그 앞에 발을 늘인 데서 유래함
예 조선 시대에는 임금이 너무 어려 나랏일을 하기 어려울 때, 왕의 어머니나 할머니가 수렴청정을 하는 경우가 자주 있었다.

● 염정(簾政)

여민동락 (더불與 백성民 같을同 즐길樂)	임금이 백성과 함께 즐김 **예** 진정한 임금은 좋은 것을 혼자 누리는 임금이 아니라, 올바른 정치를 하여 여민동락할 수 있는 임금이다.	⊕ 여민해락(與民偕樂)
탐관오리 (탐할貪 벼슬官 더러울汚 벼슬아치吏)	백성의 재물을 탐내어 빼앗는, 행실이 깨끗하지 못한 관리 **예** 이 지역은 특히 탐관오리의 횡포가 심하여, 이를 감시하고 처벌하기 위해 암행어사가 파견되었다.	
태평성대 (클太 평평할平 성인聖 대신할代)	어진 임금이 잘 다스리어 태평한 세상이나 시대 **예** 새로운 왕조가 들어서면서 백성들이 태평성대를 누렸다.	⊕ 태평성세(太平盛世) ⊖ 난세(亂世)
함포고복 (머금을含 먹을哺 북鼓 배腹)	잔뜩 먹고 배를 두드린다는 뜻으로, 먹을 것이 풍족하여 즐겁게 지냄 을 이르는 말 **예** 올해는 풍년이 들어 농민들 모두 함포고복할 수 있게 되었다.	
호가호위 (여우狐 거짓假 범虎 위엄威)	남의 권세를 빌려 위세를 부림 **예** 그는 부모님의 권위와 재산을 마치 자신의 것처럼 여기고 호가호위하면서 허세를 부렸다.	⊕ 차호위호(借虎威狐): 남의 권 세를 빌려 뽐내는 것을 비유한 말

유래로 보는 한자 성어

고복격양(鼓腹擊壤)

고대 중국의 요임금과 순임금이 다스렸던 시대는 백성들이 매우 살기 좋았던 때, 즉 태평성대(太平聖代)의 시대라고 전해진다. 이 시대에는 임금의 정치가 바르고 농사도 잘 되어 백성들이 아무 걱정거리 없이 행복하게 살았다. 어느 날, 요임금은 세상이 잘 다스려지고 있는지 살펴보기 위해 일반 평민의 복장을 하고 몰래 시찰에 나선다. 요임금은 시내를 돌아다니다 한 노인이 나무 그늘에 드러누워 먹을 것을 입에 문 채, 배를 두드리고, 흙덩이를 치면서 흥겹게 노래 부르는 모습을 목격한다. 이때 노인이 부르던 민요의 내용은 '해가 뜨면 들에 나가 일하고, 해 지면 들어와 쉬네. 샘을 파서 물을 마시고, 농사 지어 내 먹는데, 임금의 힘이 어찌 미치리오.'였다.

한자 성어 '고복격양(鼓腹擊壤)'은 정치 따위는 완전히 잊고 태평하게 살아가고 있는 이 노인의 모습에서 유래한 말로, 태평한 세상에서 백성들이 즐겁게 살아가는 것을 의미한다.

주제별로 알아보는 **한자 성어**

01 다음 빈칸에 들어갈 한자 성어의 뜻을 〈보기〉에서 골라 기호를 써 보자.

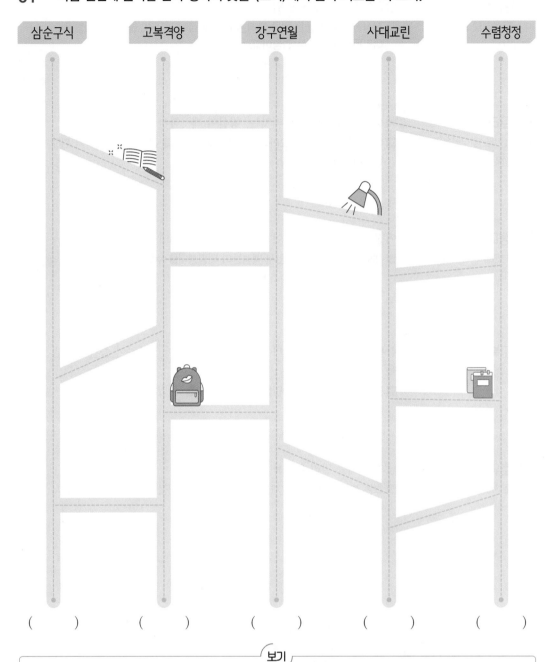

| 삼순구식 | 고복격양 | 강구연월 | 사대교린 | 수렴청정 |

(   )   (   )   (   )   (   )   (   )

┌─ 보기 ─┐

ㄱ 큰 나라를 받들어 섬기고 이웃 나라와는 화평하게 지냄

ㄴ 삼십 일 동안 아홉 끼니밖에 먹지 못한다는 뜻으로, 몹시 가난함을 이르는 말

ㄷ 번화한 큰 길거리에서 달빛이 연기에 은은하게 비치는 모습을 나타내는 말로, 태평한 세상의 평화로운 풍경을 이르는 말

ㄹ 중국 요임금 때 한 노인이 배를 두드리고 땅을 치면서 요임금의 덕을 찬양하고 태평성대를 즐겼다는 데서 유래한 말로, 태평한 세월을 즐김을 이르는 말

ㅁ 왕대비가 신하를 접견할 때 그 앞에 발을 늘인 데서 유래한 말로, 임금이 어린 나이로 즉위하였을 때, 왕대비나 대왕대비가 이를 도와 정사를 돌보던 일을 말함

02 다음 단어의 뜻을 참고하여 끝말잇기를 완성해 보자.

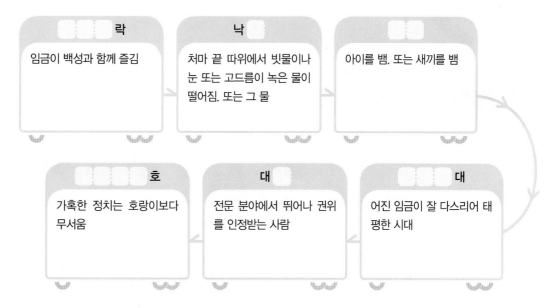

□□□락	낙□	□□□
임금이 백성과 함께 즐김	처마 끝 따위에서 빗물이나 눈 또는 고드름이 녹은 물이 떨어짐. 또는 그 물	아이를 뱀. 또는 새끼를 뱀

□□□호	□□대	□□□대
가혹한 정치는 호랑이보다 무서움	전문 분야에서 뛰어나 권위를 인정받는 사람	어진 임금이 잘 다스리어 태평한 시대

[03~05] 제시된 뜻과 예문을 참고하여 다음 초성에 해당하는 한자 성어를 빈칸에 써 보자.

03 ㄱㄹㅈㄱ : 세금을 가혹하게 거두어들이고, 무리하게 재물을 빼앗음

예 동학 운동은 (   )를 일삼던 군수 조병갑에 대한 항거에서 시작된 농민 운동이다.

04 ㅌㄱㅇㄹ : 백성의 재물을 탐내어 빼앗는, 행실이 깨끗하지 못한 관리

예 이 시조는 조선 후기 지방의 (   )들이 백성들을 착취하는 모습을 풍자하고 있다.

05 ㅎㅍㄱㅂ : 잔뜩 먹고 배를 두드린다는 뜻으로, 먹을 것이 풍족하여 즐겁게 지냄을 이르는 말

예 어진 임금이 나라를 다스리니 근심이 사라지고 백성들 모두 (   )하는 세상이 되었다.

[06~08] 다음 문장의 괄호 안에 들어갈 알맞은 한자 성어를 골라 보자.

06 (가렴주구 / 삼순구식)을/를 일삼는 잔혹한 관료들 때문에 많은 백성들은 (가렴주구 / 삼순구식)을/를 할 수밖에 없었다.

07 돈과 명예를 얻기 위해 스스로 열심히 일하며 신뢰를 쌓는 사람들이 있는 반면, (고복격양 / 호가호위)하려고 권력층을 만나는 데에만 힘을 쏟는 사람들이 있다.

08 사장은 직원들을 가장 중요한 자원으로 여기고, 직원들이 일하고 싶어 하는 일터를 만들기 위해 최선을 다하겠다며 '(여민동락 / 수렴청정)'을 기업의 운영 원리로 삼겠다고 말했다.

17
일차

01 과학 주제어 _의학

1단계 문맥으로 어휘 확인하기

형질(형상形 바탕質) 동식물의 모양, 크기, 성질 따위의 고유한 특징. 유전하는 것과 유전하지 않는 것이 있음

변성(변할變 성품性) 생체의 조직이나 세포가 이상 물질을 만나 그 모양이나 성질에 변화를 일으키는 일

전환(구를轉 바꿀換) 다른 방향이나 상태로 바뀌거나 바꿈

메커니즘(mechanism) 사물의 작용 원리나 구조

면역계(면할免 염병疫 이을系) 동물의 몸속으로 들어오는 외부 이물질에 대하여 스스로를 지키기 위하여 방어 능력을 발휘하는 기관 및 세포를 통틀어 이르는 말

항원(막을抗 근원原) 생체 속에 침입하여 항체를 형성하게 하는 단백성 물질. 세균이나 독소 따위가 있음 ❸ 면역원

항체(막을抗 몸體) 항원의 자극에 의하여 생체 내에 만들어져 특이하게 항원과 결합하는 단백질 ❸ 면역 항체

항상성(항상恒 항상常 성품性) 생체가 여러 가지 환경 변화에 대응하여 생명 현상이 제대로 일어날 수 있도록 일정한 상태를 유지하는 성질. 또는 그런 현상

퇴행성(물러날退 다닐行 성품性) 몸의 기관 따위가 많이 사용되거나 노화하여 그 기능이 퇴화하는 성질. 또는 그런 현상

● **다음 빈칸에 들어갈 알맞은 단어를 위에서 찾아 문맥에 맞게 써 보자.**

(1) 지난달에 한 예방 접종으로 그 병균에 대한 □□가 형성되었다.

(2) 국내 연구진이 사람의 뇌가 기억력을 유지하는 □□□□을 밝히는 데 성공하였다.

(3) 눈이 피로해지면서 안구의 신경 조직에 □□이 일어나면 물체의 형태가 삐뚤어져 보이고 시야가 흐릿해진다.

(4) 인간의 몸은 지나치게 더운 환경에 노출되어 체온이 상승하면 땀을 내보내 체온을 낮춤으로써 □□□을 유지한다.

(5) 우리 몸의 □□□는 특정 바이러스에 다시 감염되었을 때 그 □□에 대한 기억을 되살려 바이러스에 대항한다.

(6) 유전자 변형 식물은 세포에 특정 DNA를 삽입하여 그 □□을 본래 식물의 것과 다른 것으로 □□하는 기술로 만들어진다.

(7) 나이가 들면 무릎에 □□□ 변화가 시작되어 작은 충격으로도 무릎이 쉽게 손상될 수 있으므로, 너무 격렬한 운동은 자제하는 것이 좋다.

2단계 문제로 어휘 익히기

1 다음 단어의 의미를 찾아 바르게 연결해 보자.

(1) 변성 •

(2) 전환 •

(3) 메커니즘 •

• ㉠ 사물의 작용 원리나 구조

• ㉡ 다른 방향이나 상태로 바뀌거나 바꿈

• ㉢ 생체의 조직이나 세포가 이상 물질을 만나 그 모양이나 성질에 변화를 일으키는 일

2 다음 단어에 대한 설명이 맞으면 ○, 틀리면 ✕ 표시를 해 보자.

(1) '항원'은 생체 속에 침입하여 항체를 형성하게 하는 단백성 물질로, 세균이나 독소와 같은 유해한 요소를 공격한다. (○, ✕)

(2) 동물의 몸속으로 들어오는 외부 이물질에 대하여 스스로를 지키기 위해 방어 능력을 발휘하는 기관 및 세포를 통틀어 '면역계'라고 한다. (○, ✕)

3 제시된 뜻과 예문을 참고하여 다음 초성에 해당하는 단어를 빈칸에 써 보자.

(1) ㅎ ㅈ : 동식물의 모양, 크기, 성질 따위의 고유한 특징

예 유전자는 개인의 ( )과 체질의 차이를 만드는 데 관여한다.

(2) ㅎ ㅊ : 항원의 자극에 의하여 생체 내에 만들어져 특이하게 항원과 결합하는 단백질

예 B형 간염 ( )가 없다는 피 검사 결과를 통보받고 병원에 가서 B형 간염 예방 접종을 했다.

4 다음 글에서 설명하는 '이것'으로 가장 적절한 단어를 찾아보자.

> **이것**은 살아 있는 생명체가 생존에 필요한 안정적인 상태를 능동적으로 유지하는 과정을 말한다. 사람의 체온이 일정하게 유지되는 것, 혈중의 포도당 농도나 혈액의 산도가 일정 수준으로 조절되는 것 등은 모두 **이것**을 유지하기 위한 것이다.

① 다양성 ② 퇴행성 ③ 편협성 ④ 항상성 ⑤ 희소성

02 과학 주제어 _생물

1단계 문맥으로 어휘 확인하기

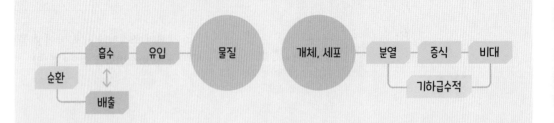

유입(흐를流 들入) ① 액체나 기체, 열 따위가 어떤 곳으로 흘러듦 ② 병원균 따위가 들어옴 ③ 돈, 물품 따위의 재화가 들어옴 ④ 문화, 지식, 사상 따위가 들어옴 ⑤ 사람이 어떤 곳으로 모여듦

흡수(숨들이쉴吸 거둘收) ① 생체가 세포막 따위를 통하여 외부의 물질을 안으로 끌어들이는 일 ⓤ 섭취, 소화 ② 빨아서 거두어들임 ③ 외부에 있는 사람이나 사물 따위를 내부로 모아들임

배출(물리칠排 날出) 안에서 밖으로 밀어 내보냄 ⓤ 분비, 배기

순환(좇을循 고리環) 주기적으로 자꾸 되풀이하여 돎. 또는 그런 과정 ⓤ 사이클(cycle)

분열(나눌分 찢을裂) 하나의 세포로 이루어진 개체가 둘 이상으로 나뉘어 불어나는 무성 생식(암수 배우자의 융합 없이 이루어지는 생식). 주로 단세포 생물이나 박테리아에서 일어남

증식(더할增 번성할殖) 생물이나 조직 세포 따위가 세포 분열을 하여 그 수를 늘려 감. 또는 그런 현상

비대(살찔肥 큰大) 몸에 살이 쪄서 크고 뚱뚱함 ⓤ 비만, 거대

기하급수적(기미幾 어찌何 등급級 셀數 과녁的) 증가하는 수나 양이 아주 많은 것

● 다음 빈칸에 들어갈 알맞은 단어를 위에서 찾아 문맥에 맞게 써 보자.

(1) 마스크 착용은 침방울로 전파되는 바이러스의 ☐☐을 막아 준다.

(2) 몸을 꽉 조이는 옷을 입으면 혈액 ☐☐이 제대로 되지 않아 불편한 느낌이 든다.

(3) 모든 장기들이 과부하 상태가 되면 문제가 생기는 것처럼 심장 역시 지속적으로 무리한 일을 하면 크기가 커지는 심장 ☐☐ 질환이 발생한다.

(4) 올해는 이상 기온 현상이 계속되면서 농촌 지역에 해충이 ☐☐☐☐☐으로 확산되었고, 이 때문에 농민들의 생계가 크게 위협받게 되었다.

(5) 우리나라의 한 제약 회사에서 개발한 이 치료제는 병을 일으키는 세포의 ☐☐ 속도를 늦춰 병균이 일정량 이상 ☐☐을 못 하게 하는 효과가 있다.

(6) 이 물질은 면역력을 높이는 효과가 입증되었으나, 입자가 커서 체내에 잘 ☐☐가 되지 않고 소변 등을 통하여 쉽게 ☐☐된다는 문제점을 가지고 있다.

2단계 문제로 어휘 익히기

1 다음 단어를 활용하기에 적절한 문장을 찾아 바르게 연결해 보자.

(1) 분열 •

(2) 흡수 •

(3) 기하급수적 •

• ㉠ 우리 몸의 에너지는 탄수화물 [   ]을/를 통해 만들어진 포도당을 원천으로 한다.

• ㉡ 최근 택배 이용과 음식 배달이 증가하면서 일회용품 사용 역시 [   ](으)로 늘고 있다.

• ㉢ 피부가 노화되는 것은 세포 [   ] 능력이 떨어져 새로운 세포로 재생되지 않기 때문이다.

2 다음 문장에 들어갈 알맞은 단어를 〈보기〉에서 찾아 써 보자.

┌─── 보기 ───┐
비대   유입   흡수

(1) 홍수 피해를 입은 마을에 전염병의 (   )을/를 막기 위한 조치들이 마련되었다.

(2) 우리 몸의 장기나 조직이 본래의 구조는 유지한 채 크기가 커지는 (   ) 현상이 일어나면 각종 질병이 유발된다.

3 제시된 뜻과 예문을 참고하여 다음 초성에 해당하는 단어를 빈칸에 써 보자.

(1) ㅂ ㅊ : 안에서 밖으로 밀어 내보냄

　📖 평소 물을 많이 마시는 습관은 몸속 노폐물 (   )에 도움이 된다.

(2) ㅅ ㅎ : 주기적으로 자꾸 되풀이하여 돎. 또는 그런 과정

　📖 심장은 온몸 구석구석으로 혈액을 보내기 위해 강한 힘으로 뛰는데, 심장의 박동이 약하면 혈액 (   )이 제대로 되지 않아 위험할 수 있다.

4 다음 글의 빈칸에 공통적으로 들어갈 단어로 적절한 것을 찾아보자.

암 치료에 쓰이는 약은 크게 두 종류로 나뉜다. 하나는 세포 분열을 방해하여 암세포가 _____하지 못하고 죽게 한다. 다른 하나는 암세포의 _____을/를 유도하는 신호 전달 과정을 방해하거나, 암세포가 _____해 종양이 되게 하는 혈관의 생성을 막는다.

① 결합　　② 증식　　③ 대항　　④ 비대　　⑤ 침투

독해 체크

1. 이 글의 핵심어는?

□□□□의 성장 과정

2. 문단별 중심 내용은?

■ 개체군 □□□□
연구에 활용되는 두 모델
② 개체군 성장 과정 연구
모델 ① - □□□□
□ 성장 모델
③ 개체군 성장 과정 연구
모델 ② - □□□□
성장 모델
④ 성장 시기에 따른 개체
군의 □□□ 변화

3. 이 글의 주제는?

개체군 □□ 과정에 대
한 연구 내용

[1~3] 다음 글을 읽고 물음에 답하시오.   2014학년도 3월 고2 전국연합 A형

■ 생태계에서 개체군이란 ㉠동일한 지역에 살고 있는 한 종에 속하는 개체들의 집단을 말한다. 생태학자들은 이러한 개체군의 성장 과정을 연구하기 위해서 기하급수적 성장 모델과 로지스틱(logistic) 성장 모델을 활용한다.

② 먼저 먹이, 번식지, ˚포식자 등과 같은 아무런 환경적인 제한 요인이 없는 실험 환경에서 한번 ㉡발생한 박테리아가 매 20분마다 두 배로 지속적으로 ㉢분열해서 증식한다고 가정하자. 이 박테리아는 36시간 후에는 전 지구를 30cm의 두께로 덮을 수 있는 수로 ㉣증가하게 된다. 이처럼 이상적인 환경이라면, 개체군의 성장률(G)은 그 개체군이 갖고 있는 ˚선천적 번식 능력을 의미하는 ˚상수 값인 ˚내재성 증가율(r)과 그 개체군의 '개체 수(N)'에 의해 결정되며, 이는 $G=rN$이라는 방정식으로 표현된다. 그래서 시간이 지날수록 성장률이 점점 더 커지게 되고, 그만큼 개체군 또한 기하급수적으로 성장하게 된다. 이와 같이 이상적인 환경에서 개체군이 일정한 ˚세대 기간이 거듭될수록 기하급수적으로 성장하기 때문에 기하급수적 성장 모델이라고 하는데, 이는 〈그림〉의 (가)와 같은 곡선으로 그려진다.

③ 그러나 ⓐ자연계에서 개체군이 성장 초기에는 기하급수적으로 성장하더라도, 나중에는 〈그림〉의 (가)처럼 성장할 수는 없다. 이를 고려한 것을 로지스틱(logistic) 성장 모델이라고 하며, 이는 〈그림〉의 (나)와 같은 곡선으로 그려진다. 이 모델은 제한 요인들의 영향에 따라 개체군이 최대로 성장할 수 있는 개체 수인 '환경 수용력(K)'을 고려한 것으로, 환경 수용력에서 개체 수를 뺀 값을 환경 수용력으로 나눈 값인 $\frac{(K-N)}{K}$을 기하급수적 성장 모델 방정식에 포함하여 다음과 같이 표현된다.

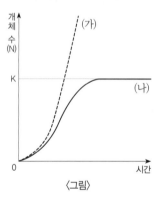

〈그림〉

$$G=rN\frac{(K-N)}{K}$$

④ 성장 초기에 개체군의 개체 수는 환경 수용력에 비해 매우 작기 때문에, $\frac{(K-N)}{K}$은 거의 1과 같게 된다. 이처럼 개체군의 성장 초기의 성장률은 〈그림〉에서 보는 것처럼 기하급수적 성장 모델에 가깝게 나타난다. 이후 개체군이 커지고 개체 수가 환경 수용력에 가까워질수록 $\frac{(K-N)}{K}$은 0에 가까워져서 개체군의 성장은 ㉤둔화된다. 이론적으로 어떤 개체군의 개체 수가 환경 수용력의 1/2일 때 성장률은 최대가 되고, 개체 수와 환경 수용력이 같아지면 개체군의 성장률은 0이 된다. 그러면 그 개체군은 〈그림〉의 (나)처럼 개체군의 개체 수에 큰 변동이 없는 안정 상태에 이르게 된다고 설명할 수 있다.

어휘 체크

◈ 포식자: 다른 동물을 먹이로
하는 동물
◈ 선천적: 태어날 때부터 지니
고 있는
◈ 상수: 변하지 않는 일정한 값
을 가진 수나 양
◈ 내재성: 어떤 사물이나 범위
안에 들어 있는 성질
◈ 세대 기간: 한 개체군이 증식
하는 일정한 시간 간격

1 문맥상 ㉠~㉤과 바꿔 쓰기에 적절하지 <u>않은</u> 것은?

① ㉠: 같은 ② ㉡: 생겨난

③ ㉢: 커져서 ④ ㉣: 늘어나게

⑤ ㉤: 느려진다

2 윗글의 내용에 대한 이해로 적절하지 <u>않은</u> 것은?

① 기하급수적 성장 모델과 로지스틱 성장 모델은 개체군 성장 과정을 연구하는 데 활용된다.

② 〈그림〉에서 (가) 곡선은 기하급수적 성장 모델, (나) 곡선은 로지스틱 성장 모델과 관련이 있다.

③ 기하급수적 성장 모델과 로지스틱 성장 모델은 개체군 성장 초기의 성장률이 비슷하게 나타난다.

④ 기하급수적 성장 모델에 따르면, 개체군이 성장하여 개체 수가 증가할수록 개체군은 기하급수적으로 성장한다.

⑤ 로지스틱 성장 모델에 따르면, 개체군의 개체 수가 환경 수용력의 1/2을 넘으면 개체군의 성장률은 증가하기 시작한다.

3 ⓐ의 이유로 가장 적절한 것은?

① 자연계에서는 개체군의 성장률이 일정하기 때문에

② 자연계에서는 개체군의 환경 수용력이 더 커지기 때문에

③ 자연계에서는 개체군의 선천적 번식 능력이 더 커지기 때문에

④ 자연계에서는 제한 요인이 개체군의 성장에 영향을 주기 때문에

⑤ 자연계에서는 이상적인 환경보다 개체 수가 더 빨리 증가하기 때문에

01 과학 주제어 _ 지구 과학

문맥으로 어휘 확인하기

천체(하늘天 몸體) 우주에 존재하는 모든 물체. 즉 우주를 형성하고 있는 행성, 위성, 혜성 등을 통틀어 이르는 말 ⊕ 우주, 성체

행성(다닐行 별星) 중심 별의 강한 인력(끌어당기는 힘)의 영향으로 타원 궤도를 그리며 중심 별의 주위를 도는 천체. 스스로 빛을 내지 못하고, 중심 별의 빛을 받아 반사함. 태양계의 행성은 수성, 금성, 지구, 화성, 목성, 토성, 천왕성, 해왕성으로 총 8개가 존재함

궤도(바큇자국軌 길道) 행성, 혜성, 인공위성 따위가 중력의 영향을 받아 다른 천체의 둘레를 돌면서 그리는 곡선의 길

표면(겉表 낯面) 사물의 가장 바깥쪽. 또는 가장 윗부분 ⊕ 겉쪽, 겉면

대기(큰大 기운氣) ① '공기'를 달리 이르는 말 ② 천체의 표면을 둘러싸고 있는 기체

공전(공변될公 구를轉) 한 천체가 다른 천체의 둘레를 주기적으로 도는 일. 행성이 태양의 둘레를 돌거나 위성이 행성의 둘레를 도는 따위를 이름

자전(스스로自 구를轉) 천체가 스스로 고정된 축(물체가 회전 운동을 할 때에 그 물체의 중심에서 회전 운동의 중심이 된다고 가정하는 직선)을 중심으로 회전함. 또는 그런 운동

일식(날日 갉아먹을蝕 / 날日 먹을食) 달이 태양의 일부나 전부를 가림. 또는 그런 현상. 달이 태양의 일부를 가리는 현상을 '부분 일식', 전부를 가리는 현상을 '개기 일식'이라 하고, 태양의 중앙부만을 가려 변두리는 고리 모양으로 빛나는 현상을 '금환식'이라고 함

관측(볼觀 잴測) 눈이나 기계로 자연 현상 특히 천체나 기상의 상태, 추이(시간의 경과에 따라 변하여 나가는 경향), 변화 따위를 관찰하여 측정하는 일

● **다음 빈칸에 들어갈 알맞은 단어를 위에서 찾아 문맥에 맞게 써 보자.**

(1) 행성, 혜성, 위성 등은 모두 ▢▢이다.

(2) 태양계에는 수성, 금성, 지구, 화성 등의 ▢▢이 있다.

(3) 달의 ▢▢에는 분화구처럼 움푹 파인 구덩이들이 있다.

(4) ▢▢이 진행되면서 해가 약 57%로 가려져 초승달 모양이 되었다.

(5) 태양 광선 중 일부는 ▢▢에 흡수되어 지표면에 도달하지 못한다.

(6) 인공위성은 발사한 후 얼마 지나지 않아 정상적인 ▢▢에 진입했다.

(7) 천문학자들은 천체의 온갖 현상들을 ▢▢하고 연구하는 과학자들이다.

(8) 달이 지구의 둘레를 도는 ▢▢의 주기는 달이 스스로 도는 ▢▢의 주기와 같다.

2단계 문제로 어휘 익히기

1 제시된 뜻과 예문을 참고하여 다음 초성에 해당하는 단어를 빈칸에 써 보자.

(1) **ㅍㅁ** : 사물의 가장 바깥쪽. 또는 가장 윗부분

예 토성의 (   )에도 목성과 같은 줄무늬가 있다.

(2) **ㄱㄷ** : 행성, 혜성, 인공위성 따위가 중력의 영향을 받아 다른 천체의 둘레를 돌면서 그리는 곡선의 길

예 독일의 천문학자 케플러는 행성이 태양을 초점으로 하는 타원 (   )를 돈다는 사실을 발견하였다.

2 다음 문장에 들어갈 알맞은 단어를 〈보기〉에서 찾아 써 보자.

┌─────── 보기 ───────┐

행성   공전   자전   일식

└──────────────────┘

(1) 지구는 남극과 북극을 잇는 선을 축으로 하여 반시계 방향으로 (   )을 한다.

(2) 달이 태양과 지구 사이에 위치할 때, 지구의 일부 지역에서 태양 빛이 달에 의해 가려지는 (   ) 현상이 일어난다.

(3) 우주는 광활한 공간이기 때문에 우리가 몰랐던 (   )이 계속해서 발견되고 있고, 그중 일부는 지구와 비슷한 환경을 가졌다고 한다.

3 다음 문장의 괄호 안에 들어갈 알맞은 단어를 골라 보자.

(1) 달의 운동에 대한 (관망 / 관측) 자료를 통하여 달이 지구 주위를 돌고 있다는 것을 확인하게 되었다.

(2) 갈릴레이는 30배 이상의 크기로 확대하여 볼 수 있는 망원경을 만들어 (천체 / 천재)를 관찰했다.

4 다음 글의 빈칸에 공통적으로 들어갈 단어로 가장 적절한 것을 찾아보자.

┌──┐

원시 지구의 _____은/는 어떻게 이루어져 있었을까? 처음에는 화산 활동이나 온천 등을 통해 지구 내부로부터 나온 가스로 _____이/가 채워져 있었다. 이때 화산에서 나온 가스에는 수증기와 이산화탄소, 소량의 질소·황·염소 등이 들어 있었다. 그리고 시간이 지남에 따라 식물들의 광합성이 시작되고, 이를 통해 생성된 산소가 지구의 _____을/를 이루는 주요 요소 중 하나가 된다.

└──┘

① 궤도   ② 대기   ③ 표면   ④ 천체   ⑤ 행성

02 과학 주제어 _지구 과학

1단계 문맥으로 어휘 확인하기

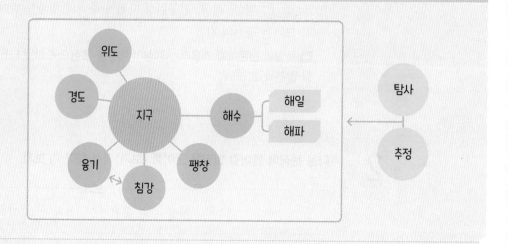

위도(씨緯 법도度) 지구 위의 위치를 나타내는 가로 방향 좌표축으로, 적도를 중심으로 하여 남북으로 평행하게 그은 선

경도(경서經 법도度) 지구 위의 위치를 나타내는 세로 방향 좌표축. 본초 자오선(런던의 그리니치 천문대를 지나는 자오선)을 기준으로 그 동쪽을 동경, 서쪽을 서경이라고 함

융기(높일隆 일어날起) 땅이 기준면에 대하여 상대적으로 높아짐. 또는 그런 땅의 표면 ⊕ 돌출

침강(잠길沈 내릴降) 땅의 일부가 아래쪽으로 움직이거나 꺼짐

팽창(부풀膨 배부를脹) 부풀어서 부피가 커짐 ⊕ 수축

해수(바다海 물水) 바다에 괴어 있는 짠물 ⊕ 바닷물 ⊛ 조수, 담수

해일(바다海 넘칠溢) 바다 밑바닥의 지각 변동이나 바다 위의 기상 변화에 의하여 갑자기 바닷물이 크게 일어서 육지로 넘쳐 들어오는 것. 또는 그런 현상

해파(바다海 물결波) 바다의 파도

탐사(찾을探 사실할査) 알려지지 않은 사물이나 사실 따위를 샅샅이 더듬어 조사함

추정(옮길推 정할定) 미루어 생각하여 판정함

● 다음 빈칸에 들어갈 알맞은 단어를 위에서 찾아 문맥에 맞게 써 보자.

(1) 액체를 가열하면 기체로 변하면서 부피가 □□한다.

(2) 지진으로 인해 태평양판이 유라시아판 밑으로 □□하고 있다.

(3) 여름에는 태풍의 영향으로 해안가에서 □□이 일어날 위험이 크다.

(4) 먼 바다에 나갔던 고깃배들이 거친 □□를 헤치고 무사히 육지로 돌아왔다.

(5) 미국의 우주 비행사 닐 암스트롱은 인류 역사상 최초로 달을 □□하고 돌아왔다.

(6) 지구본은 □□와 □□를 이용하여 수많은 나라의 위치를 정확하게 나타내고 있다.

(7) 고위도 지방에서 만들어진 차가운 □□는 아래로 가라앉으면서 서서히 적도의 바다를 향해 흐른다.

(8) 이 언덕은 오래전 □□ 작용으로 형성되었다고 □□하고 있지만, 그 근거는 아직 밝혀지지 않았다.

2단계 문제로 어휘 익히기

1 다음 단어의 의미를 찾아 바르게 연결해 보자.

(1) 해수 •

(2) 해파 •

(3) 해일 •

• ㉠ 바다에 이는 큰 물결

• ㉡ 바다에 괴어 있는 짠물

• ㉢ 바다 밑바닥의 지각 변동이나 바다 위의 기상 변화에 의하여 갑자기 바닷물이 크게 일어서 육지로 넘쳐 들어오는 현상

2 다음 단어에 대한 설명이 맞으면 ○, 틀리면 × 표시를 해 보자.

(1) '팽창'이란 부풀어서 부피가 커지는 것을 말한다. (○, ×)

(2) 땅이 기준면에 대하여 상대적으로 높아지는 것을 '융기'라고 한다. (○, ×)

(3) 지구 위의 위치를 나타내는 가로 방향 좌표축으로, 적도를 중심으로 하여 남북으로 평행하게 그은 선을 '경도'라고 한다. (○, ×)

3 다음 문장의 괄호 안에 들어갈 알맞은 단어를 골라 보자.

(1) 생물학자들은 지금까지 발견된 화석들을 바탕으로 하여 공룡의 모습을 (추정 / 확정) 하였다.

(2) 다도해는 섬이 많은 바다 위의 구역을 말하는데, 이 지형은 땅의 표면이 (돌출 / 침강) 하여 높은 산지가 섬으로 남은 것이다.

4 다음 글의 빈칸에 공통적으로 들어갈 단어로 가장 적절한 것을 찾아보자.

영화 「인터스텔라」는 인간의 이기심과 잘못으로 인해 완전히 망가진 지구 대신, 인간이 살 수 있는 새로운 행성을 _____하는 과정을 그려 내고 있다. 미국 항공 우주국이 해체되기 전 그곳의 조종사였던 주인공 쿠퍼는 위기에 처한 인류를 구하기 위해 생명체가 살 수 있는 새로운 행성을 찾는 임무를 맡게 되고, 결국 사랑하는 가족들과 이별하고 우주로 _____을/를 떠난다.

① 답사   ② 심사   ③ 감사   ④ 검사   ⑤ 탐사

독해 체크

1. 이 글의 핵심어는?

천체의 □□□ 운동

2. 문단별 중심 내용은?

1 □□이나 초저녁에만 볼 수 있는 금성

2 □□의 '겉보기 운동'의 개념

3 겉보기 운동을 이해하기 위한 요소 ① – □□에게 보이는 천체 움직임의 특징

4 겉보기 운동을 이해하기 위한 요소 ② – 천체들 사이의 상대적 위치 관계를 보여 주는 합과 □□

3. 이 글의 주제는?

지구의 □□과 공전으로 인해 생기는 천체의 겉보기 운동

[1~3] 다음 글을 읽고 물음에 답하시오.   2018학년도 11월 고1 전국연합

1 금성의 다른 이름인 '샛별'은 새벽에 ⓐ보이기 때문에 사람들이 금성에 ⓑ붙인 이름이다. 실제로 금성은 하루 종일 관측할 수 있는 것이 아니라 새벽이나 초저녁에만 볼 수 있다. 이러한 현상이 생기는 이유는 무엇일까?

2 이는 천체의 '겉보기 운동'과 관련이 있다. 지구는 하루에 한 바퀴 자전하면서 태양 주위를 일 년에 한 바퀴 공전한다. 이로 인해 지구상의 관측자가 하늘의 천체를 볼 때, 관측 시기에 따라 천체의 위치가 다르게 보이기도 한다. 왜냐하면 관측자에게는 지구가 ⓒ움직이는 것이 아니라 상대적으로 하늘의 천체가 움직이는 것처럼 보이기 때문이다. 이처럼 지구의 자전이나 공전으로 인해 지구에서 관측할 때 천체가 움직이는 것처럼 보이거나 실제 움직임과는 다르게 보이는 현상을 '겉보기 운동'이라 한다.

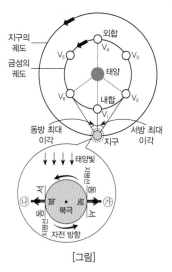

[그림]

3 겉보기 운동을 이해하기 위해서는 먼저 관측자에게 보이는 천체의 움직임에 대해 ⓓ알아야 한다. 천체는 지구의 자전 때문에 지구 자전 방향의 반대 방향으로 움직이는 것처럼 보이게 된다. 이는 마치 고개를 왼쪽으로 돌리면 사물은 오른쪽으로 이동하는 것처럼 보이는 것과 같다. [그림]의 ㉮, ㉯에서처럼 관측자의 위치를 중심으로 할 때, 관측자가 북반구 중위도에서 북쪽을 바라보고 있으면 관측자의 왼쪽이 서쪽이 된다. 이때 지구의 자전 방향은 시계 반대 방향 즉, 서에서 동으로의 방향이므로 하늘의 천체는 상대적으로 동에서 서로 움직이는 것처럼 보이는 것이다. 결국 겉보기 운동은 관측자의 위치를 중심으로 천체가 움직이는 방향을 살펴본 것이다.

4 또한 천체들 사이의 상대적 위치 관계도 겉보기 운동을 이해하는 데 중요하다. 지구 공전 궤도보다 안쪽에서 공전하는 천체인 내행성, 지구, 태양의 위치 관계를 내행성 중 하나인 금성을 중심으로 살펴보면 다음과 같다. [그림]에서 태양, 금성, 지구가 일직선 상에 위치할 때를 '합'이라고 하는데, 지구-금성-태양의 순서로 위치할 때를 '내합', 지구-태양-금성의 순서로 위치할 때를 '외합'이라고 한다. 또한 지구상의 관측자가 태양과 행성을 바라보았을 때, 관측자가 태양을 바라본 방향과 행성을 바라본 방향 사이의 각을 '이각'이라고 한다. 즉, 관측자가 보았을 때 금성이 태양으로부터 얼마만큼의 각거리로 떨어져 있는가를 의미한다. '이각'은 다시 '동방 이각'과 '서방 이각'으로 ⓔ나눌 수 있는데, 이는 [그림]의 V_5, V_6에서처럼 금성이 태양보다 동쪽에 있는 경우와 V_2, V_3에서처럼 서쪽에 있는 경우로 나눈 것이다. 또한 금성이 V_6과 V_2에 있을 때 태양으로부터 가장 멀리 떨어진 것처럼 보인다. 이때의 이각을 각각 '동방 최대 이각'과 '서방 최대 이각'이라고 한다.

어휘 체크

● **상대적으로:** 서로 맞서거나 비교되는 관계에 있는 것으로

● **중위도:** 지구 위의 위치를 나타내는 가로 좌표축에서의 중간

● **각거리:** 관측자로부터 두 천체에 이르는 두 직선이 이루는 각도로 나타내는 천체 간 거리

● 정답과 해설 28쪽

1 문맥상 ⓐ~ⓔ와 바꿔 쓰기에 적절하지 <u>않은</u> 것은?

① ⓐ: 관측되기   ② ⓑ: 부착한

③ ⓒ: 이동하는   ④ ⓓ: 파악해야

⑤ ⓔ: 구분할

근방: 가까운 곳

기출 문제

2 윗글을 이해한 내용으로 적절하지 <u>않은</u> 것은?

① 관측자가 관측한 천체의 움직임은 천체의 실제 움직임과는 다르다.
② 겉보기 운동은 천체를 중심으로 관측자의 위치 변화를 살펴본 것이다.
③ 지구상의 관측자에게 천체의 위치는 관측 시기에 따라 다르게 보인다.
④ 겉보기 운동에서 보이는 천체 움직임의 방향은 지구 자전 방향과 반대이다.
⑤ 북반구 중위도에 서서 북쪽을 바라보는 관측자에게 서쪽은 관측자의 왼쪽 방향에 해당한다.

3 〈보기〉는 금성의 이각을 일정 기간 지구에서 관측하여 나타낸 그래프를 보고 반응한 것이다. 윗글을 참고할 때 빈칸에 들어갈 말로 가장 적절한 것은?

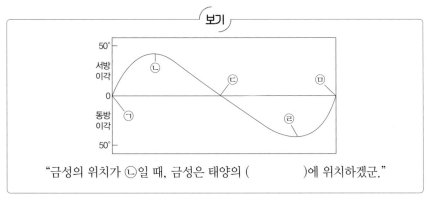

"금성의 위치가 ⓒ일 때, 금성은 태양의 (　　　　)에 위치하겠군."

① 동쪽   ② 서쪽   ③ 위쪽   ④ 근방   ⑤ 아래쪽

● 자연의 이치와 관련된 속담

구르는 돌은 이끼가 안 낀다

부지런하고 꾸준히 노력하는 사람은 침체되지 않고 계속 발전한다는 말

㉠ 구르는 돌은 이끼가 안 낀다는 말처럼, 단 하루도 운동을 거르신 적 없는 할아버지께서는 아직도 정말 건강하시다.

굽은 나무가 선산을 지킨다

자손이 가난해지면 조상의 무덤이 있는 산의 나무까지 팔아 버리나, 줄기가 굽어 쓸모없는 것은 그대로 남게 된다는 뜻으로, 쓸모없어 보이는 것이 도리어 제구실을 하게 됨을 비유적으로 이르는 말

㉠ 어릴 때 속을 썩이던 자식이 커서 오히려 부모에게 훨씬 잘하는 경우를 보고, 굽은 나무가 선산을 지킨다는 말이 생각났어.

달도 차면 기운다

① 세상의 온갖 것이 한번 번성하면 다시 쇠하기 마련이라는 말
② 행운이 언제까지나 계속되는 것은 아님을 비유적으로 이르는 말

㉠ 하는 일마다 잘된다고 너무 으스대지 마. 달도 차면 기운다고 했어.

> ❂ 달이 둥글면 이지러지고 그릇이 차면 넘친다

될성부른 나무는 떡잎부터 알아본다

잘될 사람은 어려서부터 남달리 장래성이 엿보인다는 말

㉠ 될성부른 나무는 떡잎부터 알아본다고, 저 가수는 초등학교 때부터 노래를 잘하기로 유명해서 동네에서 모르는 사람이 없었대.

물이 깊을수록 소리가 없다

덕이 높고 생각이 깊은 사람은 겉으로 떠벌리고 잘난 체하거나 뽐내지 않는다는 말

㉠ 제자들에게 많은 가르침을 주시면서도 늘 겸손하신 교수님은 물이 깊을수록 소리가 없다는 말을 몸소 보여 주시는 분이다.

번개가 잦으면 천둥을 한다

① 어떤 일의 징조가 잦으면 반드시 그 일이 생기기 마련임을 비유적으로 이르는 말 ② 나쁜 일이 잦으면 결국에는 큰 봉변을 보게 됨을 비유적으로 이르는 말

㉠ 요즘 일할 때 자꾸 실수를 하는데 번개가 잦으면 천둥을 한다는 말처럼 조만간 큰 사고가 날 수도 있으니 주의해야겠어.

벼 이삭은 익을수록 고개를 숙인다

교양이 있고 수양을 쌓은 사람일수록 겸손하고 남 앞에서 자기를 내세우려 하지 않는다는 것을 비유적으로 이르는 말

㉠ 벼 이삭은 익을수록 고개를 숙인다더니, 김 선수는 올림픽에서 금메달을 따고도 시종일관 겸손한 태도를 보였다.

> ❂ 병에 찬 물은 저어도 소리가 나지 않는다

뿌리 깊은 나무 가뭄 안 탄다	땅속 깊이 뿌리 내린 나무는 가뭄에 타지 않아 말라 죽는 일이 없다는 뜻으로, 무엇이나 근원이 깊고 튼튼하면 어떤 시련도 견뎌 냄을 비유적으로 이르는 말 예 뿌리 깊은 나무 가뭄 안 탄다는 말처럼, 지금 기본적인 것들을 잘 배워 두면 나중에 어려운 문제가 생겨도 잘 해결해 나갈 수 있어.
비 온 뒤에 땅이 굳어진다	비에 젖어 질척거리던 흙도 마르면서 단단하게 굳어진다는 뜻으로, 어떤 시련을 겪은 뒤에 더 강해짐을 비유적으로 이르는 말 예 몇 번 실패했다고 너무 속상해하지 마. 비 온 뒤에 땅이 굳어진다고 했어.
십 년이면 강산도 변한다	세월이 흐르게 되면 모든 것이 다 변하게 됨을 비유적으로 이르는 말 예 십 년이면 강산도 변한다더니, 오랜만에 찾아온 학교에는 옛 모습이 남아 있지 않네.
윗물이 맑아야 아랫물이 맑다	윗사람이 잘하면 아랫사람도 따라서 잘하게 된다는 말 예 윗물이 맑아야 아랫물이 맑다는 말처럼, 형인 네가 성실한 모습을 보여야 동생들도 너를 보고 배우지 않겠니?
짚불에 무쇠가 녹는다	약한 것이라도 큰일을 해낼 수 있다는 말 예 짚불에 무쇠가 녹는다는 말처럼, 매일 짧은 시간이라도 운동을 하면 건강해질 수 있을 거야.

🔵 **상전벽해(桑田碧海):** 뽕나무밭이 변하여 푸른 바다가 된다는 뜻으로, 세상일의 변천이 심함을 비유적으로 이르는 말

🔵 **상행하효(上行下效):** 윗사람이 하는 일을 아랫사람이 본받음

상황으로 보는 속담

비 온 뒤에 땅이 굳어진다

[01~06] 다음 뜻에 해당하는 속담을 〈보기〉에서 찾아 기호를 써 보자.

┌─── 보기 ───

㉠ 짚불에 무쇠가 녹는다
㉡ 비 온 뒤에 땅이 굳어진다
㉢ 번개가 잦으면 천둥을 한다
㉣ 뿌리 깊은 나무 가뭄 안 탄다
㉤ 윗물이 맑아야 아랫물이 맑다
㉥ 벼 이삭은 익을수록 고개를 숙인다

└─────────

01 약한 것이라도 큰일을 해낼 수 있다는 말 (   )

02 윗사람이 잘하면 아랫사람도 따라서 잘하게 된다는 말 (   )

03 어떤 시련을 겪은 뒤에 더 강해지는 것을 비유적으로 이르는 말 (   )

04 근원이 깊고 튼튼하면 어떤 시련도 견뎌 낼 수 있음을 비유적으로 이르는 말

(   )

05 어떤 일의 징조가 잦으면 반드시 그 일이 생기기 마련임을 비유적으로 이르는 말

(   )

06 교양이 있고 수양을 쌓은 사람일수록 겸손한 태도를 보인다는 것을 비유적으로 이르는 말

(   )

07 다음 글을 읽고, 글의 내용을 표현하기에 알맞은 속담을 써 보자.

┌─────────────────────────────

　　오랜만에 찾아온 고향은 내가 이방인이 된 것 같은 느낌을 주었다. 어릴 적 친구들과 함께 노닐던
들판과 개울은 찾아볼 수 없고, 사람들이 북적이던 마을에는 차가운 시멘트 도로가 깔린 채 몇몇 집
만이 쓸쓸히 남아 있었다. 긴 세월이 지나며 모든 것들이 변해 갔지만, 내 고향만큼은 그대로 남아
있으리라고 생각했던 건 헛된 기대였을까? 아니면 고향에서 보낸 어린 시절에 대한 집착이었을까?
어릴 적 마을 어귀에서 나던 정겨운 소리와 아궁이에서 피어오르던 밥 짓는 냄새들은 이젠 다 사라
졌다. 나는 허물어진 고향의 모습을 보며 서글픔을 느꼈다.

└─────────────────────────────

→

[08~11] 다음 빈칸에 알맞은 단어를 쓰고, 속담의 뜻을 찾아 바르게 연결해 보자.

08 ☐도 차면 기운
다 •

⊙ 세상의 온갖 것이 한번 번성하면 다시 쇠하 기 마련이라는 말

09 굽은 ☐가 선산
을 지킨다 •

⊙ 부지런하고 꾸준히 노력하는 사람은 침체되 지 않고 계속 발전한다는 말

10 ☐이 깊을수록
소리가 없다 •

⊙ 쓸모없어 보이는 것이 도리어 제구실을 하게 됨을 비유적으로 이르는 말

11 구르는 ☐은 이
끼가 안 낀다 •

⊙ 덕이 높고 생각이 깊은 사람은 겉으로 떠벌 리고 잘난 체하거나 뽐내지 않는다는 말

12 다음 문자 메시지 대화를 읽고, 빈칸에 알맞은 속담을 써 보자.

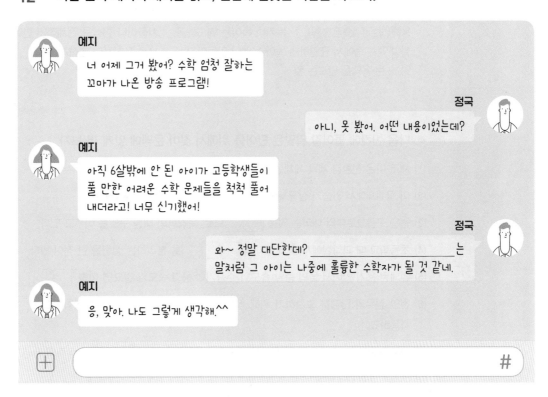

예지
너 어제 그거 봤어? 수학 엄청 잘하는 꼬마가 나온 방송 프로그램!

정국
아니, 못 봤어. 어떤 내용이었는데?

예지
아직 6살밖에 안 된 아이가 고등학생들이 풀 만한 어려운 수학 문제들을 척척 풀어 내더라고! 너무 신기했어!

정국
와~ 정말 대단한데? ＿＿＿＿＿＿＿＿＿는 말처럼 그 아이는 나중에 훌륭한 수학자가 될 것 같네.

예지
응, 맞아. 나도 그렇게 생각해.^^

19 일차

01 과학 주제어 _화학

1단계 문맥으로 어휘 확인하기

합성 ← 성분 → 용해 → 동적 평형 → 거시적 ↕ 미시적

성분 ← 혼합물

용해 → 결정

성분(이룰成 나눌分) ① 유기적인 통일체를 이루고 있는 것의 한 부분 ② 화합물이나 혼합물을 구성하는 각각의 원소나 순물질(한 가지 종류의 단체나 화합물로 이루어진 물질)

합성(합할合 이룰成) ① 둘 이상의 것을 합쳐서 하나를 이룸 ② 둘 이상의 원소를 화합하여 화합물을 만들거나, 간단한 화합물에서 복잡한 화합물을 만듦

혼합물(섞을混 합할合 만물物) ① 여러 가지가 뒤섞여서 이루어진 물건 ② 두 가지 이상의 물질이 각각의 성질을 그대로 지니면서 서로 화학적 결합을 하지 아니하고 뒤섞인 물질 ❸ 화합물: 둘 이상의 원소의 원자를 가진 동일한 분자로 이루어진 물질로, 둘 이상의 물질이 화학적 결합을 통해 본래의 성질과는 전혀 다른 성질을 띰

용해(질펀히 흐를溶 풀解) ① 녹거나 녹이는 일 ② 물질이 액체 속에서 균일하게 녹아 용액이 만들어지는 일. 또는 용액을 만드는 일

결정(맺을結 맑을晶) 원자, 이온, 분자 따위가 규칙적으로 일정한 법칙에 따라 배열되고, 겉모양도 대칭 관계에 있는 몇 개의 평면으로 둘러싸여 규칙 바른 형체를 이룸. 또는 그런 물질

동적 평형(움직일動 과녁的 평평할平 저울대衡) 화학 반응계에서, 내부는 미시적으로 변하고 있음에도 불구하고 거시적으로는 멈춰 있는 것처럼 보이는 상태. 정반응과 역반응의 속도가 같아서 실제로는 움직이고 있으나 겉으로는 멈춘 것처럼 보임

거시적(클巨 볼視 과녁的) ① 사람의 감각으로 알아볼 수 있을 정도의 것 ② 사물이나 현상을 전체적으로 분석·파악하는 것

미시적(작을微 볼視 과녁的) ① 사람의 감각으로 직접 알아볼 수 없을 만큼 몹시 작은 현상에 관한 것 ② 사물이나 현상을 전체적인 면에서가 아니라 개별적으로 포착하여 분석하는 것

● **다음 빈칸에 들어갈 알맞은 단어를 위에서 찾아 문맥에 맞게 써 보자.**

(1) 새로 나온 친환경 세탁 세제는 차가운 물에도 잘 □□된다.

(2) 이 탈취제에서 가습기 살균제에 포함됐던 유해 □□이 검출되었다.

(3) 눈은 구름으로부터 내리는 얼음 □□으로, 육각형의 대칭 구조를 이루고 있다.

(4) 초등학교 때 과학실에서 흙과 모래의 □□□을 분리하는 실험을 한 적이 있다.

(5) 밀폐된 용기 안에서 물의 증발 속도와 수증기의 응결 속도가 같으면 이를 '□□ □□'이라고 한다.

(6) 천연 섬유의 단점을 보완하기 위해 석유, 석탄, 천연가스 등의 원료를 화학적으로 □□한 섬유를 제품에 사용하였다.

(7) 아주 작은 원자 또는 전자의 운동을 다루는 것은 □□□ 연구이고, 우주의 탄생과 진화를 탐구하는 것은 □□□ 연구이다.

2단계 문제로 어휘 익히기

1 다음 단어에 대한 설명이 맞으면 ○, 틀리면 × 표시를 해 보자.

(1) 물질이 액체 속에서 균일하게 녹아 용액이 만들어지는 일을 '용해'라고 한다. (○ , ×)

(2) 둘 이상의 원소를 화합하여 화합물을 만들거나, 간단한 화합물에서 복잡한 화합물을 만드는 것을 '합성'이라고 한다. (○ , ×)

(3) '동적 평형'은 화학 반응계에서, 내부는 미시적으로 멈춰 있음에도 불구하고 거시적으로 움직이고 있는 것처럼 보이는 상태를 말한다. (○ , ×)

2 다음 문장에 들어갈 알맞은 단어를 〈보기〉에서 찾아 써 보자.

보기

거시적   미시적   혼합물   화합물

(1) 인스턴트 커피는 커피와 크림, 설탕의 세 가지 물질이 섞여 있는 (   )이다.

(2) 세균은 우리가 눈으로 볼 수 없을 만큼 아주 작은 것이므로 (   ) 대상이라고 할 수 있다.

(3) 눈앞의 일들을 해결하는 데만 집중할 것이 아니라 사태를 (   )(으)로 보려고 노력해야 한다.

3 다음 문장의 괄호 안에 들어갈 알맞은 단어를 골라 보자.

(1) 소금의 (결정 / 결빙) 모양은 정육면체이다.

(2) 이 용액에 (양분 / 성분)이 다른 물질이 섞여 들어가면 폭발이 일어날 수도 있다.

4 다음 글의 빈칸에 공통적으로 들어갈 단어로 가장 적절한 것을 찾아보자.

설탕을 물에 녹이면 물속에 녹은 설탕은 사라진 것이 아니라, 눈에 보이지 않을 정도의 조그만 알갱이로 쪼개져 물속에 골고루 퍼지게 된다. 그렇다면 물에 녹기 전 설탕과 물의 무게를 합한 것과, 물에 녹은 후 설탕물의 무게는 다를까? 설탕을 물에 넣으면 알갱이의 크기만 달라질 뿐이지 설탕은 물속에 그대로 있다. 따라서 _____ 전과 _____ 후의 무게는 같다. 이를 '질량 보존의 법칙'이라고 한다.

① 분해   ② 와해   ③ 곡해   ④ 용해   ⑤ 저해

02 기술 주제어 _설계

1단계 문맥으로 어휘 확인하기

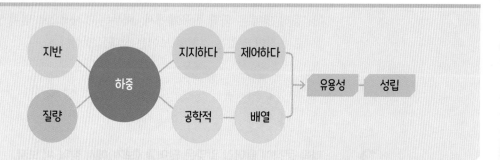

하중(연荷 무거울重) ① 어떤 물체 따위의 무게 ② 물체에 작용하는 외부의 힘 또는 무게

지반(땅地 소반盤) ① 땅의 표면 ② 모든 건조물(지어 세운 가옥, 창고, 건물 따위를 통틀어 이르는 말) 따위의 가장 아랫도리가 되는 밑바탕 ❸ 토대

질량(바탕質 헤아릴量) 물체의 고유한 역학적(운동에 관한 법칙의 원리나 성질을 띠는) 기본량. 국제단위는 킬로그램(kg)임

지지(지탱할支 가질持)**하다** 무거운 물건을 받치거나 버티다. ❸ 지탱하다, 부지하다

제어(억제할制 어거할御)**하다** 기계나 설비 또는 화학 반응 따위가 목적에 알맞은 작용을 하도록 조절하다.

공학적(장인工 배울學 과녁的) 공업(원료를 인력이나 기계력으로 가공하여 유용한 물자를 만드는 산업)의 이론, 기술, 생산 따위를 체계적으로 연구하는 관점이나 특성이 있는 것

배열(짝配 벌일列) 일정한 차례나 간격에 따라 벌여 놓음

유용성(있을有 쓸用 성품性) 쓸모가 있고 이용할 만한 특성 ❸ 가치

성립(이룰成 설立) 일이나 관계 따위가 제대로 이루어짐 ❷ 불성립

● **다음 빈칸에 들어갈 알맞은 단어를 위에서 찾아 문맥에 맞게 써 보자.**

⑴ 화강암으로 담을 쌓은 집은 ☐☐이 높은 곳에 지어져 있었다.

⑵ 화물차는 물건의 ☐☐을 견디지 못해 바퀴가 짓눌려 움직이지 않았다.

⑶ 물체의 속력이 일정할 때 ☐☐이 커질수록 운동 에너지는 더욱 커진다.

⑷ 조선이라는 새로운 국가의 ☐☐을 위해 많은 사람들이 이성계를 도왔다.

⑸ 돌덩이와 나무 기둥을 모아 무너져 가는 지붕을 겨우 ☐☐해 위기를 넘겼다.

⑹ 새롭게 건설된 그 도시는 건물이 질서 정연하게 ☐☐되어 있어서 길을 찾기가 쉽다.

⑺ 이제는 집 안의 여러 가전제품과 난방 시설을 외부에서도 스마트폰으로 ☐☐할 수 있다.

⑻ 광고에서는 상품의 ☐☐☐을 알리는 것도 중요하지만, 회사의 이미지를 각인시키는 것도 중요하다.

⑼ 요즘 나오는 이어폰은 사용자들에게 최적의 소리를 제공하기 위하여 인체 ☐☐☐인 디자인으로 설계되었다.

2단계 문제로 어휘 익히기

1 다음 단어의 의미를 찾아 바르게 연결해 보자.

(1) 지반 •

(2) 질량 •

(3) 공학적 •

• ㉠ 물체를 이루고 있는 물질의 고유한 양

• ㉡ 창고, 건물 따위의 가장 아랫도리가 되는 밑바탕

• ㉢ 공업의 이론, 기술, 생산 따위를 체계적으로 연구하는 관점이나 특성이 있는 것

2 제시된 뜻과 예문을 참고하여 다음 초성에 해당하는 단어를 빈칸에 써 보자.

(1) ㅇㅇㅅ : 쓸모가 있고 이용할 만한 특성

예 요즘 소비자들은 제품의 (   )뿐만 아니라 디자인도 중시한다.

(2) ㅅㄹ : 일이나 관계 따위가 제대로 이루어짐

예 서로를 배려하는 마음이 없으면 원만한 관계는 (   )될 수 없다.

(3) ㅎㅈ : ① 어떤 물체 따위의 무게 ② 물체에 작용하는 외부의 힘 또는 무게

예 이 지붕의 (   )을 견디려면 더 튼튼한 기둥이 필요하다.

3 다음 문장의 괄호 안에 들어갈 알맞은 단어를 골라 보자.

(1) 리모컨으로 자동차를 (제어 / 제조)할 수 있게 되어 매우 편리하다.

(2) 쓰러져 가는 건물을 겨우 (지속 / 지지)하고 있는 것은 벽돌담뿐이었다.

4 다음 글의 빈칸에 들어갈 단어로 적절한 것을 찾아보자.

우리나라 휴대 전화의 자판에는 한글 창제의 기본 원리가 적용되어 있다. 우선 모음과 자음을 구별하여 제시하였고, 소리를 내는 방법과 문자 모양 사이에 관련성이 있는 글자들을 하나의 자판에 모아 제시하였다. 이러한 자판 _____은/는 한글 교육을 받은 사람이라면 누구나 그 원리를 쉽게 이해할 수 있기 때문에 가능한 것이다.

① 배분   ② 배려   ③ 배제   ④ 배열   ⑤ 배척

[1~3] 다음 글을 읽고 물음에 답하시오.　2010학년도 9월 고2 전국연합

1 일정량의 물이 들어 있는 비커에 설탕을 계속 부었을 때, 처음에는 설탕이 잘 녹다가 어느 순간부터 더 이상 녹지 않는 것처럼 보인다. 그러나 실제로는 설탕은 계속 녹고 있다. 다만 결정(結晶) 상태에서 용해된 상태로 변화하는 설탕의 양이, 용해된 상태에서 결정 상태로 변화하는 설탕의 양과 거의 일치하기 때문에 변화가 없는 것처럼 보일 뿐이다. 이처럼 ⓐ미시적으로는 끊임없이 변화가 일어나고 있지만, 한 방향의 변화량과 반대 방향의 변화량이 거의 일치하여 ⓑ거시적으로는 변화가 없는 것처럼 보이는 상태를 ㉠'동적 평형'이라 한다.

2 이와 같은 동적 평형은 여러 곳에서 찾아볼 수 있다. 예를 들어 상대 습도 100%의 포화 상태에서는 물이 더 이상 증발하지 않는 것처럼 보이는 것도 동적 평형의 사례로 볼 수 있다. 이것은 증발량과 응결량이 비슷하기 때문이다. 만약 물이 담긴 그릇에 뚜껑을 덮어 둔다면, 물의 양이 처음에는 줄어들지만 어느 정도 시간이 지나면 더 이상 줄어들지 않는다. 즉, 처음에는 뚜껑이 없을 때와 마찬가지로 증발이 일어나지만, 밀폐된 공간에서 증발된 분자는 뚜껑 밖으로 나가지 못하고 뚜껑 속 액체 위의 공간에 존재하다가 기체 분자 수가 많아지면 증발량은 서서히 줄어들면서 그중 일부는 액체 표면에 충돌, 다시 응결되어 액체 상태로 되돌아간다. 이때 처음에는 응결 속도보다 증발 속도가 커서 액체 표면 위에 기체 분자 수가 증가하게 되지만, 일정한 시간이 지나면 응결 속도와 증발 속도가 같아지게 되어 액체 상태에서 기체 상태로 되는 분자 수와 기체 상태에서 액체 상태로 되는 분자 수가 거의 같게 된다. 이러한 동적 평형 상태가 되면 물의 양은 더 이상 줄어들지 않고 일정하게 유지된다. 밀봉된 병이나 캔 속의 음료수가 오랜 시간이 지나도 그 부피가 줄어들지 않는 것은 이러한 까닭에서이다.

3 더 나아가 생태계 에너지 피라미드가 균형 상태에 있는 것처럼 보이는 것도 결국 각 단계로 유입되는 에너지의 양과 유출되는 에너지의 양이 거의 일치하는 동적인 평형 상태를 유지하고 있기 때문이다.

1 **다음 중 'ⓐ 미시적 : ⓑ 거시적'의 의미 관계와 가장 유사한 것은?**

① 비관적 : 절망적 ② 절대적 : 상대적
③ 정치적 : 경제적 ④ 상징적 : 비유적
⑤ 창조적 : 생산적

비관적: ① 인생을 어둡게만 보아 슬퍼하거나 절망스럽게 여기는 것 ② 앞으로의 일이 잘 안될 것이라고 보는 것

2 **윗글에 대한 설명으로 적절하지 않은 것은?**

① 결정 상태였던 설탕이 용해되는 과정을 통해 동적 평형의 개념을 풀이해 주고 있다.
② 물이 담긴 그릇에 뚜껑을 덮어 두는 상황에서 물의 양이 변화하는 양상을 설명하고 있다.
③ 물이 담긴 그릇이 어떤 모양인가에 따라 동적 평형에 이르는 속도에 차이가 있음을 설명하고 있다.
④ 밀봉된 병이나 캔 속의 음료수 부피가 줄지 않는 현상을 동적 평형의 또 다른 사례로 제시하고 있다.
⑤ 동적 평형이 생태계에도 적용된다는 점을 에너지의 양과 관련지어 언급하면서 글을 마무리하고 있다.

양상: 사물이나 현상의 모양이나 상태

기출 문제

3 **㉠에 해당하는 사례로 가장 적절한 것은?**

① 돌로 된 판 위에 고기를 얹어 놓고 장시간 돌판을 가열했을 때, 고기는 원래의 색과 모양을 잃어버린다.
② 외부의 어떠한 조건의 변화 없이 양팔저울에 같은 질량의 물체를 놓았을 때, 두 물체의 무게는 일치한다.
③ 외부 공기가 차단된 용기에 나프탈렌을 넣으면 처음에는 크기가 작아지다가 어느 순간부터 일정하게 유지된다.
④ 막대 하나를 양손에 힘을 주어 부러뜨렸을 때, 조건이 같은 막대 여러 개를 묶어 양손에 힘을 주면 부러지지 않는다.
⑤ 해변에 쌓아 올린 모래성은 시간이 지남에 따라 수분을 잃어버려 한 번 허물어지면 다시 본래의 모습으로 돌아오지 않는다.

20 일차

01 예술 주제어 _예술 일반

1단계 문맥으로 어휘 확인하기

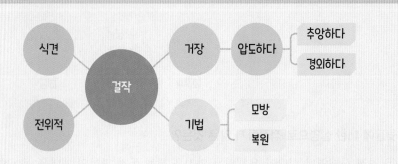

걸작(뛰어날傑 지을作) 매우 훌륭한 작품 ⊕ 졸작

식견(알識 볼見) 학식과 견문(보거나 듣거나 하여 깨달아 얻은 지식)이라는 뜻으로, 사물을 분별할 수 있는 능력을 이르는 말 ⊕ 견식, 지견

전위적(앞前 지킬衛 과녁的) 사상이나 예술에서 혁신적이고 급진적(변화나 발전의 속도가 급하게 이루어지는 것)인 것

거장(클巨 장인匠) 예술, 과학 따위의 어느 일정 분야에서 특히 뛰어난 사람 ⊕ 대가

압도(누를壓 넘어질倒)하다 보다 뛰어난 힘이나 재주로 남을 눌러 꼼짝 못 하게 하다.

추앙(옮길推 우러를仰)하다 높이 받들어 우러러보다. ⊕ 추대하다, 우러르다

경외(공경할敬 두려워할畏)하다 공경하면서 두려워하다. ⊕ 인외하다

기법(재주技 법도法) 기교(교묘한 기술이나 솜씨)를 나타내는 방법

모방(법模 본뜰倣) 다른 것을 본뜨거나 본받음 ⊕ 창조

복원(돌아올復 으뜸元) 원래대로 회복함. 사물을 원래의 상태로 되돌림 ⊕ 복구, 복고

◉ **다음 빈칸에 들어갈 알맞은 단어를 위에서 찾아 문맥에 맞게 써 보자.**

(1) 아무리 작은 생명체라도 □□하는 마음을 지녀야 한다.

(2) 신인 디자이너는 낙하산과 비닐을 이용하여 □□□인 옷을 만들었다.

(3) 그는 세계의 여러 나라를 여행하고 다양한 문화를 접하면서 □□을 넓혔다.

(4) 이 건물은 바로크 양식을 □□하여 만들어서인지 웅장하고 역동성이 느껴진다.

(5) 일제로 인해 파괴되고 변형된 경복궁을 □□하기 위해 철저하게 문헌을 고증했다.

(6) 그의 그림은 사실적인 묘사와 화려한 색채로 미술관 관람객들을 □□하고 있었다.

(7) 프랑스 파리의 노트르담 성당은 12세기 고딕 건축 양식을 대표하는 □□으로 꼽힌다.

(8) 강렬한 색채를 사용한 낭만주의 미술은 이전의 신고전주의 미술과 □□에서 차이가 난다.

(9) 피카소는 새로운 작품을 창작할 소재가 잘 떠오르지 않을 때 □□들의 작품을 연구했다고 한다.

(10) 이순신 장군을 영웅으로 □□하는 이유는 수많은 역경과 난관을 치열한 고뇌와 노력으로 돌파했기 때문이다.

2단계 문제로 어휘 익히기

1 다음 단어에 대한 설명이 맞으면 ○, 틀리면 ✕ 표시를 해 보자.

(1) 높이 받들어 우러러본다는 의미의 단어는 '압도하다'이다. (○, ✕)

(2) 예술, 과학 따위의 어느 일정 분야에서 특히 뛰어난 사람을 '거장'이라고 한다.
(○, ✕)

(3) '식견'은 학식과 견문이라는 뜻으로, 새로운 사물을 창조할 수 있는 능력을 의미한다.
(○, ✕)

2 다음 문장에 들어갈 알맞은 단어를 〈보기〉에서 찾아 써 보자.

┌─────────────── 보기 ───────────────┐
│   걸작   기법   모방   복원   식견   │
└──────────────────────────────────┘

(1) 그 영화는 연극적 (   )을 성공적으로 수용한 작품으로 평가받았다.

(2) 예술에 대한 기본적인 (   )을 갖추기 위해 그는 예술 학교에 진학하기로 결심
했다.

(3) 새의 날개를 보고 비행기를 만들어 낸 것을 보면 '(   )은 창조의 어머니'라는 말
이 떠오른다.

3 제시된 뜻과 예문을 참고하여 다음 초성에 해당하는 단어를 빈칸에 써 보자.

(1) ㄱ ㅇ 하다: 공경하면서 두려워하다.

例 죽어 가던 나무에 다시 싹이 트는 것을 보면서, 새삼 생명에 대해 (   )하는 마음을
갖게 되었다.

(2) ㅈ ㅇ ㅈ : 사상이나 예술에서 혁신적이고 급진적인 것

例 그 그림은 이전에 볼 수 없는 독창적인 작품이긴 했지만, 지나치게 (   )이어서 평
론가들의 혹평을 받았다.

4 다음 중 ㉠~㉣에 들어갈 단어로 적절하지 <u>않은</u> 것을 찾아보자.

┌──┐
│   르네상스 시대는 여러 분야에서 발전을 이루었지만, 그중에서도 예술 분야에서 이룩한 │
│ 업적이 유럽 역사에 지대한 영향을 미친 것으로 평가받는다. 특히 르네상스 시대 시각 예 │
│ 술의 절정을 이룩한 하이 르네상스 시대는 미켈란젤로, 라파엘로, 레오나르도 다빈치가 이 │
│ 끌었던 시기였다. 이 세 명의 (㉠)들은 자기만의 독창적인 (㉡)으로 아직 │
│ 까지도 많은 사람들이 (㉢)하는 뛰어난 작품들을 창조했다. 르네상스 시대의 가장 │
│ 유명한 이 세 명의 예술가와 그들의 (㉣)들을 이번 전시회를 통해 만날 수 있다. │
└──┘

① 거장   ② 걸작   ③ 기법   ④ 복원   ⑤ 추앙

20 일차

02 예술 주제어 _예술 비평

1단계 문맥으로 어휘 확인하기

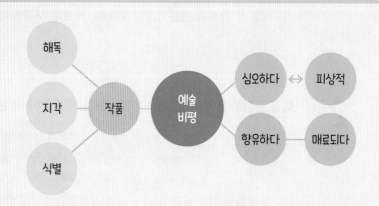

예술 비평(재주藝 꾀術 비평할批 품평評) 예술 작품이 지니고 있는 의미, 특성, 가치 따위를 분석하고 검토하여 비판하는 일

해독(풀解 읽을讀) ① 어려운 문구 따위를 읽어 이해하거나 해석함 ② 잘 알 수 없는 암호나 기호 따위를 읽어서 풂 ⑪ 판독

지각(알知 깨달을覺) ① 알아서 깨달음. 또는 그런 능력 ② 사물의 이치나 도리를 분별하는 능력

식별(알識 다를別) 사물의 성질이나 종류 따위를 알아서 구별함 ⑪ 판별: 옳고 그름이나 좋고 나쁨을 판단하여 구별함

심오(깊을深 아랫목奧)**하다** 사상이나 이론 따위가 깊이가 있고 오묘하다. ⑫ 경박하다

피상적(가죽皮 바탕相 과녁的) 사물이나 일 따위의 본질보다는 겉으로 드러나 보이는 현상에만 관계하는 것

향유(누릴享 있을有)**하다** 누리어 가지다. ⑫ 소수하다, 달하다

매료(도깨비魅 마칠了)**되다** 마음이 완전히 사로잡혀 홀리게 되다. ⑭ 매혹되다

● **다음 빈칸에 들어갈 알맞은 단어를 위에서 찾아 문맥에 맞게 써 보자.**

(1) 박진감 넘치고 흥미진진한 소설의 세계에 □□되었다.

(2) 그 철학자의 사상은 너무 깊고 □□해서 학생들이 이해하기 어렵다.

(3) 너무 어두워서 어디가 차도이고 어디가 인도인지 □□할 수가 없었다.

(4) 한글이 보급되면서 일반 대중들도 기록 문학을 □□할 수 있게 되었다.

(5) 이상의 시에 쓰인 상징은 너무 독창적이어서 그 의미를 □□하기가 쉽지 않다.

(6) 어떤 사물이나 사실을 실제와 다르게 □□하거나 생각하는 것을 '착각'이라고 한다.

(7) 눈에 보이는 숫자만으로 경제 성장에 대해 판단하는 것은 □□□인 이해에 불과하다.

(8) 한 잡지의 □□ □□□ 코너에서는 이 영화에 대해 현 사회적 주제를 심층적으로 표현한 신선한 작품이라고 평가했다.

2단계 문제로 어휘 익히기

1 다음 단어의 의미를 찾아 바르게 연결해 보자.

(1) 매료되다 •   • ㉠ 자기의 것으로 소유하여 누리다.

(2) 심오하다 •   • ㉡ 마음이 완전히 사로잡혀 홀리게 되다.

(3) 향유하다 •   • ㉢ 사상이나 이론 따위가 깊이가 있고 오묘하다.

2 제시된 뜻과 예문을 참고하여 다음 초성에 해당하는 단어를 빈칸에 써 보자.

(1) ㅈㄱ : ① 알아서 깨달음. 또는 그런 능력 ② 사물의 이치나 도리를 분별하는 능력

　예 공포감 속에서는 감각과 (   ) 능력이 저하되어 판단 능력이 떨어진다.

(2) ㅇㅅㅂㅍ : 예술 작품이 지니고 있는 의미, 특성, 가치 따위를 분석하고 검토하여 비판하는 일

　예 그는 작품을 창조하는 것은 좋아했지만, 다른 사람들의 (   )을 듣는 것은 꺼렸다.

(3) ㅎㄷ : ① 어려운 문구 따위를 읽어 이해하거나 해석함 ② 잘 알 수 없는 암호나 기호 따위를 읽어서 풂

　예 이 작품은 한문을 (   )할 수 있는 계층에 의해 창작되었을 것이다.

3 다음 문장의 괄호 안에 들어갈 알맞은 단어를 골라 보자.

(1) 사건을 해결하려면 단지 보이는 것에 집중하여 (본질적 / 피상적)으로만 접근해서는 안 된다.

(2) 이 장치를 폐기물 포장재 위에 올려놓으면, 재활용이 가능한지 불가능한지를 간편하게 (식별 / 차별)해 준다.

4 다음 글의 빈칸에 들어갈 단어로 가장 적절한 것을 찾아보자.

> 　현대인들은 다양한 예술 작품들과 예술 현상들을 접할 수 있는 환경에서 살고 있다. 과거에 즐기던 순수 예술뿐만 아니라, 온갖 매체를 장악하고 있는 대중 예술까지 우리는 그 어느 때보다도 가까이에서 다양한 예술을 _____하고 있다. 전시회장과 공연장에서 순수 예술을 즐길 수도 있고, 텔레비전이나 스마트폰으로도 여러 예술적 콘텐츠들을 즐길 수 있게 된 것이다. 이처럼 현대 사회에서 예술은 가깝고 친숙한 대상이 되었으며, 세대와 계층을 초월하여 많은 사람들의 관심과 애정을 받고 있다.

① 향유　　　② 소유　　　③ 사유　　　④ 공유　　　⑤ 점유

독해 체크

1. 이 글의 핵심어는?
☐☐☐☐☐

2. 문단별 중심 내용은?
1 미적 지각의 중요성을 강조한 ☐☐☐
2 미적 지각의 첫 번째 단계 - ☐☐
3 미적 지각의 두 번째 단계 - ☐☐
4 미적 지각의 세 번째 단계 - ☐☐☐ 반성과 ☐☐☐ 반성

3. 이 글의 주제는?
미적 지각의 중요성과 ☐☐

[1~3] 다음 글을 읽고 물음에 답하시오.

2015학년도 11월 고2 전국연합

1 우리가 미술관에 전시된 그림 하나를 무심히 지나쳤다면, 이 그림은 미적 대상이라고 볼 수 있을까? 이에 대해 미학자 뒤프렌은 그 그림은 예술 작품이긴 하지만 우리에게 미적 대상이 되지는 못한다고 말한다. 예술 작품은 감상자의 미적 ㉠지각이 시작될 때 비로소 미적 대상이 된다는 것이다. 그는 이러한 미적 지각과 미적 대상의 관계에 주목하여, 감상자가 현전(現前), 표상(表象), 반성(反省)이라는 미적 지각의 단계를 거치면서 미적 대상을 점점 더 ㉡심오하게 이해한다고 보았다.

2 뒤프렌에 따르면 현전은 감상자가 작품의 감각적 특징에 신체적으로 반응하면서 주목하는 단계이다. 즉 색채, 명암, 질감 등에 ㉢매료되어 눈이 커지거나 고개를 내미는 등의 신체적 자세를 ㉣취하는 상태를 의미한다. 이렇듯 현전은 감상자가 예술 작품을 '감각적 소재'로 인식하게 한다. 그런 의미에서 현전은 미적 대상의 의미를 막연하게 파악하는 수준에 머무른다.

3 현전의 막연함은 표상을 통해 해소되기 시작한다고 그는 말한다. 표상은 작품을 상상력으로 지각하는 단계이다. 상상력은 감상자가 현전에서 파악한 것에 시공간적 내용과 구체적 상황을 추가해 풍부한 이미지를 떠올리는 것이다. 이러한 지각은 감상자가 작품을 특정 대상이나 현실이 묘사된 '재현된 세계'로 이해하게 한다. 예를 들어 푸른색이라는 감각물에 눈동자가 커지면서 주목하는 것이 현전이라면, 푸른색을 보고 '가을날 오후 한적한 시골의 맑고 넓은 창공'이라는 세계를 떠올리는 것이 표상이다. 하지만 표상은 환상을 만들게 된다.

4 표상이 만든 환상은 반성을 통해 극복된다고 뒤프렌은 생각했다. 반성에는 비평적 반성과 공감적 반성이 있다. 비평적 반성은 구도, 원근법, 형태 묘사와 같은 기법, 예술가의 제작 의도 등을 객관적으로 분석하여 상상력이 만든 감상자의 표상이 타당한 것인지를 검증하는 것이다. 비평적 반성을 통해 감상자는 작품의 의미를 표상의 단계보다 더 잘 이해할 수 있게 된다. 그러나 뒤프렌은 비평적 반성만으로는 작품에 대한 이해가 피상적 수준에 ㉤그친다고 보았다. 객관적인 분석만을 하다 보면 작품 속에 담긴 내면적 의미까지는 이해하지 못한다는 것이다. 따라서 그는 감상자의 미적 지각은 공감적 반성을 통해 완성된다고 하였다. 공감적 반성은 작품이 자아내는 내면적 의미를 감상자가 정서적으로 느끼면서 감동을 얻는 단계이다. 이 감동은 작품의 내면적 의미가 진실하다는 것을 확신하면서 정서적으로 공감하는 것이기도 하다. 이는 감상자가 예술가의 감정이 '표현된 세계'를 파악하는 것이면서, 그 세계와 자신의 내면세계가 일치함을 느끼는 것이다. 이를 두고 뒤프렌은 감상자가 작품의 의미를 진심으로 받아들이면서 비로소 작품 속에 직접 참여하는 것이라고 설명했다.

어휘 체크

↪ **막연하게:** 뚜렷하지 못하고 어렴풋하게
↪ **해소되기:** 어려운 일이나 문제가 되는 상태가 해결되어 없어지기
↪ **재현된:** 다시 나타난

1 **⊙~⑩과 문맥적 의미가 유사하지 <u>않은</u> 것은?**

① ⊙: 며칠이 지난 후에야 그 일에 대한 제대로 된 <u>지각</u>이 이루어졌다.

② ⓒ: 두 사람은 철학적 주제에 관해 <u>심오하게</u> 대화하고 있었다.

③ ⓒ: 관객들은 그 가수의 노래에 <u>매료되어</u> 눈물을 흘렸다.

④ ⓔ: 물질적 이익만을 <u>취하는</u> 오류를 범하지 말아야 한다.

⑤ ⑩: 나는 그 일이 실행되지 않고 계획에 <u>그친다고</u> 보았다.

기출 문제

2 **윗글의 표제와 부제로 가장 적절한 것은?**

① 미적 대상은 어떤 특성을 가질까?
   – 미적 지각의 역할을 중심으로

② 미적 지각은 어떤 단계를 거칠까?
   – 미적 대상과의 관계를 중심으로

③ 미적 체험은 어떻게 형성되는가?
   – 미적 지각의 효용성을 중심으로

④ 미적 지각과 미적 대상은 어떤 관계일까?
   – 감상자의 감정을 중심으로

⑤ 미적 대상의 역동성은 어떻게 드러나는가?
   – 공감적 반성을 중심으로

● **효용성**: 쓸모나 보람이 있는 성질

● **역동성**: 힘차고 활발하게 움직이는 성질

3 **윗글에 대한 반응으로 적절하지 <u>않은</u> 것은?**

① 미적 지각의 단계를 거쳐야 미적 대상을 더 심오하게 이해할 수 있겠군.

② 시공간적 내용을 덧붙임으로써 감상자는 작품 속에 직접 참여하게 되는구나.

③ 만약 고흐의 작품 속 질감이 눈에 띄어서 시선이 갔다면 현전 단계의 감상으로 볼 수 있어.

④ 비평적 반성은 작품을 피상적으로 이해하는 것이니 작품의 내면적 의미까지 이해했다고 볼 수는 없는 거네.

⑤ 이중섭의 가족 그림에서 느낀 가족에 대한 그리움이, 가족과 떨어져 홀로 지내는 자신의 그리움과 일치한다고 생각했다면 공감적 반성 단계의 감상으로 볼 수 있어.

주제별로 알아보는 **관용 표현**

● **사물과 관련된** 관용 표현

깡통(을) 차다

남에게 구걸하여 거져 얻어먹는 신세가 되다.
예 사장은 사업이 망해서 깡통을 차고 길거리로 내쫓길 판이었다.

> ⊕ **쪽박(을) 차다**: 살림이 거덜이 나다.

돈(을) 굴리다

돈을 여기저기 빌려주어 이익을 늘리다.
예 아버지는 여기저기 돈을 굴려서 1년 만에 목돈을 만들었다.

돈방석에 앉다

썩 많은 돈을 가져 안락한 처지가 되다.
예 그 감독은 이번에 개봉한 영화가 크게 흥행하여 돈방석에 앉았다.

바가지(를) 긁다

주로 아내가 남편에게 생활의 어려움에서 오는 불평과 잔소리를 심하게 하다.
예 아내는 요즘 취미 생활로 시작한 낚시 때문에 돈을 많이 쓰는 남편에게 바가지를 긁었다.

바가지(를) 쓰다

① 요금이나 물건값을 실제 가격보다 비싸게 지불하여 억울한 손해를 보다.
예 나는 판매원의 말만 믿고 바가지를 쓰고 이 휴대 전화를 샀다.
② 어떤 일에 대한 부당한 책임을 억울하게 지게 되다.
예 일을 잘못한 건 영수인데, 바가지를 쓴 것은 지수였다.

백기(를) 들다

굴복하거나 항복하다.
예 상대편 토론자의 논리적인 공격에 나는 백기를 들고 말았다.

시치미(를) 떼다

자기가 하고도 하지 아니한 체하거나 알고 있으면서도 모르는 체하다.
예 그가 잘못한 것이 분명한데도 그는 끝까지 시치미를 뗐다.

> ⊕ **시침(을) 떼다**

찬물을 끼얹다

잘되어 가고 있는 일에 뛰어들어 분위기를 흐리거나 공연히 트집을 잡아 훼방을 놓다.
예 수업이 끝나서 모두가 즐거워하던 중, 뜬금없는 그의 질문에 교실 분위기가 찬물을 끼얹은 듯 가라앉았다.

책상머리나 지키다

현실과 부딪치며 책임감을 가지고 일하지 아니하고 사무실에서만 맴돌거나 문서만 보고 세월을 보내다.

예 현장을 책임져야 할 사람이 이렇게 책상머리나 지키고 있으니, 일이 제대로 진행될 리가 없다.

＋ 책상머리에만 앉아 있다

칼자루(를) 잡다

어떤 일에 실제적인 권한을 가지다.

예 새로 뽑힌 장관이 칼자루를 잡고 이번 개혁을 주도하게 되었다.

＋ 도낏자루를 쥐다

코 묻은 돈

어린아이가 가진 적은 돈

예 그는 어린애들의 코 묻은 돈까지 빼앗는 파렴치한 인간이다.

키(를) 잡다

일이나 가야 할 곳의 방향을 잡다.

예 우리 모둠에서는 아무도 키를 잡고 진행하려는 사람이 없어서 일이 더디게 진행됐다.

그림으로 보는 관용 표현

바가지(를) 쓰다 / 돈방석에 앉다 / 깡통(을) 차다 / 책상머리나 지키다

바가지(를) 쓰다

돈방석에 앉다

깡통(을) 차다

책상머리나 지키다

[01~06] 다음 뜻에 해당하는 관용 표현을 찾아 가로, 세로, 대각선으로 표시해 보자.

키	동	돈	체	아	긁	공	코	오
깡	통	을	차	다	떼	을	묻	굴
동	물	굴	을	상	머	리	은	상
에	랑	리	키	절	칼	자	돈	돌
추	오	다	시	찬	물	내	방	자
다	고	에	아	책	을	키	석	설
을	마	바	가	지	를	긁	다	당
를	리	머	찬	잡	고	가	대	사
백	기	들	다	만	시	치	마	을

01 굴복하거나 항복하다.

02 어린아이가 가진 적은 돈

03 남에게 구걸하여 거져 얻어먹는 신세가 되다.

04 일이나 가야 할 곳의 방향을 잡다.

05 돈을 여기저기 빌려줘 이익을 늘리다.

06 아내가 남편에게 생활의 어려움에서 오는 불평과 잔소리를 심하게 하다.

[07~09] 다음 빈칸에 알맞은 단어를 쓰고, 관용 표현의 뜻을 찾아 바르게 연결해 보자.

07 [ ]을 끼었다 •

• ㉠ 어떤 일에 실제적인 권한을 가지다.

08 [ ]를 잡다 •

• ㉡ 요금이나 물건값을 실제 가격보다 비싸게 지불하여 억울한 손해를 보다.

09 바가지를 [ ] •

• ㉢ 공연히 트집을 잡아 훼방을 놓거나 잘되어 가고 있는 일에 뛰어들어 분위기를 흐리다.

[10~12] 제시된 뜻과 예문을 참고하여 다음 초성에 해당하는 단어를 빈칸에 써 보자.

10 ㄷㅂㅅ 에 앉다: 썩 많은 돈을 가져 안락한 처지가 되다.

예 그가 투자한 주식이 대박이 나면서 그는 (   )에 앉게 되었다.

11 ㅅㅊㅁ 를 떼다: 자기가 하고도 하지 아니한 체하거나 알고 있으면서도 모르는 체하다.

예 그는 잘못을 저지르고도 아무 일 없었다는 듯 (   )를 뚝 떼고 가만히 앉아 있었다.

12 ㅊㅅㅁㄹ 나 지키다: 현실과 부딪치며 책임감을 가지고 일하지 아니하고 사무실에서만 맴돌거나 문서만 보고 세월을 보내다.

예 사무실에서 (   )나 지키고 있던 사람이 과연 현장에 나와서 어떤 일을 잘할 수 있을까요?

[13~15] 다음 문장의 괄호 안에 들어갈 알맞은 단어를 고르시오.

13 장군의 계략으로 궁지에 몰린 적은 (청기 / 백기)를 들었다.

14 우두머리가 정확한 방향으로 키를 (쥐고 / 잡고) 나아가야 부하들이 고생을 안 한다.

15 그녀는 흥청망청 돈을 쓰다가 깡통을 (차고 / 굴리고) 길거리에 나앉는 신세가 되었다.

memo

me
mo

me
mo

중등

수능
독해

중3 국어 필수 어휘

3
심화

정답과 해설

우리는 남다른 상상과 혁신으로
교육 문화의 새로운 전형을 만들어
모든 이의 행복한 경험과 성장에 기여한다

ABOVE IMAGINATION

우리는 남다른 상상과 혁신으로
교육 문화의 새로운 전형을 만들어
모든 이의 행복한 경험과 성장에 기여한다

중등

수능
독해

중3 필수 어휘편

정답과 해설

문학 어휘

01 일차   01 문학 개념어

1단계 문맥으로 어휘 확인하기 | 본문 14쪽 |

(1) 방해물   (2) 의탁   (3) 환기   (4) 매개체   (5) 투영
(6) 감정 이입, 객관적 상관물

2단계 문제로 어휘 익히기 | 본문 15쪽 |

1 (1) ㉠ (2) ㉢ (3) ㉡   2 (1) 투영 (2) 환기 (3) 방해물
3 (1) ○ (2) ○   4 ③

4 한시나 시조를 창작할 때, 당대의 많은 작가들은 작품 속 화자의 눈앞에 펼쳐지는 자연의 경치에 화자의 정서를 의탁하여 표현함으로써 시의 의미와 주제를 전달하는 전통적인 방식을 활용하였다.

오답 풀이 ❶ '반감'은 '반대하거나 반항하는 감정'을 의미하므로 글의 내용에 어울리는 단어가 아니다.
❷ '환기'는 '주의나 여론, 생각 따위를 불러일으키는 것'을 의미하므로 글의 내용에 어울리는 단어가 아니다.
❹ '절제'는 '정도에 넘지 아니하도록 알맞게 조절하여 제한함'을 의미하므로 글의 내용에 어울리는 단어가 아니다.
❺ '공감'은 '남의 감정, 의견, 주장 따위에 대하여 자기도 그렇다고 느낌'을 의미하므로 글의 내용에 어울리는 단어가 아니다.

01 일차   02 현대시 주제어_사람과 삶의 애환

1단계 문맥으로 어휘 확인하기 | 본문 16쪽 |

(1) 눈시울   (2) 파리하다   (3) 고단하여   (4) 메여   (5) 여승
(6) 해쓱하고   (7) 나무라는   (8) 유년   (9) 섧다

2단계 문제로 어휘 익히기 | 본문 17쪽 |

1 (1) 여승 (2) 눈시울 (3) 유년   2 (1) ㉡, 메여 (2) ㉠, 나무랄 (3) ㉢, 고단하다   3 (1) × (2) ○   4 ②

3 (1) '유년'의 유의어는 '동년', 반의어는 '장년'과 '노년'이다.

4 '풍족하다'는 '매우 넉넉하여 부족함이 없다.'를 의미하는 단어로 소외 계층의 '삶의 애환'과 관련 있는 단어라고 볼 수 없다.

3단계 독해로 어휘 다지기 | 본문 18~19쪽 |

1 ④   2 ⑤   3 ①

㉮ [엄마 걱정_기형도]
■ **해제** 이 작품은 유년 시절 외로움과 무서움을 느끼면서 빈방에서 홀로 엄마를 기다렸던 자신을 회상하는 화자의 상황을 담고 있다. 구체적인 상황 묘사를 통해 화자의 심리를 섬세하게 드러내고 있으며, 유사한 시구의 반복과 변조를 통해 운율을 형성하고 의미를 강조하고 있다.
■ **주제** 시장에 간 엄마를 걱정하고 기다리던 유년 시절을 떠올리며 느끼는 슬픔
■ **특징** • 비유를 통해 화자의 정서를 효과적으로 드러냄
      • 화자의 유년 시절을 회상하며 당시의 심리를 섬세하게 나타냄
■ **구성**

1연	장사하러 시장에 간 엄마를 늦도록 혼자서 기다리던 '나'(과거)
2연	외롭고 슬픈 유년 시절의 기억을 떠올리는 어른이 된 '나'(현재)

㉯ [여승_백석]
■ **해제** 이 작품은 가족의 생계를 위해 집을 떠난 지아비를 찾아 금점판을 떠돌다가 어린 딸마저 잃고, 결국은 여승이 되어 버린 한 여인의 비극적 삶을 담고 있다. 화자는 관찰자의 시선으로 여인을 애처롭게 바라보고 있고, 작가는 화자가 바라보는 여인의 삶을 통해 일제의 식민지 수탈로 가족 공동체가 파괴되는 당대의 현실과 아픔을 그려 내고 있다.
■ **주제** 여승이 된 한 여인의 비극적인 삶
■ **특징** • 역순행적 구성(현재 → 과거)으로 시상을 전개함
      • 감정을 절제한 시선으로 대상의 모습을 전달함
■ **구성**

1연	여승과의 재회(현재)
2연	처음 만났을 때 여인의 모습(과거)
3연	여인의 비극적인 삶(과거)
4연	여승이 된 여인(과거)

감상 체크

1 엄마   2 외로움   3 여승   4 현재, 과거, 역순행적

1 ④ '산(山)꿩도 설게 울은 슬픈 날이 있었다'에서 '울은'은 시적 대상인 여승의 한(恨)과 서러움을 '산꿩'이라는 자연물의 울음 소리에 이입하여 표현한 것이다.

오답 풀이 ❶, ❷ (가) 1연의 '훌쩍거리던'과 2연의 '눈시울을 뜨겁게 하는'은 화자의 정서를 직접적으로 표현한 울음으로, 화자의 한(恨)의 정서가 자연물에 이입된 것이 아니다.
❸, ❺ (나) 2연의 '울었다'와 4연의 '눈물방울'은 시적 대상인 여승의 정서를 직접적으로 표현한 울음으로, 화자의 한(恨)의 정서가 자연물에 이입된 것이 아니다.

2 (나)는 화자가 관찰자적 위치에서 여승이 살아온 삶의 과정을 감정을 절제하며 표현하고 있다. (나)에서는 영탄적 어조를 사용하고 있지 않으며, 경건한 분위기가 조성되고 있지도 않다.

오답 풀이 ❶ (가)의 1연, (나)의 2~4연에 과거 사건의 내용이 나타나 있다.
❷ (가)는 엄마 또는 유년기의 자신에 대한 화자의 연민의 정을 담고 있고, (나)는 여승에 대한 화자의 연민의 정을 담고 있다.
❸ (가)는 화자인 '나'의 삶을, (나)는 시적 대상인 여승의 삶을 담고 있다.
❹ (가)는 '윗목'이라는 명사로 시를 종결하여 여운을 느끼게 하고 있다.

3 (가)에서 '나'는 열무를 팔러 시장에 가신 엄마가 해가 지도록 돌아오시지 않아 혼자 빈방에서 엄마를 기다리고 있다. 따라서 (가)를 읽고 시장에서 엄마와 아이가 함께 열무를 파는 장면을 떠올리는 것은 적절하지 않다.

오답 풀이 ❷ (가)의 1연에서 떠올릴 수 있는 장면이다.
❸ (나)의 4연에서 떠올릴 수 있는 장면이다.
❹ (나)의 1연에서 떠올릴 수 있는 장면이다.
❺ (나)의 2연에서 떠올릴 수 있는 장면이다.

01 문학 개념어

1단계 문맥으로 어휘 확인하기
| 본문 20쪽 |

(1) 대조법　　(2) 비교법　　(3) 열거법　　(4) 반복법
(5) 과장법　　(6) 영탄법, 연쇄법　　(7) 점층법

2단계 문제로 어휘 익히기
| 본문 21쪽 |

1 (1) ㉠　(2) ㉢　(3) ㉡　　**2** (1) 과장법　(2) 대조법
(3) 열거법　　**3** (1) ○　(2) ×　(3) ○　　**4** ③, ④

4 이 시에서는 '이름이여!'라는 구절을 되풀이하면서 화자의 애절한 심정을 강조하는 반복법을 사용하고 있다. 또한 감탄형 어미 '-이여'를 사용하여 화자의 감정을 강하게 드러내는 영탄법을 사용하고 있다.

오답 풀이 ❶ 설의법은 쉽게 판단할 수 있는 사실을 의문 형식으로 표현하여 독자가 스스로 판단하게 하는 표현 방법으로 이 시에서는 사용되지 않았다.
❷ 대구법은 형식이나 가락이 비슷한 구절을 나란히 늘어놓아 대칭의 효과를 주는 표현 방법으로 이 시에서는 사용되지 않았다.
❺ 도치법은 문장의 어순을 바꾸어 표현하는 방법으로 이 시에서는 사용되지 않았다.

02 현대시 주제어 _ 화자의 행동 및 태도

1단계 문맥으로 어휘 확인하기
| 본문 22쪽 |

(1) 헤아려　(2) 뒤척였다　(3) 우러러　(4) 다급한　(5) 아물거리는, 뇌었다　　(6) 도져, 아랑곳없이　　(7) 스쳐, 선회

2단계 문제로 어휘 익히기
| 본문 23쪽 |

1 (1) 다급　(2) 뒤척　(3) 아랑곳　　**2** (1) 뇌고　(2) 스치는
(3) 아물거리지　　**3** (1) ○　(2) ×　　**4** ①

3 (2) '선회하다'는 교통수단 외에 사람이나 동물 등 생명체의 움직임에도 사용할 수 있는 단어이다.

4 '세다'는 문장 안에서 '수량을 세다.'의 의미로 쓰인 단어이고, '측량하다'와 '재다'는 각 문장 안에서 '짐작하여 가늠하거나 미루어 생각하다.'의 의미로 쓰인 단어들이다. 따라서 모두 '헤아리다'와 바꾸어 쓸 수 있다.

3단계 독해로 어휘 다지기
| 본문 24~25쪽 |

1 ③　　**2** ③　　**3** ④

[별 헤는 밤 _ 윤동주]
■ 해제 이 작품은 타향에서 밤하늘의 별을 바라보며 아름다웠던 유년 시절을 떠올리고, 갖가지 상념에 사로잡히는 화자의 상황을 형상화한 시이다. 전 10연으로 이루어진 이 시는 크게 별이 가득한 가을밤 별을 바라보며 생각에 잠긴 젊은이의 모습을 드러낸 부분(1~3연), 별을 헤아리며 어린 시절에 대한 그리움을 드러낸 부분(4~7연), 화자의 자기 성찰을 드러낸 부분(8~9연), 암담한 현실 상황에 대한 극복과 미래에 대한 희망을 드러낸 부분(10연)으로 나누어 볼 수 있다. 시인은 이런 시상 전개 과정을 통해 냉혹한 현실 상황 속에서도 자신의 삶을 성찰하며 부끄럽지 않게 살아가고자 하는 태도와 희망의 미래에 대한 굳은 신념과 의지를 드러내고 있다.

■ **주제** 아름다운 이상 세계에 대한 동경과 자아 성찰
■ **특징** • 계절의 순환(가을 → 겨울 → 봄)에 따라 시상을 전개함
　　　　• 자유시의 운율에 따라 시상을 전개하다가, 부분적으로 산문적 리듬을 삽입하는 방식을 통해 운율을 변화시킴
■ **구성**

1~3연	가을밤 하늘의 별을 바라보며 상념에 잠긴 '나'
4~7연	아름다운 과거에 대한 애틋한 그리움
8~9연	현재의 삶에 대한 부끄러움
10연	새로운 미래에 대한 희망과 현실 극복 의지

감상 체크

1 별, 성찰 　2 그리움 　3 밤, 벌레

1 ⓒ '다하지'는 '일을 완수하지'의 의미로 쓰인 것이 아니라, '수명 따위가 끝나지'의 의미로 쓰인 단어이다.

오답 풀이 ❶ ⓐ '헤일'은 '하나씩 더해서 세어 볼', '수량을 세어 볼'의 의미로 쓰인 단어이다.
❷ ⓑ '새겨지는'은 '잊지 않도록 마음속에 깊이 기억되는'의 의미로 쓰인 단어이다.
❹ ⓓ '내린'은 '깃들이거나 짙어진', '짙어지거나 덮여 오는'의 의미로 쓰인 단어이다.
❺ ⓔ '무성할'은 '잘 자라서 우거질 정도로 빽빽할', '풀이나 나무 따위가 자라서 우거져 있을'의 의미로 쓰인 단어이다.

2 이 시의 9연에서는 자연물인 '벌레'를 통해 화자의 부끄러운 마음을 표현하고 있다. 즉 '벌레'에 화자의 정서를 이입함으로써 갈등의 현실 속에서 방황하던 화자가 자신의 부끄러운 삶에 대해 자책하고 반성하는 모습을 드러내고 있다.

오답 풀이 ❶ 이 시는 공간의 변화가 아니라, '가을 → 겨울 → 봄'으로 이어지는 계절의 순환에 따라 시상을 전개하고 있다.
❷ 이 시에서는 감각의 전이를 통해 대상을 묘사하는 부분이 드러나지 않는다.
❹ 이 시에서는 전체적으로 설의적 표현이 드러나지 않으며, 이러한 방식을 통해 화자의 생각을 부각하고 있지도 않다.
❺ 이 시에서 '겨울'은 춥고 고통스러운 계절로 고난과 시련의 시간을 의미하고, '봄'은 시련과 고난의 끝을 알리는 희망의 계절로 시련의 극복을 의미한다. 따라서 이 시에서 대조의 방법을 사용하고 있다는 설명은 적절하다. 그러나 이 시에서는 화자 자신에 대한 부끄러움만 드러나고 있을 뿐, 현실에 대한 화자의 비판적 시각이 드러나지는 않는다.

3 이 시에서 '가슴에 새겨지는 별(어머니, 추억, 사랑 등)'은 화자에게 애틋한 그리움의 대상이다. 따라서 '가슴에 새겨지는 별'에 화자의 현실 극복 의지가 담겨 있다고 보는 것은 적절하지 않다. 이 시에서 고난과 시련의 현실 세계를 극복하려는 의지, 새로운 미래에 대한 희망과 의지를 드러내고 있는 부분은 마지막 연인 10연이다.

오답 풀이 ❶ 이 시의 4~5연에서 화자는 별을 하나씩 헤아리면서 아름다웠던 유년 시절을 추억하고, 그 시절에 대한 애틋한 그리움의 정서를 드러내고 있다.
❷ 이 시의 8~9연에서 화자는 자신의 이름을 별빛이 내린 언덕 위에 써 보고 흙으로 덮어 버리는 자아 성찰의 행위를 하고 있다. 이런 화자의 행위는 고통스러운 현실 속에 있는 자신의 부끄러운 삶에 대한 반성적 행위로 볼 수 있다.
❸ 이 시에서 '별'은 '추억, 사랑, 쓸쓸함, 동경, 시'와 같이 화자가 지향하는 내적 세계(이상 세계)를 나타내는 시어라고 볼 수 있다.
❺ 이 시의 화자는 별을 헤아리면서 어머니, 외국 시인 등과 같이 공간적으로 멀리 있는 대상을 그리워하면서 그들에 대한 애틋함을 드러내고 있다.

수능독해 특강 체크 주제별로 알아보는 한자 성어

전쟁과 관련된 한자 성어			본문 28~29쪽
01 백중지세	02 파죽지세	03 속전속결	04 고군분투
05 산전수전	06 난백난중	07 ②	08 ⓓ	09 ㉠
10 ㉡	11 ㉢	12 적자생존	

01~06

고	장	감	탄	고	토	양	주	일
교	언	영	색	군	일	구	이	언
창	애	이	어	분	유	밀	청	지
연	청	설	지	투	골	복	산	하
목	산	산	각	주	단	검	유	담
속	전	속	결	배	산	임	수	백
파	수	지	세	수	난	백	난	중
박	전	무	패	유	언	비	어	지
형	설	지	공	수	파	죽	지	세

12 문자 메시지에서 정국은 예지가 추천한 지환이 단체전 게임의 팀원으로 적절하지 않다고 이야기하고 있다. 이어서 정국은 지환을 팀원으로 초대하는 것을 거절하는 이유로 지환의 게임 실력이 다른 팀원들에 비해 뒤떨어지기 때문임을 밝히고 있다. 이러한 대화 맥락을 고려할 때 빈칸에 정국이 언급한 법칙은 '적자생존'의 법칙임을 유추할 수 있다.

(1) 해석 (2) 내면화 (3) 외재적 관점, 감상, 내재적 관점
(4) 비평, 절대론적 (5) 표현론적, 반영론적, 효용론적

1 (1) 내재적 (2) 내면화 (3) 감상 **2** (1) 외재적 (2) 독자
(3) 절대론적 **3** (1) ○ (2) × (3) ○ **4** ③

4 도식을 볼 때, ㉢은 내재적 관점과 관련이 있고 현실, 작가, 독자와 유기적으로 연결된 것임을 알 수 있다. 이를 통해 ㉢은 '가치관'이 아니라 '작품'에 해당하는 것임을 알 수 있다.

오답 풀이 ❶ 문학 작품을 현실과 연결 지어 감상하는 것은 반영론적 관점에 해당한다.
❷ 문학 작품을 작가와 연결 지어 감상하는 것은 표현론적 관점에 해당한다.
❹ 문학 작품을 독자와 연결 지어 감상하는 것은 효용론적 관점에 해당한다.
❺ 문학 작품을 작품 내적인 요소에만 집중하여 감상하는 것은 내재적 관점과 절대론적 관점에 해당한다.

(1) 만물 (2) 구천 (3) 태산 (4) 수석 (5) 눈서리, 솔, 매화 (6) 광명 (7) 청강, 송죽

1 (1) ㉠ (2) ㉢ (3) ㉡ **2** (1) 청강 (2) 광명 (3) 눈서리
3 (1) ○ (2) × **4** ②

4 이어지는 시구의 내용으로 보아 빈칸에 들어갈 시어는 '높은 산'에 해당하는 것임을 알 수 있다. 따라서 '높고 큰 산'의 의미를 지닌 '태산'이 빈칸에 들어갈 적절한 시어이다.

오답 풀이 ❶, ❸ '추강'은 '가을의 강'을 의미하는 단어이고, '백설'은 '하얀 눈'을 의미하는 단어이다. 두 단어 모두 빈칸에 넣을 경우 이어지는 시구의 내용과 어울리지 않게 된다.

❹, ❺ '산촌'은 '산속에 있는 마을'을 의미하는 단어이고, '북창'은 '북쪽으로 난 창'을 의미하는 단어이다. 두 단어 모두 빈칸에 넣을 경우 이어지는 시구의 내용과 어울리지 않게 된다.

1 ⑤ **2** ④ **3** ⑤

[오우가(五友歌)]_윤선도
■해제 이 작품은 총 6수로 구성된 연시조로, 화자가 벗이라 여기는 다섯 자연물(물, 바위, 소나무, 대나무, 달)의 덕을 예찬하는 내용으로 이루어져 있다. 제1수는 제2수~제6수에 등장할 다섯 자연물(=벗)을 소개하는 내용이 담겨 있다. 그리고 제2수부터 제6수까지는 다섯 자연물을 하나씩 순차적으로 배치한 후, 각각의 자연물이 지닌 속성과 관련 있는 인간의 덕성을 이끌어 내어 예찬하는 내용이 담겨 있다. 작가는 긍정적 가치를 지닌 다섯 자연물과 대비되는 속성의 자연물을 제시하는 시상 전개 방식으로 주제를 강조하고 있으며, 이 과정에서 의인법, 설의법, 대조법, 대구법 등의 다양한 표현 방법을 활용하고 있다.
■주제 다섯 가지 자연물의 덕에 대한 예찬
■특징 • 다른 대상(자연물)과의 대조를 통해 화자가 지향하는 바를 드러냄
• 자연물을 유교적 이념을 표방하는 매개물로 삼아 화자의 정서를 드러냄
■구성

제2수	물의 영원성 예찬
제3수	바위의 불변성 예찬
제4수	소나무의 지조 예찬
제5수	대나무의 절개 예찬
제6수	달의 밝음과 과묵함 예찬

감상 체크
1 바위, 솔 **2** 구름, 바람 **3** 빛

1 '광명'은 〈제6수〉에 제시된 '작은 것', 즉 '달'의 밝은 빛을 의미하는 시어일 뿐이다. 또한 '광명'이 만물을 비춘다고 볼 수는 있지만, 올바른 길을 안내하는 절대적 존재를 상징하는 시어라고 볼 수는 없다.

오답 풀이 ❶ '구름'은 '물'과 대비되는 대상으로 빛깔이 자주 변하는 가변적 존재이다.
❷ '바람'은 '구름'과 같이 '물'과 대비되는 대상으로 연속적이지 않고 자주 그치는 가변적 존재이다.
❸ '꽃'은 '바위'와 대비되는 대상으로 화려한 아름다움이 쉽게 사라지는 한시적 존재이다.

④ '풀'은 '꽃'과 같이 '바위'와 대비되는 대상으로 외부의 상황에 따라 쉽게 변절하는 세속적 존재이다.

2 이 시조의 〈제2수〉에서는 '구름', '바람'과의 대조를 통해 깨끗하고 그치지 않는 '물'의 속성을 드러내고 있고, 〈제3수〉에서는 '꽃', '풀'과의 대조를 통해 불변하는 '바위'의 속성을 드러내고 있다. 또한 〈제4수〉에서는 '꽃', '잎'과의 대조를 통해 흔들리지 않고 곧은 소나무, '솔'의 속성을 드러내고 있으므로, 대조적인 소재를 사용하여 대상의 속성을 부각하고 있다는 ④의 설명은 적절하다.

오답 풀이 ❶ 이 시조에 시상이 반전되는 부분은 나타나지 않는다. 따라서 시상의 반전을 통해 화자의 정서를 심화하고 있다는 설명은 적절하지 않다.

❷ 이 시조에 높임 표현은 사용되어 있지 않으며, 전체적으로 경건한 분위기가 형성되어 있지도 않다. 따라서 높임 표현을 사용하여 경건한 분위기를 형성하고 있다는 설명은 적절하지 않다.

❸ 이 시조에 대상을 점층적으로 강조하는 부분은 나타나지 않는다. 따라서 대상을 점층적으로 강조하여 시적 긴장감을 높이고 있다는 설명은 적절하지 않다.

❺ 이 시조에서는 첫 행의 시구를 끝 행에 반복하고 있지 않다. 따라서 이와 같은 방식을 통해 시의 리듬감을 형성하고 있다는 설명은 적절하지 않다. 이 시조는 4음보를 중심으로 리듬감을 형성하고 있다.

3 이 시조의 〈제6수〉에서 '작은 것' 즉, '달'은 만물을 두루 비추며 세상의 모든 일을 보고 있지만, 함부로 논란을 일삼지 않고 침묵하는 존재이다. 따라서 이 시조를 감상한 독자가 '달'과 같이 많은 사람들을 거느리는 사람이 되고 싶다고 반응하는 것은 적절하지 않다.

오답 풀이 ❶ 〈제2수〉의 내용을 바탕으로 나타날 수 있는 반응이다.
❷ 〈제3수〉의 내용을 바탕으로 나타날 수 있는 반응이다.
❸ 〈제4수〉의 내용을 바탕으로 나타날 수 있는 반응이다.
❹ 〈제5수〉의 내용을 바탕으로 나타날 수 있는 반응이다.

04
일차
01 문학 개념어

1단계 문맥으로 어휘 확인하기 | 본문 36쪽 |

(1) 압축　(2) 감각의 전이　(3) 관습적 표현　(4) 추상적
(5) 변주　(6) 구체적　(7) 주관적 변용

2단계 문제로 어휘 익히기 | 본문 37쪽 |

1 (1) ⓒ (2) ㉠ (3) ⓛ　2 (1) 압축 (2) 추상적 (3) 감각의 전이　3 (1) ○ (2) × (3) ×　4 ③

4 밑줄 친 부분에서는 화자가 속세와의 단절 의지를 드러내기 위해 '흐르는 물'이라는 자연물을 자신이 일부러 산에 둘러 둔 것처럼 표현하고 있다. 이는 대상을 주관적 상상력에 의해 변화시켜 나타내는 주관적 변용이 사용된 것이다.

오답 풀이 ❶ '압축'은 '글이나 문장의 길이를 줄여 짧게 표현하는 것'으로 밑줄 친 부분에서는 나타나지 않는다.

❷ '변주'는 '어떤 주제를 바탕으로 언어의 표현을 조금씩 바꾸어 쓰는 것'으로 밑줄 친 부분에서는 나타나지 않는다.

❹ '관습적 표현'은 '어떤 사회에서 오랫동안 사용되어 온 표현'으로 밑줄 친 부분에서는 나타나지 않는다.

❺ '감각의 전이'는 '하나의 감각을 다른 감각으로 바꾸어 표현하는 것'으로 밑줄 친 부분에서는 나타나지 않는다.

04
일차
02 고전 시가 주제어_계절

1단계 문맥으로 어휘 확인하기 | 본문 38쪽 |

(1) 동풍　(2) 실솔　(3) 삭풍　(4) 도화　(5) 낙목한천
(6) 적설　(7) 이화우　(8) 도롱이　(9) 추풍낙엽　(10) 황운

2단계 문제로 어휘 익히기 | 본문 39쪽 |

1 (1) ⓛ, 도화 (2) ㉠, 황운 (3) ⓒ, 동풍　2 (1) 적설 (2) 삭풍 (3) 도롱이　3 (1) 추풍낙엽 (2) 이화우　4 ①

4 이 시조는 긴 가을밤 임이 그리워 잠들지 못하는 화자가 꿈에 다른 생물의 넋이 되어 임을 찾아가 깊이 든 잠을 깨우고 싶다는 애틋한 마음을 노래하고 있다. 따라서 빈칸에 들어갈 시어로는 가을을 나타내는 생물인 '실솔'이 가장 적절하다.

오답 풀이 ❷ '도화'는 '복숭아꽃'으로 봄을 나타내는 소재이다.

❸ '삭풍'은 '겨울철에 북쪽에서 불어오는 찬 바람'을 뜻하는 말로 '넋'을 지닌 생물이라고 볼 수 없다.

❹ '황운'은 '넓은 들판에 벼가 누렇게 익은 모습을 비유적으로 이르는 말'로 가을을 나타내는 소재이기는 하지만, '넋'을 지닌 생물이라고 보기 어렵다.

❺ '이화우'는 '비처럼 흩날리는 배나무의 꽃을 비유하는 말'로 봄을 나타내는 소재이다.

3단계 독해로 어휘 다지기
| 본문 40~41쪽 |

1 ④　　2 ②　　3 ④

가 [이화우 흩뿌릴 제~_계랑]

■해제 이 작품은 조선 명종 때 기생인 계랑이 떠난 임을 그리워하며 지은 시조이다. 봄에 임과 이별한 아픔과 가을 낙엽을 보며 임을 그리워하는 마음, 그리고 임과의 재회를 바라는 마음 등을 시간의 흐름을 바탕으로 노래하였다.

■주제 임을 향한 그리움

■특징 • 하강적 이미지로 이별의 정서를 심화함
　　　 • 계절의 흐름이 드러나는 시어를 사용함
　　　 • 시간적 거리감과 공간적 거리감을 표현함

■구성

 초장　봄에 임과 이별을 함

 중장　가을에 임을 그리워함

 종장　임과의 거리감을 느끼며 그리워함

나 [사미인곡_정철]

■해제 이 작품은 정철이 조정을 떠나 전남 창평에서 외롭게 지낼 때 지은 가사이다. 임금을 이별한 임으로, 자신을 임의 사랑을 받지 못하는 여인으로 설정하여 사무치는 그리움을 계절의 변화에 따라 노래하였다.

■주제 임에 대한 사랑과 그리움(임금에 대한 충정과 그리움)

■특징 • 계절의 변화에 따라 시상을 전개함
　　　 • 여성의 목소리로 애절한 정서를 표현함

■구성

 본사 봄　임에게 매화를 보내고자 함

 본사 여름　임에게 옷을 지어 보내고자 함

감상 체크

1 이별　2 낙엽　3 매화, 옷　4 천 리, 천 리 만 리

1 '황혼'은 해가 질 무렵을 나타내는 말로 계절감을 나타내는 시어가 아니다.

2 (가)는 봄(이화우)부터 가을(추풍낙엽)까지, (나)는 봄(동풍)부터 여름(녹음)까지라는 시간의 흐름을 바탕으로 헤어진 임에 대한 화자의 그리움을 드러내고 있다.

오답 풀이 ❶ (가)와 (나) 모두 주관적 변용은 나타나지 않는다.
❸ (가)와 (나) 모두 관습적 표현을 사용하고 있지 않다.
❹ (가)와 (나) 모두 감각의 전이를 사용하고 있지 않다.
❺ (나)는 '험하기도 험하구나'와 같이 반복과 변주의 방식을 사용하고 있지만, (가)는 반복과 변주의 방식을 사용하고 있지 않다.

3 (가)의 '이화우'는 가슴 시린 이별 당시의 상황을 묘사하는 소재이고, (나)의 '산'과 '구름'은 화자와 임 사이를 가로막는 장애물을 의미하는 소재이다. 따라서 이를 임에 대한 변함없는 화자의 사랑을 반영한 자연물이라고 볼 수 없다.

오답 풀이 ❶, ❷ 〈보기〉에서 (가)는 여성 작자(계랑)가 자신이 실제 겪었던 이별의 아픔을 노래한 것이고, (나)는 남성 사대부(정철)가 임금과 멀어진 자신의 처지를 이별한 여인에 빗대어 노래한 것이라고 하였다.
❸ (가)에서는 '천 리', (나)에서는 '천 리 만 리'라는 시어를 통해 헤어진 임과의 심리적 거리감을 표현하고 있다.
❺ (가)는 임이 자신을 그리워하고 있는지, (나)는 자신이 지어 보낸 옷을 받고 임이 반길지를 궁금해하며 임을 그리워하는 화자의 모습이 드러나 있다.

수능독해 특강 체크　주제별로 알아보는 속담

돈, 경제와 관련된 속담		본문 44~45쪽

01 ㄴ　02 ㄷ　03 ㅁ　04 ㄹ　05 ㄱ　06 ㅂ
07 돈은 더럽게 벌어도 깨끗이 쓰면 된다　08 강물, ㄴ
09 금탑, ㄱ　10 모래알, ㄷ　11 궤, ㅁ　12 한 푼, ㄹ
13 비지떡　14 다홍치마　15 정승

07 제시된 글의 주요 내용은 할머니께서 평생 동안 힘들고 어려운 일을 하며 벌어 온 전 재산을 학생들을 위해 기부했다는 것이다. 이러한 글의 전체 내용과 밑줄 친 부분의 내용을 고려했을 때 어울리는 속담은 천한 일을 해서 번 돈이라도 보람 있게 쓰면 된다는 의미를 지닌 '돈은 더럽게 벌어도 깨끗이 쓰면 된다'이다.

05 일차　01 문학 개념어

1단계 문맥으로 어휘 확인하기
| 본문 46쪽 |

(1) 모티프　(2) 우아미　(3) 골계미　(4) 숭고미　(5) 비장미　(6) 유기적　(7) 암시, 복선　(8) 인과성, 필연성

2단계 문제로 어휘 익히기
| 본문 47쪽 |

1 (1) 유기적　(2) 비장미　(3) 복선　　2 (1) 인과성　(2) 숭고미
3 (1) ○　(2) ✕　(3) ○　　4 ④

4 '모티프'는 작가가 작품을 표현하는 동기가 된 중심 사상을 말한다. 「양산백전」에서 두 남녀 주인공은 초월 세계와 현실 세계를 넘나드는데, 이러한 두 주인공의 이야기가 적강, 죽음, 재생이라는 사상을 활용하여 전개되고 있으므로 빈칸에 공통적으로 들어갈 단어로는 '모티프'가 적절하다.

(1) 고즈넉 (2) 애잔 (3) 을씨년스럽다 (4) 적막 (5) 이변
(6) 경황, 낭패 (7) 북새 (8) 위협, 혼비백산

1 (1) ⓒ, 낭패 (2) ⓛ, 북새 (3) ⓣ, 위협   2 (1) 애잔하게
(2) 적막하였다(적막했다)   3 (1) 경황 (2) 을씨년스럽다
(3) 이변   4 ③

4 제시된 글의 밑줄 친 부분에는 많은 사람들이 불이 난 것을 보고 크게 놀라는 상황이 드러나 있다. '혼비백산(魂飛魄散)'은 '혼백이 어지러이 흩어진다는 뜻으로, 몹시 놀라 넋을 잃음'을 이르는 말이므로 이러한 상황을 표현하기에 적절하다.

1 ②   2 ①   3 ②

- -

[노새 두 마리_최일남]

■ **해제** 이 작품은 급격한 산업화와 도시화가 진행되던 1970년대의 도시 변두리 동네를 배경으로 한 소설이다. '나'의 아버지는 당시의 시대적 변화에 적응하지 못하고, 여전히 구시대의 교통수단인 노새를 몰고 연탄 배달을 다니며 힘겹게 살아가는 인물이다. 이 작품에서는 이런 '아버지'라는 인물의 삶을 '노새'에 비유하여 동시대를 살아가던 가난한 사람들의 고단하고 힘든 삶을 효과적으로 보여 주고 있다.

■ **주제** 산업화 과정에 적응하지 못한 가난한 사람들의 힘겨운 삶

■ **특징** • 어린아이인 '나'를 서술자로 하여 사건을 전달함
        • 대조적 소재들을 통해 주제를 효과적으로 드러냄

■ **구성**

'나'가 사는 동네 옆에 새 동네가 들어서면서 '나'가 사는 구동네에 변화가 생김. 그러나 '나'의 동네 사람들과 새 동네 사람들은 서로 어울리지 않음
소록 아버지와 '나'가 연탄 배달을 하던 중 언덕에서 마차가 전복되어 노새가 달아나고, 달아난 노새를 찾아 거리를 배회하지만 결국 찾지 못하고 집에 돌아옴
노새가 멀리 도망치는 꿈을 꾼 '나'는 아버지와 함께 노새를 찾으러 나감
노새를 찾아 헤매다 무심코 들어간 동물원에서 '나'는 아버지가 노새와 닮았다고 생각함
소록 아버지는 노새가 여기저기에 피해를 입혀 경찰이 찾아왔다는 말을 듣고 말없이 집을 나감

감상 체크

1 산업화   2 아버지   3 적응

1 [A]에서 아버지는 달아나 버린 노새를 찾기 위해 밤늦게까지 돌아다녔지만, 결국 노새를 찾지 못하고 힘이 빠진 채 집으로 돌아온다. 가족들은 이러한 아버지의 상황을 알고 있기에 아버지를 보고 아무도 말을 꺼내지 못한 것이다. 이러한 분위기를 가장 잘 표현하는 단어는 '애처롭고 애틋하다.'라는 뜻을 지닌 '애잔하다'이다.

오답 풀이 ❶ '경이롭다'는 '놀랍고 신기한 데가 있다.'라는 뜻이므로, [A]의 분위기와는 관련이 없다.

❸ '냉혹하다'는 '차갑고 몹시 심하다.'라는 뜻이므로, [A]의 분위기와는 관련이 없다.

❹ '고즈넉하다'는 '고요하고 아늑하다.'라는 뜻이다. [A]에는 아버지에게 가족들이 아무 말도 못하고 있는 상황이 담겨 있으므로 고요한 분위기가 느껴진다고 볼 수는 있지만, '아늑함'이 느껴지는 상황은 아니므로 '고즈넉하다'는 [A]의 분위기를 표현하는 단어로 적절하지 않다.

❺ '을씨년스럽다'는 '보기에 날씨나 분위기 따위가 몹시 스산하고 쓸쓸한 데가 있다.'라는 뜻이므로, [A]의 분위기를 표현하는 단어로 적절하지 않다.

2 이 글에서 '노새'는 새로운 교통수단에 밀려 사라져 가는 존재로, 급변하는 산업화에 적응하지 못하여 힘겨워하는 '아버지'를 상징하고 있다. 따라서 이 글에서는 '노새'라는 상징적 소재를 통해 '급격한 산업화에 적응하지 못한 가난한 사람들의 힘겨운 삶'이라는 주제를 드러낸다고 할 수 있다.

오답 풀이 ❷ 이 글에서는 현실의 부정적 현상이나 모순 따위를 빗대어 비웃으면서 비판하는 풍자적 기법이 나타나 있지 않으며, 인물을 의도적으로 우스꽝스럽게 묘사하고 있는 부분도 찾아볼 수 없다.

❸ 이 글은 '나'라는 어린아이가 사건을 관찰하여 서술하는 1인칭 관찰자 시점을 처음부터 끝까지 유지하고 있다. 따라서 이 글에서는 시점의 전환이 나타나지 않는다.

❹ 이 글에서는 사건의 반전을 통해 갈등이 해소될 것임을 암시하는 부분이 나타나지 않는다. 오히려 노새가 입힌 피해로 인해 다시 갈등이 유발될 것임을 암시하고 있다.

❺ 이 글은 서술자인 '나'가 시간의 흐름에 따라 사건을 서술하고 있다. 또한 외부에서 내부로 이야기가 이동하고 있지도 않다.

3 ⓛ에서 '나'가 느낀 아버지의 '숨은 오기'는, 삼륜차가 등장하며 나타난 변화에도 아랑곳하지 않고 노새와 함께 평생을 일해 온 것에 대한 자부심을 의미한다.

오답 풀이 ❶ 아버지가 밤 열 시가 넘었는데도 집에 돌아오지 않고 계속 노새를 찾는 것에서 아버지의 절박함을 느낄 수 있다.

❸ 어머니의 말을 통해, 달아난 노새가 사람을 다치게 하고 가게 물건들을 망가뜨렸음을 알 수 있다. 어머니는 이러한 문제 때문에 경찰서에서 아버지를 불렀음을 전하면서 아버지가 더욱 곤경에 처할 것을 걱정하고 있다.

❹ 달아난 노새가 여기저기에 피해를 입혀 경찰이 찾아왔다는 말을 듣고, 말없이 집을 나가는 지친 아버지의 모습에서 망연자실한 태도가 드러난다.

❺ '나'는 노새가 일으킨 문제 때문에 다시 집을 나가는 아버지의 지친 모습을 보고, 아버지가 격변하는 시대에 적응하지 못하는 노새와 같다고 생각하고 있다.

06 일차 01 문학 개념어

1단계 문맥으로 어휘 확인하기 | 본문 52쪽 |

(1) 여로형 (2) 재구성 (3) 패러디 (4) 옴니버스
(5) 삽화식 (6) 피카레스크 (7) 보편성, 특수성

2단계 문제로 어휘 익히기 | 본문 53쪽 |

1 (1) 재구성 (2) 삽화식 (3) 피카레스크 2 (1) ○ (2) ○
3 (1) 특수성 (2) 패러디 4 ④

4 제시된 글의 내용처럼, 황석영의 「삼포 가는 길」은 세 등장인물이 함께 걸어가는 길을 배경으로 이야기가 전개된다. 따라서 이 소설은 여행의 길을 따라 사건의 발생과 해결이 이루어지는 '여로형 구성'을 취하고 있다고 할 수 있다.

오답 풀이 ① '액자식 구성'은 마치 액자처럼 큰 이야기 속에 또 다른 이야기가 포함되어 있는 구성을 말한다.
③ '순행적 구성'은 사건을 시간적 순서에 따라 전개하는 구성을 말한다.

06 일차 02 현대 소설 주제어 _말

1단계 문맥으로 어휘 확인하기 | 본문 54쪽 |

(1) 뒷공론 (2) 실토 (3) 넋두리 (4) 귀엣말 (5) 푸념
(6) 중언부언 (7) 이실직고, 닦달 (8) 피력, 혹평

2단계 문제로 어휘 익히기 | 본문 55쪽 |

1 (1) ㉡ (2) ㉢ (3) ㉠ 2 (1) 피력 (2) 중언부언 (3) 실토
3 (1) 혹평 (2) 넋두리 4 ④

4 제시된 글에서 '피문오 씨'는 자신이 납득할 수 있도록 말해 보라며 상대방을 윽박지르고 있으므로, 이를 표현하는 말로는 '남을 단단히 윽박질러서 혼을 내다.'라는 의미의 '닦달하다'가 적절하다.

오답 풀이 ① '어르다'는 '어떤 일을 하도록 사람을 구슬리다.'의 뜻이므로 상대방을 다그치고 윽박지르는 상황을 표현하기에는 적절하지 않다.
② '갈취하다'는 '남의 것을 강제로 빼앗다.'의 뜻이므로 적절하지 않다.
③ '반색하다'는 '매우 반가워하다.'의 뜻이므로 적절하지 않다.
⑤ '하소연하다'는 '억울한 일이나 잘못된 일, 딱한 사정 따위를 말하다.'의 뜻이므로 적절하지 않다.

3단계 독해로 어휘 다지기 | 본문 56~57쪽 |

1 ④ 2 ⑤ 3 ①

[눈길_이청준]

■ **해제** 이 글은 아내와 어머니가 나눈 '눈길'에 얽힌 대화를 통해, 자식의 도리를 거부했던 '나'가 어머니의 사랑을 깨닫는 과정을 그린 소설이다. '나'와 어머니의 회상이 이야기의 주를 이루고 있으며, '옷궤', '눈길' 등 상징적 의미의 소재를 통해 주제를 형상화하고 있다.

■ **주제** 어머니의 사랑에 대한 깨달음과 인간적 화해

■ **특징** • 과거 회상을 통해 이야기가 전개되는 역순행적 구성임
• '나'의 이야기를 외부로, 어머니의 이야기를 내부로 하는 액자식 구성을 취함

■ **구성**

오랜만에 고향의 어머니를 찾아온 '나'는 불쑥 내일 아침 떠나겠다고 말함
'나'는 지붕을 개량하고 싶어 하는 어머니 때문에 심기가 불편해짐
수록 '나'는 집을 팔 때의 상황과, 옷궤와 관련된 과거를 캐묻는 아내 때문에 어머니에게 진 빚이 드러날까 봐 애가 탐
'나'는 어머니와 아내의 대화를 통해, 오래전 새벽에 눈길을 걸었던 어머니의 심정을 듣게 됨
어머니의 사랑을 깨달은 '나'는 누운 채로 뜨거운 눈물을 흘림

감상 체크

1 회상 2 옷궤 3 사랑

1 이 글에서 '나'는 과거 회상을 통해 옷궤에 대한 기억을 떠올려 서술하고 있으므로, 역순행적 구성을 통해 사건을 입체적으로 전달하고 있다고 볼 수 있다.

오답 풀이 ① 이 글의 서술자는 '나'로 유지되고 있다.
② 이 글에서는 옛집과 옷궤에 얽힌 이야기들을 바탕으로 이와 관련이 있는 '나'의 과거의 이야기를 회상의 형식을 통해 서술하고 있다. 즉, 관련성 없는 짤막한 이야기들을 삽입하는 삽화식 구성을 취하고 있지 않다.
③ 이 글에서는 '나'가 회상한 과거의 이야기가 주로 전개되고 있을 뿐, 장면이 자주 전환되지 않으며 긴박한 분위기도 느껴지지 않는다.
⑤ 이 글은 인물이 길을 따라 이동하며 사건을 겪는 여로형 구성을 취하고 있지 않다.

2 [A]에서 어머니는 '나'에게 집이 팔린 사실을 감추고 있는데, 여기에는 '나'가 옛날 같은 분위기 속에서 하룻밤만이라도 편히 쉬고 가기를 바라는 어머니의 심리가 담겨 있다. ㉠ '저녁', ㉢ '걸레질', ㉣ '이불 한 채'는 어머니가 옛집의 분위기를 되살려 '나'의 괴로운 잠자리를 위로하고 싶은 마음에서 준비한 것들이므로, [A]에 내재된 인물의 심리가 반영된 것으로 볼 수 있다.

오답 풀이 '문간'(㉡)은 대문이나 중문 따위의 출입문이 있는 곳으로, '나'는 이곳을 들어서며 빈집이 되어 버린 집안의 썰렁한 분위기를 느낀다. '다른 가재도구'(㉤)는 집이 팔린 후 여기저기를 떠도느라 갖추지 못했던 것으로, 힘겨웠던 어머니의 삶을 보여 준다. 따라서 ㉡, ㉤은 [A]에 드러난 어머니의 심정과는 관련이 없는 것들이다.

3 옷궤는 '나'(아들)에 대한 '노인'(어머니)의 사랑을 상징하는 소재이다. 따라서 옷궤는 '나'와 '노인'과 연관된 소재이므로, '아내'와 '노인' 간의 갈등을 유발하는 소재로는 볼 수 없다.

오답 풀이 ② '노인'은 옷궤를 남겨 두어 옛집과 같은 분위기 속에서 아들이 하룻밤만이라도 편히 쉬다 갈 수 있게 하려고 하였다. 따라서 옷궤는 '나'에 대한 어머니의 사랑을 상징하는 소재이다.

③, ④ '나'는 옷궤를 보며 과거 옛집에서의 마지막 밤을 떠올리고, 부인하고 싶은 어머니의 사랑을 느끼면서 마음이 불편해진다. 따라서 옷궤는 '나'에게 과거를 회상하게 하는 매개체이면서, 빚 문서처럼 마음을 불편하게 하는 꺼림칙한 물건이다.

⑤ '노인'은 이십 년 가까이 옷궤를 버리지 않고 간직하고 있는데, 이는 집을 지키고 있다는 흔적으로 남겨 둔 것이다.

수능독해 특강 체크 | 주제별로 알아보는 **한자 성어**

위기와 관련된 한자 성어 | 본문 60~61쪽 |

01 ⓛ - ⓜ - ⓔ - ⓒ - ⓖ 02 ⓜ 03 ⓔ 04 ⓒ
05 ⓛ 06 ⓖ 07 백척간두 08 설상가상 09 풍전
등화 10 진퇴양난 11 십생구사

01 사면초가 구사일생 명재경각 누란지위 내우외환

(ⓛ) (ⓜ) (ⓔ) (ⓒ) (ⓖ)

07 '백전노장(百戰老將)'은 '수많은 싸움을 치른 노련한 장수, 온갖 어려운 일을 많이 겪은 노련한 사람을 이르는 말'이다. 따라서 어렵고 큰 위기에 처한 상황을 표현하는 문장에는 어울리지 않는다.

08 '금상첨화(錦上添花)'는 '비단 위에 꽃을 더한다는 뜻으로, 좋은 일 위에 또 좋은 일이 더하여짐을 비유적으로 이르는 말'이다. 따라서 나쁜 일이 잇따라 발생하는 상황을 표현하는 문장에는 어울리지 않는다.

09 '풍수지탄(風樹之歎)'은 '효도를 다하지 못한 채 어버이를 여읜 자식의 슬픔을 이르는 말'이다. 따라서 매우 위태로운 처지에 놓여 있는 상황을 표현하는 문장에는 어울리지 않는다.

---

07 일차 **01 문학 개념어**

1단계 문맥으로 어휘 확인하기 | 본문 62쪽 |

(1) 판소리 (2) 발림 (3) 창 (4) 서술자의 개입
(5) 아니리 (6) 편집자적 논평 (7) 장면의 극대화

2단계 문제로 어휘 익히기 | 본문 63쪽 |

1 (1) 아니리 (2) 판소리 2 (1) ○ (2) × 3 (1) 서술
자의 개입 (2) 발림 (3) 장면의 극대화 4 ⑤

4 어머니 '춘섬'에게 작별 인사를 한 뒤 정처 없이 집을 나서는 '길동'의 상황에 대해 서술자가 '어찌 가련치 않으리오.'라고 주관적인 평가를 드러내고 있으므로 '편집자적 논평'에 해당한다.

오답 풀이 ① '창'은 판소리를 가락에 맞추어 높은 소리로 부르는 것이다.
② '발림'은 판소리에서 소리의 극적인 전개를 돕기 위하여 몸짓이나 손짓으로 하는 동작이다.
③ '아니리'는 판소리에서 창을 하는 중간중간에 가락을 붙이지 않고 이야기하듯 엮어 나가는 말이다.
④ '장면의 극대화'는 판소리에서 어떤 대목이나 장면을 짧은 어구로 장황하게 나열하는 방식이다.

---

07 일차 **02 고전 소설 주제어** _성품

1단계 문맥으로 어휘 확인하기 | 본문 64쪽 |

(1) 의로운 (2) 어진 (3) 아량 (4) 용맹 (5) 비범
(6) 방자(교만), 교만(방자) (7) 염치 (8) 구차 (9) 간사

2단계 문제로 어휘 익히기 | 본문 65쪽 |

1 (1) ⓒ (2) ⓖ (3) ⓛ 2 (1) 방자 (2) 간사 3 (1) 의로
운 (2) 교만 (3) 구차 4 ②

4 박 소저는 시아버지 이 판서에게, 종에게 못난 말을 비싼 값으로 사 오도록 시키라고 부탁하고 있다. 이 판서는 이런 며느리의 이상한 부탁을 들어주고 있는데, 이는 며느리의 재주가 뛰어나다는 것을 믿기 때문이다. 따라서 빈칸에는 '보통 수준보다 훨씬 뛰어나다.'라는 뜻을 가진 '비범하다'가 들어가는 것이 적절하다.

❸ '교만하다'는 '잘난 체하며 뽐내고 건방지다.'라는 뜻이므로 적절하지 않다.

❹ '용맹하다'는 '용감하고 사납다.'라는 뜻이므로 적절하지 않다.

❺ '맹랑하다'는 '하는 짓이 만만히 볼 수 없을 만큼 똘똘하고 깜찍하다.'라는 뜻으로, 남보다 뛰어난 재주가 있음을 표현하는 문맥에는 어울리지 않는다.

3단계 **독해로 어휘 다지기** | 본문 66~67쪽 |

1 ⑤   2 ②   3 ④

[토끼전_작자 미상]

■ **해제** 이 작품은 조선 후기에 판소리로 구연된 판소리계 소설이며 대표적인 우화 소설이다. 토끼와 자라, 자라와 용왕, 토끼와 용왕의 속고 속이는 대결 속에서 토끼가 위기를 겪고 극복하는 과정이 중심적인 내용이다. 이 작품은 동물을 의인화하여 현실을 풍자하고 있는데, 제시된 부분에서는 용왕에 대한 충성심을 지키기 위해 토끼로 대변되는 민중을 희생시키려는 자라의 모습을 드러냄으로써 이기적인 지배 계층의 행태를 비판하고 있다.

■ **주제** • 욕심에 대한 경계와 위기를 극복하는 지혜
　　　　• 이기적인 지배 계층에 대한 비판

■ **특징** • 동물을 의인화하여 인간 사회를 풍자함
　　　　• 판소리계 소설로, 서민 의식을 바탕으로 한 풍자와 해학이 드러남

■ **구성**

용왕이 병이 들자 약으로 쓸 토끼의 간을 구하기 위해 자라가 육지로 떠남
수록 자라가 토끼를 유혹하여 수궁으로 데려감
토끼는 간을 육지에 두고 왔다고 하여 죽을 위기를 넘기고, 자라와 육지로 다시 나옴
육지에 도착한 토끼는 간을 빼놓고 다니는 동물이 어디 있냐며 자라를 조롱하고 달아남
좌절한 자라가 스스로 죽으려 할 때 한 도인이 나타나 용왕을 구할 선약을 줌

감상 체크

1 수궁   2 고생   3 공

---

1 ⓐ의 '오죽이나 고생이 심했으면 정든 제 고장을 떠나 낯선 고장으로 갈 생각을 하였으랴.'에서는 수궁으로 가는 토끼의 처지에 대한 서술자의 연민이 드러나고 있다. 이처럼 인물의 행위나 상황에 대해 외부 서술자가 평가하는 것을 '편집자적 논평'이라고 한다.

오답 풀이 ❶ '배경 묘사'는 시간적 배경이나 공간적 배경을 그림을 그리듯이 구체적으로 그려 내는 것이다.

❷ '요약적 제시'는 인물의 상황이나 시간의 흐름을 압축하여 서술하는 방식이다.

❸ '장면의 전환'은 시간적·공간적 배경이 바뀌거나 사건이 바뀌는 것을 말한다.

❹ '장면의 극대화'는 어떤 대목이나 장면을 짧은 어구로 장황하게 나열하는 방식이다.

2 ⓒ에서 토끼는 '농짝 같은 물이 들입다 때리는 걸' 보고는 놀라서 수궁으로 가지 않겠다고 말하고 있다. 따라서 토끼는 물을 보고 무서워서 마음을 바꾼 것이지, 자라의 의도를 알기 위해 엄살을 부린 것이 아니다.

오답 풀이 ❶ ㉠에서 자라는 맹자, 강태공, 한신이의 고사를 활용하여 수궁에 가면 귀해질 수 있다고 토끼를 설득하고 있다.

❸ ㉢에서 자라가 뒤지가 없으니 똥을 누고 물에다 훌렁훌렁해 버리라고 하거나 입 벌리면 짠물이 입에 들어가 벙어리가 된다고 말하는 부분에서 해학적 표현을 사용하여 독자의 웃음을 유발하고 있다.

❹ ㉣에서 자라는 자신의 등에 앉아 노래를 부르고 크게 웃는 토끼를 보고 교만하다며 못마땅하게 여기고 있다.

❺ ㉤에서 자라는 바다 한가운데까지 왔으니 자신의 진짜 의도를 안다고 해도 토끼가 도망갈 방법이 없다고 생각하여 여유를 보이고 있다.

3 [A]에서 자라는 '간사한 토끼를 얻어 공을 이'루겠다고 노래하고 있을 뿐, 토끼의 처지에 공감하는 마음을 표현하고 있지 않다.

오답 풀이 ❶ 토끼를 '간사한'이라고 평가하고 있다.

❷ '한 조각 붉은 마음', '한갓 용왕님 기쁜 빛을 보려 하도다.' 등에서 용왕에 대한 충성심이 드러난다.

❸ '이 몸이 수고를 아끼지 않음이여', '공을 이룸이여' 등에서 자신의 노력에 대한 자부심이 드러난다.

❺ '왕궁이 편안함을 기리도다.'에서 수궁의 앞날에 대한 기대감을 드러내고 있다.

---

08 **01 문학 개념어**
일차

1단계 **문맥으로 어휘 확인하기** | 본문 68쪽 |

(1) 영웅 소설   (2) 우화   (3) 비판 소설   (4) 가정 소설
(5) 몽자류 소설, 환몽 구조   (6) 판소리계 소설, 애정 소설

2단계 **문제로 어휘 익히기** | 본문 69쪽 |

1 (1) ㉡ (2) ㉠ (3) ㉢   2 (1) 몽자류 소설 (2) 우화, 비판 소설   3 (1) ✕ (2) ○   4 ③

3 (1) 환몽 구조는 '꿈 – 현실 – 꿈'의 구조로 나타나는 것이 아니라, '현실 – 꿈 – 현실'의 구조로 나타난다.

4 「사씨남정기」는 중국의 한림학사인 유한림의 가정을 배경으로 하여 덕성을 갖춘 본처 사 씨와 간사한 첩 교 씨 간의 갈등을 중심으로 이야기가 전개되는 가정 소설이다.

오답 풀이 ❶ '우화'는 의인화한 동식물이나 기타 사물을 주인공으로 하여 그들의 행동 속에 풍자와 교훈의 뜻을 나타내는 이야기이므로 적절하지 않다.
❷ '애정 소설'은 남녀 간의 사랑을 주제로 하는 소설이므로 적절하지 않다.
❹ '영웅 소설'은 주인공의 영웅적인 일생을 그린 소설이므로 적절하지 않다.
❺ '몽자류 소설'은 주인공이 꿈속에서 현실과 전혀 다른 일생을 겪은 다음, 꿈에서 깨어나 깨달음을 얻는 이야기를 담은 소설이므로 적절하지 않다.

08일차 02 고전 소설 주제어 _행동, 태도

1단계 문맥으로 어휘 확인하기 | 본문 70쪽 |

(1) 희롱　(2) 가관　(3) 황망　(4) 심산　(5) 하직
(6) 위의　(7) 굽실거리고　(8) 결박　(9) 거동, 종적

2단계 문제로 어휘 익히기 | 본문 71쪽 |

1 (1) ⓒ (2) ⓛ (3) ⓖ　**2** (1) 종적 (2) 하직　**3** (1) 심산
(2) 굽실거리며 (3) 황망　**4** ②

4 제시된 장면을 보면 서대주가 어떤 놈이든지 잡아들이라고 하자 쥐들이 딱부리를 에워싸고 뺨을 치며 몰아갔다고 하였으므로, 빈칸에는 '몸이나 손 따위를 움직이지 못하도록 동이어 묶음'의 뜻인 '결박'을 쓰는 것이 가장 적절하다.

오답 풀이 ❶ '거동'은 '몸을 움직임. 또는 그런 짓이나 태도'를 뜻하므로 제시된 장면에는 어울리지 않는다.
❸ '분개'는 '몹시 분하게 여김'을 뜻하므로 제시된 장면에는 어울리지 않는다.
❹ '정복'은 '남의 나라나 이민족 따위를 정벌하여 복종시킴'을 뜻하므로 제시된 장면에는 어울리지 않는다.
❺ '하직'은 '먼 길을 떠날 때 웃어른께 작별을 고하는 것'을 뜻하므로 제시된 장면에는 어울리지 않는다.

3단계 독해로 어휘 다지기 | 본문 72~73쪽 |

1 ①　　**2** ⑤　　**3** ④

[홍계월전_작자 미상]

■**해제** 이 작품은 명나라를 배경으로 하여, 남성보다 우월한 능력을 지닌 주인공 홍계월의 고행과 활약을 그린 여성 영웅 소설이다. 계월은 전 군사를 이끄는 원수가 되어 위기에 처한 나라를 구하는데, 이는 조선 후기 여성들의 성장된 의식과 사회 진출 욕구가 반영된 것이다.

■**주제** 홍계월의 고행과 영웅적 능력

■**특징** • 영웅 소설의 서사 구조가 드러남
　　　 • 남성보다 우월한 여성 주인공이 등장함
　　　 • 과장된 표현으로 주인공의 영웅적 면모를 강조함

■**구성**

홍시랑 부부가 난을 피하다가 딸 계월을 잃어버림
수록 물에 빠져 죽을 뻔한 계월은 여공에게 구출되어 남자로 자라고, 과거에 합격한 후 전쟁터에서 부모를 다시 만남
계월이 여자임이 밝혀져 여공의 아들 보국과 결혼한 후 첩 영춘으로 인해 갈등을 겪음
계월이 전쟁터에 나가 적장을 죽이고 위기에 빠진 보국을 구하여 화해함
공을 세운 계월은 남편 보국과 함께 나라에 충성하며 행복하게 삶

감상 체크

1 부모님　**2** 서달　**3** 영웅

1 ⓖ '호령'은 '부하나 동물 따위를 지휘하여 명령함. 또는 그 명령'을 뜻한다. '잘못을 꾸짖거나 나무라며 못마땅하게 여김'을 뜻하는 단어는 '책망'이다.

오답 풀이 ❷ ⓛ '결박'은 '몸이나 손 따위를 움직이지 못하도록 동이어 묶음'의 뜻이므로 적절하다.
❸ ⓒ '황급'은 '몹시 어수선하고 급박함'의 뜻이므로 적절하다.
❹ ⓔ '거동'은 '몸을 움직임. 또는 그런 짓이나 태도'의 뜻이므로 적절하다.
❺ ⓜ '작란'은 '난리를 일으킴'의 뜻이므로 적절하다.

2 (나)에서 계월의 군졸은 여인 수인을 데리고 산중에 숨어 있던 홍시랑을 발견하고 잡아 왔을 뿐, 홍시랑을 서달의 부하로 의심하여 잡아 온 것은 아니다.

오답 풀이 ❶ (나)에서 계월의 군졸이 "어떤 사람이 여인 수인을 데리고 산중에 숨었기로 잡아 대령하였나이다."라고 말하는 부분에서 알 수 있다.
❷ 앞부분의 줄거리와 (가)를 보면 계월은 서달이 반란을 일으켜 이를 물리치고자 벽파도로 갔음을 알 수 있다.
❸ (라)의 '보국은 이왕 평국이 부모 잃은 줄을 아는지라'에서 알 수 있다.
❹ (다)에서 계월이 홍시랑 부부를 잡은 후 이들이 적과 통했다고 의심하고 처형하려 하자 양 부인은 울며 한탄을 한다. 계월은 이 양 부인의 말을 듣고 이들이 자신의 부모임을 짐작하고 사실을 확인하게 된다. 홍시랑 부부 역시 평국이, 자신이 계월임을 밝히고 난 후에야 딸임을 알아본다.

3 홍시랑 부부의 목을 베려 하는 행위는 계월의 고난과 시련이라고 보기 어렵다. 이는 오히려 계월이 자신의 부모를 찾게 되는 계기가 되므로 영웅 소설의 서사 구조 중 '또 다른 고난과 시련'에 해당하지 않는다.

오답 풀이 ❶ 계월이 어릴 적 장사랑의 반란으로 부모와 헤어지고 물에 빠지는 것은 영웅 소설의 주인공이 어려서 겪는 고난과 시련에 해당한다. ❷ 물에 빠진 계월은 여공에게 구출되어 보국과 함께 키워지는데, 이는 조력자의 등장으로 주인공이 역경을 극복하는 내용에 해당한다. ❸ 여자인 계월이 남장을 하고 과거에 급제하여 원수가 되고, 전쟁에 출정하여 반란군을 물리치는 것은 영웅 소설의 주인공이 탁월한 능력을 발휘하는 것이라 볼 수 있다. ❺ 계월이 서달의 반란을 제압하고 큰 공을 세우는 것은 영웅 소설의 주인공이 투쟁에서 승리하는 내용에 해당한다.

수능독해 특강 체크 주제별로 알아보는 속담

분수, 재능과 관련된 속담 | 본문 76~77쪽 |

01 ㉣   02 ㉫   03 ㉠   04 ㉢   05 ㉤   06 ㉢
07 송충이는 솔잎을 먹어야 한다   08 개, ㉢   09 용, ㉣
10 제비, ㉠   11 굼벵이, ㉡   12 뛰는 놈 위에 나는 놈 있다

07 제시된 글에서 A씨는 기존에 해 오던 연기 활동이 아닌 전혀 다른 일인 의류 사업에 도전했다가 실패를 경험했다. 그러고 나서 다시 연기 활동을 시작한 그는 자신은 연기를 해야 하는 사람이며 지금이 더 행복하다고 말하고 있다. '송충이는 솔잎을 먹어야 한다'는 자기 분수에 맞게 행동해야 함을 비유적으로 이르는 속담이므로, A씨의 이러한 경험과 관련이 있다고 볼 수 있다.

12 정국이는 그림 대회에 참가해 다른 사람들의 뛰어난 그림 실력을 보고, 자신의 그림 실력이 그리 뛰어나지 않음을 깨달았다. 따라서 빈칸에는 아무리 재주가 뛰어나다 하더라도 그보다 더 뛰어난 사람이 있다는 뜻의 '뛰는 놈 위에 나는 놈 있다'가 들어가는 것이 적절하다.

---

09 일차   **01 문학 개념어**

1단계 문맥으로 어휘 확인하기 | 본문 78쪽 |

(1) 주술적   (2) 전기성   (3) 우연성   (4) 초월계
(5) 인과응보, 권선징악   (6) 비현실성   (7) 우의적

2단계 문제로 어휘 익히기 | 본문 79쪽 |

1 (1) ㉡ (2) ㉢ (3) ㉠   2 (1) 권선징악 (2) 우의적
3 (1) × (2) ○   4 ④

4 「적성의전」은 선인인 성의가 악인 항의의 시기와 그로 인한 악행으로 고난을 당하지만, 결국 이를 극복하고 성공하여 고국으로 돌아온다는 이야기이다. 이를 통해 「적성의전」의 주제는 '선악의 결과에 따라 행복과 불행이 결정된다.'는 의미의 인과응보라는 것을 알 수 있다.

오답 풀이 ❶ '주술'은 '불행이나 재해를 막으려고 주문을 외거나 술법을 부리는 일'을 의미한다. 성의가 항의에 의한 고난을 극복하는 과정에서 주술을 부렸다는 내용도 확인할 수 없으며, 이를 불교적 주제라고 볼 수도 없다. ❷ '초월계'는 '경험이나 일반적인 판단의 범위를 벗어나 그 바깥 또는 그 위에 위치하는 세계'를 의미한다. 성의가 어머니의 약을 구하기 위해 초월계를 경험하는 내용이 나오기는 하지만, 이를 소설의 주제라고 보기는 어렵다. ❸ '비현실성'은 '현실과는 동떨어진 성질'을 의미한다. 성의가 선약을 구하는 과정이나 눈을 뜨게 되는 내용 등에서 비현실성이 드러나기는 하지만, 이를 소설의 주제라고 보기는 어렵다. ❺ '윤회 사상'은 '번뇌와 업에 의하여 삶과 죽음을 그치지 아니하고 돌고 도는 일'을 의미한다. 불교적인 내용은 맞지만 「적성의전」에서 삶과 죽음이 돌고 도는 내용은 드러나지 않으므로, 이를 소설의 주제라고 보기는 어렵다.

---

09 일차   **02 고전 소설 주제어** _죄와 벌_

1단계 문맥으로 어휘 확인하기 | 본문 80쪽 |

(1) 간계   (2) 불측하다   (3) 모해(모함)   (4) 책망, 가책
(5) 흉계   (6) 포박   (7) 역적, 모함, 귀양

2단계 문제로 어휘 익히기 | 본문 81쪽 |

1 (1) × (2) × (3) ○   2 (1) 책망 (2) 간계   3 (1) 모해
(2) 포박   4 ③

4 제시된 장면은 중국 대신들이 치원을 시기하여 모함하는 장면이다. 치원이 황제의 수레가 들어와도 공손하게 받들지 않는다고 비난하고 있으므로, 문맥상 '생각이나 행동 따위가 괘씸하고 엉큼하다.'는 뜻을 가진 '불측하다'가 가장 어울린다.

오답 풀이 ❶ '모함'은 '나쁜 꾀로 남을 어려운 처지에 빠지게 함'이라는 뜻이므로, 중국 대신들이 치원을 대상으로 하는 행동이지 대신들이 지적하는 치원의 행동이라고 볼 수 없다.
❷ '포박'은 '잡아서 묶음'이라는 뜻이므로, 중국 대신들이 지적하고 있는 치원의 무례한 행동이라고 보기 어렵다.
❹ '모해'는 '꾀를 써서 남을 해침'이라는 뜻이므로, 중국 대신들이 치원을 대상으로 하는 행동이다.
❺ '책망'은 '잘못을 꾸짖거나 나무라며 못마땅하게 여김'이라는 뜻이므로, 대신들이 지적하는 치원의 행동이라고 볼 수 없다.

3단계 독해로 어휘 다지기 | 본문 82~83쪽 |

1 ①　　2 ④　　3 ④

[옹고집전_작자 미상]

■**해제** 이 작품은 설화를 바탕으로 만들어진 판소리계 소설로, 성질이 고약하고 인색한 주인공 옹좌수가 불도를 업신여기다가 초월적 인물의 도술로 혼이 나는 과정을 그린 소설이다. 여기서 옹좌수(옹고집)는 조선 후기 화폐 경제의 발달 속에서 물질적 욕망만을 추구하는 반윤리적 인물에 해당한다. 제시된 부분은 초월적 인물인 도사의 명령으로 찾아온 학대사를 옹고집이 무시하고, 이에 학대사가 허수아비로 가짜 옹고집(허옹가)을 만들어 진짜 옹고집(실옹가)을 벌하는 장면이다.

■**주제** 인간의 참된 도리에 대한 교훈, 권선징악

■**특징** • 비현실적인 요소가 드러남
　　　• 사건이 해학적으로 전개됨
　　　• 설화 '장자못 이야기', '쥐를 기른 이야기'와 관련된 내용이 드러남

■**구성**

성질이 고약하고 인색한 옹고집이 어머니께 불효하고 스님을 박대함
수록 도사가 보낸 학대사가 옹고집을 벌주기 위해 허수아비로 가짜 옹고집을 만듦
진짜 옹고집과 가짜 옹고집이 서로 자신이 진짜라고 다툼
진짜 옹고집이 송사에서 지고, 매를 맞고 쫓겨나 거지가 되어 떠돌아다님
도사가 옹고집을 용서해 주자, 진짜 옹고집은 가족과 재산을 되찾고 개과천선하여 행복하게 삶

감상 체크

1 학대사　　2 불도　　3 허옹가

1 '모함'은 '나쁜 꾀로 남을 어려운 처지에 빠지게 함'을 뜻한다. 제시된 장면은 취암사 도사가 학대사를 보내 불도를 업신여기고 불효한 옹좌수를 혼내 주는 내용이므로, 나쁜 꾀를 쓰는 상황이라고 볼 수 없다. ⓐ에는 '잘못을 꾸짖거나 나무라며 못마땅하게 여김'을 뜻하는 '책망'이 어울린다.

오답 풀이 ❷ 앞의 '수륙재를 올릴 적에'와 뒤의 '소원대로 되나이다'라는 구절을 고려할 때, ⓑ에는 신적 존재에게 자기의 뜻을 아뢰고 그것이 이루어지기를 비는 일을 뜻하는 '축원'이 어울린다.
❸ 앞의 '불충불효 태심하며'라는 구절을 통해, ⓒ에는 생각이나 행동 따위가 괘씸하고 엉큼하다는 뜻을 지닌 '불측'이 들어가는 것이 적절함을 알 수 있다.
❹ 가짜 옹고집인 허옹가가 종들에게 집안일을 명령하고 진짜 옹고집인 양 자연스럽게 앉아 있는 장면이므로, ⓓ에는 태도나 기색이 아무렇지도 않은 듯이 예사로움을 뜻하는 '태연'이 어울린다.
❺ 마님이 옹좌수가 평소에 불도를 업신여기고 늙은 모친께 불효했으므로 벌을 받아 마땅하다고 말하고 있는 부분이므로 ⓔ에는 정성을 들이지 않고 아무렇게나 하는 대접을 뜻하는 '박대'가 어울린다.

2 (나)에서 옹좌수는 시주를 청하는 학대사에게 불충불효하고 불측한 중이라고 말하며 그를 비하하고 있을 뿐, 도사가 학대사를 보냈다는 사실은 알지 못하고 있다.

오답 풀이 ❶ (가)에서 도사가 학대사를 불러 이르는 말과 (다)의 마님의 말에서 옹좌수가 평소에 불도를 업신여겼음을 알 수 있다.
❷ (다)에서 학대사가 만든 허수아비, 즉 허옹가가 종들의 이름을 하나하나 부르며 집안일을 시키는 장면에서 허옹가가 실옹가의 집안 종들에 대해 알고 있음이 드러난다.
❸ (가)에서 취암사의 도사가 높은 술법을 지니고 있음을 서술자가 직접 말해 주고 있다. 또한 (다)에서 허수아비로 가짜 옹좌수를 만드는 학대사 역시 술법이 높다고 서술되어 있다.
❺ (다)에서 마님의 말을 보면 옹좌수가 평소에 악행을 저질러 벌을 받는 것이라는 마님의 생각이 드러난다. 이는 마님이 실옹가의 행동에 문제가 있다고 생각하고 있음을 보여 주는 것이다.

3 학대사가 도술로 허옹가를 만든 것은 비현실적인 사건에 해당한다(ⓛ). 그리고 (다)의 '노복들이 얼이 빠져 이도 보고 저도 보고~그 옹이 그 옹이요.', '일이 났소~일이 났소!' 등과 같은 부분에서 운율을 느낄 수 있다(ⓔ).

오답 풀이 ㉠ 주인공 옹좌수는 외모도 '말대가리 주걱턱'이라고 희화화되어 있으며 악행을 일삼는 인물이므로, 외모가 출중하고 재주가 남다른 인물이라고 볼 수 없다. ⓒ 이 글에서 비현실성은 드러나지만 우연적인 사건이 발생하지는 않는다.

---

10 일차 01 문학 개념어

1단계 문맥으로 어휘 확인하기 | 본문 84쪽 |

(1) 인서트　　(2) 오버랩　　(3) 장면, 장면 번호　　(4) 내레이션, 효과음　　(5) 클로즈업, 롱 숏　　(6) 페이드인　　(7) 몽타주, 시퀀스

2단계 문제로 어휘 익히기 | 본문 85쪽 |

1 (1) × (2) × (3) ○   **2** (1) 내레이션 (2) 인서트
3 (1) 시퀀스 (2) 몽타주   **4** ④

4 빈칸의 앞부분을 보면 '일기장 끝에 또렷이 적혀 있는 수하의 연필 메모'라고 되어 있고, 뒷부분에는 그 메모의 내용이 제시되어 있다. 따라서 빈칸에는 메모의 내용이 관객에게 보이도록 일기장의 내용을 확대하여 화면에 보여 주는 '클로즈업' 기법이 들어가는 것이 가장 적절하다.

오답 풀이 ❶ '롱 숏'은 먼 거리에서 전체 풍경을 촬영하는 기법이므로, 일기장의 구체적인 내용을 보여 주기에 적절하지 않다.
❷ '오버랩'은 앞 화면이 끝나기 전에 뒤의 화면이 포개어지면서 장면을 전환하는 기법이다. 제시된 장면은 일기장의 구체적인 내용을 보여 주는 부분이므로, 장면이 전환되는 부분이라고 보기 어렵다.
❸ '페이드인'은 화면이 점점 밝아지는 효과인데, 제시된 장면은 메모의 내용을 보여 주어야 하므로 화면을 밝게 하는 방법으로 처리하는 것은 적절하지 않다.
❺ '내레이션'은 장면에 나타나지 않으면서 내용이나 줄거리를 장면 밖에서 해설하는 것이다. 일기장에 있는 메모의 구체적인 내용을 보여 주는 장면이므로, 내용이나 줄거리를 해설하는 방법을 사용하는 것은 적절하지 않다.

10 일차   02 극 주제어 _ 시대

1단계 문맥으로 어휘 확인하기 | 본문 86쪽 |

(1) 부마 (2) 서자, 상공 (3) 소저, 시비 (4) 대장부, 장졸
(5) 사랑방, 대청, 행랑채

2단계 문제로 어휘 익히기 | 본문 87쪽 |

1 (1) ㉠ (2) ㉡ (3) ㉢   **2** (1) 장졸 (2) 서자   **3** (1) ×
(2) ○   **4** ③

4 문맥상 빈칸에는 양반 아가씨인 '정 소저'를 모시는 역할을 하는 자를 이르는 말이 들어가야 한다. 따라서 '곁에서 시중을 드는 계집종'을 이르는 말인 '시비'가 적절하다.

오답 풀이 ❶ '부마'는 '임금의 사위'를 이르는 말이므로 문맥상 빈칸에 어울리지 않는 단어이다.
❷ '소저'는 '아가씨'를 한문 투로 이르는 말이므로 문맥상 빈칸에 어울리지 않는 단어이다.
❹ '상공'은 '재상을 높여 이르는 말'이므로 문맥상 빈칸에 어울리지 않는 단어이다.

❺ '대장부'는 '건장하고 씩씩한 사내'를 이르는 말이므로 문맥상 빈칸에 어울리지 않는 단어이다.

3단계 독해로 어휘 다지기 | 본문 88~89쪽 |

1 ③   **2** ②   **3** ⑤

[사랑방 손님과 어머니 _임희재 각색]

■ **해제** 이 작품은 주요섭의 소설을 각색한 시나리오이다. 젊은 나이에 남편을 잃고 딸 옥희와 살아가는 정숙이 남편의 옛 친구인 선호를 사랑방에 하숙생으로 들이면서 사랑과 사회적 관습 사이에서 갈등하는 모습을 다루고 있다. 제시된 부분은 안방과 사랑방이라는 분리된 공간에 자리한 정숙과 선호가 서로에 대한 사랑을 느끼지만, 죽은 남편에 대한 정조를 지켜야 한다는 사회적 제약 때문에 정숙이 괴로워하는 장면이다. 이는 남녀평등, 자유연애와 같은 근대적 가치가 수용되었음에도 실제적으로는 여전히 여성의 개가(결혼하였던 여자가 남편과 사별하거나 이혼하여 다른 남자와 결혼함)를 허용하지 않는 당시의 시대적 분위기를 반영하고 있는 것으로, 애정과 전통적 인습(因襲) 간의 갈등을 잘 드러내고 있는 장면이라고 할 수 있다.

■ **주제** 사회적 관습과 본능적 사랑 사이의 갈등
■ **특징** • 어린아이의 시각으로 애틋한 사랑을 그려 냄
        • 주인공의 미묘한 심리를 담담하게 묘사함
        • 풍경 묘사로 서정적인 분위기를 조성함

■ **구성**

할머니, 어머니 정숙과 살고 있는 옥희네 집에 죽은 아버지의 친구인 선호가 하숙을 듦
옥희는 선호와 친해져 선호에게 아버지가 되어 주었으면 좋겠다고 말함
[수록] 옥희는 자신이 가져온 꽃을 선호가 줬다고 거짓말을 하고, 이로 인해 정숙의 마음이 흔들림
할머니가 어머니 정숙과 선호가 서로 좋아한다는 사실을 알게 되고, 선호를 서울로 보내기로 함
선호는 옥희에게 인형을 주고 떠나 버리고, 정숙과 옥희는 뒷동산에 올라가 열차가 사라지는 것을 바라봄

감상 체크

1 갈등   **2** 피아노, 노랫소리   **3** 사진

1 '안방'은 전통 가옥에서 안주인이 거처하는 방으로, 이 글에서는 정숙이 거처하는 공간이다. 이와 대립되는 공간은 '사랑방'으로 바깥주인이 거처하며 손님을 접대하는 곳인데, 이 글에서는 손님인 선호가 거처하는 공간이다.

오답 풀이 ❶, ❷, ❹, ❺ 이 글에서 선호와 정숙은 '사랑방'과 '안방'이라는 분리된 공간에 머물고 있으면서 서로를 사랑하지만 사회적 관습 때문에 괴로움을 느끼고 있다. 마당, 문, 마루, 대청은 두 사람이 공유할 수 있는 공간이므로, 정숙이 거처하는 안방과 대립적인 의미를 갖는 공간이라고 보기 어렵다.

2 정숙은 피아노를 치며 노래를 부르다가 피아노에 엎드려 울고 있다. 이는 선호에 대한 사랑과 죽은 남편에 대한 정조를 지켜야 한다는 사회적 제약 사이에서 괴로워하는 정숙의 모습을 보여 준다. 따라서 정숙이 피아노를 치며 정서적 안정감을 되찾고 있다는 반응은 적절하지 않다.

오답 풀이 ❶ 정숙은 옥희에게 정말 꽃을 아저씨가 엄마 갖다주라고 한 것이 맞냐고 확인하고 있으며, 이런 걸 받아 오면 못쓴다고 옥희에게 화를 내고 있다. 이로 보아 정숙은 꽃을 선호가 줬다고 믿고 있음을 알 수 있다.

❸ 선호는 사랑방에서 앉아 안방에서 들려오는 정숙의 노랫소리를 들으며 격정적인 표정을 짓고 있다. 이는 선호의 내적 갈등이 표정으로 드러난 것이라고 볼 수 있다.

❹ 죽은 남편의 사진은 정숙에게 정조를 지켜야 한다는 압박감이 되었을 것이라고 짐작할 수 있다. 꽃을 받은 후에 죽은 남편의 사진을 치워 버린 것에서 이러한 사회적 억압에서 벗어나고 싶은 정숙의 마음이 드러난다.

❺ 정숙은 처음에는 나직이 노래를 부르지만, 점차 피아노와 노랫소리가 고조되고 결국 정숙은 피아노 위에 엎드려서 소리 없이 흐느낀다. 이로 보아 정숙의 내적 갈등이 피아노와 노랫소리를 통해 간접적으로 표현된 것임을 알 수 있다.

3 S# 86은 사랑방에서 어머니의 피아노 소리를 듣다가 잠든 옥희를 선호가 안아다가 정숙의 품에 안겨 주는 장면이다. 서로가 시선을 통해 애정을 느끼고 있는 것을 볼 때, 대사를 냉정한 어조로 처리하는 것은 적절하지 않다.

오답 풀이 ❶ S# 79는 '마당 − 대청'이 공간적 배경이고 S# 80은 '안방'이 공간적 배경이므로, 카메라의 위치를 달리하여 촬영해야 한다.

❷ S# 80에서는 옥희의 소리로 독백이 제시되고 있다. 이는 옥희의 생각을 직접적으로 표현한 독백이므로 내레이션(NAR.)을 활용하는 것이 적절하다.

❸ S# 84에서 선호는 사랑방에서 정숙의 노랫소리를 들으며 격정적인 표정을 짓고 있다. 이는 정숙에게 호감을 느끼면서도 다가갈 수 없어 괴로움을 느끼는 선호의 심리가 표정으로 드러난 것이다. 따라서 이를 강조하기 위해 선호의 얼굴을 확대하여 보여 주는 클로즈업 기법(C.U.)을 활용하는 것이 적절하다.

❹ S# 85에서 선호는 밖에서 기침 소리로 인기척을 내고 있으며, 선호의 대사 역시 효과음(E.)으로 처리되고 있다. 따라서 인물의 등장을 예고하기 위한 효과음(E.)을 활용하자는 내용은 적절하다.

01~06

수	손	방	정	으	로	서	발	자
발	목	이	떼	맞	밑	에	이	말
이	아	주	크	대	채	사	리	달
빠	굴	구	골	다	헤	눈	손	발
르	놋	지	에	벗	벌	야	이	두
다	아	실	발	지	부	대	닳	돌
앙	무	영	목	정	기	두	도	노
손	을	맞	잡	다	말	발	록	루
밀	말	천	다	치	나	아	랄	몸

07 제시된 문장에는 과제를 제출해야 하는 일이 급하게 닥친 상황을 나타내는 표현이 쓰여야 한다. 따라서 '일이 몹시 절박하게 닥치다.'의 뜻인 '발등에 불이 떨어지다'라는 표현을 쓰는 것이 적절하다. '불이 나다'는 '뜻밖에 몹시 화가 나는 일을 당하여 감정이 격렬해지다.' 또는 '몹시 긴장하거나 머리를 얻어맞거나 하여 눈에 불이 이는 듯하다.'의 뜻을 지닌 관용 표현이므로 제시된 문장의 내용과 관련이 없다.

10 제시된 문장에는 적성에 맞지 않는 일을 그만두고자 하는 상황을 나타내는 표현이 쓰여야 한다. 따라서 '하던 일을 그만두다.'의 뜻인 '손을 떼다'라는 표현을 쓰는 것이 적절하다. '손을 붙이다'는 '어떤 일을 시작하다.' 또는 '모자란 일손을 채우거나 노력을 들여 일하다.'의 뜻을 지닌 관용 표현이므로 제시된 문장의 내용과 관련이 없다.

11 제시된 문장에는 생활이 어려워져 다른 곳에 도움을 청하는 상황을 나타내는 표현이 쓰여야 한다. 따라서 '무엇을 달라고 요구하거나 구걸하다.'의 뜻을 지닌 '손을 벌리다'라는 표현을 쓰는 것이 적절하다. '손을 주다'는 '덩굴 같은 것이 타고 올라가도록 섶이나 막대기 따위를 대어 주다.'의 뜻을 지닌 관용 표현이므로 제시된 문장의 내용과 관련이 없다.

수능독해 특강 체크 주제별로 알아보는 관용 표현

손, 발과 관련된 관용 표현 | 본문 92~93쪽 |

01 손이 크다   02 발에 채다   03 손을 맞잡다   04 발이 빠르다   05 손이 닳도록   06 발목 잡다   07 떨어진   08 기다리고   09 잡는   10 떼고   11 벌려   12 발이 넓다, 발 벗고

독서 어휘

01 인문 주제어 _철학

1단계 문맥으로 어휘 확인하기 | 본문 94쪽 |

(1) 논증　(2) 개연적　(3) 유추　(4) 귀납　(5) 연역, 삼단 논법　(6) 추론, 유사성, 인과

2단계 문제로 어휘 익히기 | 본문 95쪽 |

1 (1) 인과　(2) 추론　(3) 논증　　2 (1) 유추　(2) 개연적
3 (1) ○　(2) ○　　4 ④

4 제시된 논증 과정을 보면, "나'와 동생, 아버지는 모두 손이 두 개이고 사람'이라는 개별적인 사실로부터 '모든 사람은 손이 두 개'라는 일반적인 결론을 도출하고 있다. 따라서 이는 '귀납' 논증에 해당한다.

오답 풀이 ❶ '유추'는 '두 개의 사물이 여러 면에서 비슷하다는 것을 근거로 다른 속성도 유사할 것이라고 추론하는 일'을 의미한다. 따라서 제시된 논증 과정에 해당하지 않는다.
❷ '논박'은 '어떤 주장이나 의견에 대하여 그 잘못된 점을 조리 있게 공격하여 말함'을 의미한다. 따라서 제시된 논증 과정과 관련 없는 단어이다.
❸ '변증'은 '사리를 밝혀 옳고 그름을 따짐으로써 증명함'을 의미한다. 따라서 제시된 논증 과정과 관련 없는 단어이다.
❺ '연역'은 '일반적인 사실이나 원리를 전제로 하여 개별적인 사실이나 보다 특수한 다른 원리를 이끌어 내는 추리'를 의미한다. 따라서 제시된 논증 과정에 해당하지 않는다.

02 인문 주제어 _사상

1단계 문맥으로 어휘 확인하기 | 본문 96쪽 |

(1) 기제　(2) 왜곡　(3) 반증　(4) 패러다임　(5) 오류, 범
(6) 모순　(7) 양상, 조성　(8) 구축

2단계 문제로 어휘 익히기 | 본문 97쪽 |

1 (1) ⓒ　(2) ⓛ　(3) ⊙　　2 (1) 범　(2) 왜곡　(3) 기제
(4) 구축　3 (1) 오류　(2) 패러다임　　4 ⑤

---

4 ⓐ와 ⓑ는 ⓐ가 사실일 경우 ⓑ가 사실일 수 없고, ⓑ가 사실일 경우 ⓐ가 사실일 수가 없는, 즉 사실의 앞뒤가 맞지 않는 문장에 해당한다. 따라서 ⓐ와 ⓑ는 서로 이치상 어긋나서 맞지 않는 관계, 즉 '모순' 관계에 있는 문장이라고 할 수 있다.

오답 풀이 ❶ '밀접'은 '아주 가깝게 맞닿아 있음. 또는 그런 관계에 있음'을 의미하므로, ⓐ와 ⓑ의 관계를 가리키는 단어로 적절하지 않다.
❷ '반어'는 '표현의 효과를 높이기 위하여 실제와 반대되는 뜻의 말을 하는 것'을 의미하므로, ⓐ와 ⓑ의 관계를 가리키는 단어로 적절하지 않다.
❸ '보완'은 '모자라거나 부족한 것을 보충하여 완전하게 함'을 의미하므로, ⓐ와 ⓑ의 관계를 가리키는 단어로 적절하지 않다.
❹ '협력'은 '힘을 합하여 서로 도움'을 의미하므로, ⓐ와 ⓑ의 관계를 가리키는 단어로 적절하지 않다.

3단계 독해로 어휘 다지기 | 본문 98~99쪽 |

1 ③　　2 ⑤　　3 ④

[칸트와 셸러의 인격관]

■ **해제** 이 글은 인격에 대한 두 철학자의 견해를 비교하여 설명한 글이다. 먼저 이 글에서는 인격을 이성을 바탕으로 인식하고, 누구나 동일하게 가지고 있는 보편적인 것으로 본 칸트의 견해를 설명하고 있다. 이어 인간의 감정은 배제하고 이성만을 강조한 칸트의 견해를 비판하고, 인격은 인간으로 하여금 어떤 가치를 지향하게 하는 감정 작용의 통일체이며 개별적인 것임을 주장한 셸러의 견해를 설명하고 있다. 또한 이러한 셸러의 인격관이 이후 도덕 교육의 토대를 정립한 가치 있는 것임을 밝히고 있다.

■ **주제** 인격에 대한 칸트와 셸러의 견해
■ **특징** 도덕적 개념에 대한 두 철학자의 견해를 비교하고, 그 차이점을 세부적으로 제시함

■ **구성**

1문단	인격에 대한 칸트의 견해
2문단	칸트의 견해를 비판하는 입장에서 제시한 셸러의 인격 개념
3문단	셸러가 주장하는 가치와 감정의 특징
4문단	셸러가 주장한 감정의 역할
5문단	인격에 대한 셸러의 견해와 셸러의 인격관이 지닌 의의

독해 체크

1 인격　　2 ■ 인격　② 칸트　③ 가치　④ 감정　⑤ 의의
3 칸트, 셸러

독서 어휘 **17**

1 ⓒ '지향(志向)'의 사전적 의미는 '어떤 목표로 뜻이 쏠리어 향함. 또는 그 방향이나 그쪽으로 쏠리는 의지'이다. '더 높은 단계로 오르기 위하여 어떠한 것을 하지 아니함'은 '지양(止揚)'의 사전적 의미에 해당한다.

오답 풀이 ❶ ⓐ '인식'은 '사물을 분별하고 판단하여 앎'의 뜻이므로 적절하다.

❷ ⓑ '배제'는 '받아들이지 아니하고 물리쳐 제외함'의 뜻이므로 적절하다.

❹ ⓓ '왜곡'은 '사실과 다르게 해석하거나 그릇되게 함'의 뜻이므로 적절하다.

❺ ⓔ '토대'는 '어떤 사물이나 사업의 밑바탕이 되는 기초와 밑천을 비유적으로 이르는 말'이므로 적절하다.

2 3문단에서는 셸러가 감정에도 객관적인 위계질서가 있음을 주장하고, 인격이 감정 작용을 통해 더 높은 가치를 선택하여 선(善)을 실현할 수도 있고, 또 낮은 가치를 선택하여 악을 실현할 수도 있다고 언급하였음을 제시하고 있다. 이를 통해 셸러가 인간의 감정이 어떤 가치를 지향하느냐에 따라 인격의 차이가 나타난다고 주장했음을 알 수 있다.

오답 풀이 ❶ 2문단을 통해 셸러가 인격을 인간으로 하여금 어떤 가치를 지향하게 하는 감정 작용의 통일체로 보았음을 알 수 있다. 또한 3문단을 통해 셸러가 가치의 위계질서를 직관적으로 파악하는 것이 감정이라고 보았음을 알 수 있다. 따라서 셸러가 인격과 감정이 서로 독립적으로 작용한다고 주장하였다는 내용은 적절하지 않다.

❷ 4문단을 통해 셸러가 가치들 간의 위계를 잘못 파악하는 것을 '가치 왜곡'으로 보았음을 알 수 있다. 셸러의 관점에서 '가치 맹목'은 더 높은 가치를 제대로 감지하지 못하는 것을 의미한다.

❸ 3문단을 통해 셸러가 가치와 감정은 모두 객관적인 위계질서를 가진다고 보았음을 알 수 있다.

❹ 4문단을 통해 셸러가 미움을 인간이 더 높은 가치를 선택하는 것을 방해하는 감정으로 보았음을 알 수 있다. 따라서 셸러가 미움에 대해 인간이 가치를 선택하지 못하도록 무력화시키는 감정이라고 주장하였다는 내용은 적절하지 않다.

3 4문단에서는 셸러가 인간에게는 가치의 위계를 직관적으로 파악하는 감정이 선천적으로 주어져 있다고 보았음을 언급하고 있다. 또한 영희가 고민 없이 A를 선택한 것은 선천적 감정의 지향과 다른 선택을 한 것일 뿐, 가치를 파악하는 감정이 선천적으로 없기 때문인 것은 아니다.

오답 풀이 ❶ 영희가 A에서 커피를 구입하는 것은 '저렴한 가격과 가까움'이라는 유용함과 관련된 낮은 가치를 선택한 것에 해당한다.

❷ 영희가 커피 전문점 B를 선택하는 것은 비싼 가격에 영향을 받지 않고, '노동력에 대한 정당한 대가를 지불하였는가'라는 도덕적 기준을 통해 높은 가치를 선택한 것에 해당한다. 따라서 이는 선을 실현한 것으로 볼 수 있다.

❸ 영희가 커피 전문점 A를 선택하는 것은 인격의 감정 작용을 통해 악을 실현한 것에 해당하고, B를 선택하는 것은 인격의 감정 작용을 통해 선을 실현한 것에 해당한다.

❺ 영희가 갈등을 하지 않고 B를 선택하는 것은 높은 감정이 높은 가치를 선택한 결과라고 볼 수 있다.

12일차 **01 인문 주제어 _윤리**

1단계 문맥으로 어휘 확인하기 ┃ 본문 100쪽 ┃

(1) 위상 (2) 종속 (3) 체제 (4) 규범(전경) (5) 답습
(6) 인습, 맹목적 (7) 전경(규범) (8) 변별적

2단계 문제로 어휘 익히기 ┃ 본문 101쪽 ┃

1 (1) ⓛ (2) ㉠ (3) ⓒ   **2** (1) 답습 (2) 종속 (3) 규범
3 (1) 체제 (2) 인습   **4** ②

4 문맥을 고려할 때 ㉠에는 '주관이나 원칙이 없이 덮어놓고 행동하는 것'을 의미하는 '맹목적'이 들어가는 것이 적절하고, ㉡에는 '세상일에 대한 바른 생각이나 판단을 하는'을 의미하는 '변별적'이 들어가는 것이 적절하다.

12일차 **02 인문 주제어 _심리학**

1단계 문맥으로 어휘 확인하기 ┃ 본문 102쪽 ┃

(1) 정당화   (2) 방어 기제   (3) 합리화   (4) 선입견
(5) 편향적, 제약   (6) 동질적, 우호   (7) 이질적, 배척

2단계 문제로 어휘 익히기 ┃ 본문 103쪽 ┃

1 (1) 이질적 (2) 배척 (3) 선입견   **2** (1) 합리화 (2) 동질적
(3) 우호   **3** (1) ○ (2) ✕   **4** ⑤

4 제시된 글에서는 자신이 불만을 가질 수 있는 상황에 직접적으로 부딪치지 않고, 자신을 방어하기 위해 관계를 단절시키는 심리에 대해 설명하고 있다. 이를 가리키는 단어로는 '두렵거나 불쾌한 정황에 직면했을 때 스스로를 방어하기 위해 자동적으로 취하는 적응 행위'를 뜻하는 '방어 기제'가 적절하다.

오답 풀이 ❶ '인신공격'은 '남의 신상에 관한 일을 들어 비난함'을 의미하므로 적절하지 않다.

❷ '감정 회피'는 '자신의 마음속에서 일어나는 느낌이나 기분을 숨기고 인정하지 않음'을 의미하므로 적절하지 않다.

❸ '자기 주도'는 '자신의 일을 주동적으로 이끌어 나감'을 의미하므로 적절하지 않다.

❹ '정신 분석'은 '무의식과 같은 정신의 깊은 곳에 있는 내용을 관찰·분석하는 일'을 의미하므로 적절하지 않다.

1 ①   **2** ①   **3** ②

[스트레스를 해소하는 '대처'의 방법과 특징]

■ 해제 이 글은 스트레스를 해소하는 방법인 '대처'에 대해 설명한 글이다. 글쓴이는 대처의 방법을 문제 중심적 대처 방법과 정서 중심적 대처 방법으로 나누어 제시하고, 그중 정서 중심적 대처 방법인 방어 기제의 종류와 특징을 설명하고 있다. 또한 방어 기제의 효과와 한계에 대해서도 제시하고 있다.

■ 주제 스트레스에 대처하는 방법과 그 특징

■ 특징 • 핵심 개념을 유형별로 나누어 상세히 설명함
        • 두 가지 스트레스 대처 방법을 비교하여 특징을 설명함

■ 구성

1문단	스트레스의 개념과 스트레스 해소 방법의 필요성
2문단	스트레스에 대처하는 두 가지 방법
3문단	정서 중심적 대처 방법인 방어 기제의 종류
4문단	방어 기제 사용의 효과와 한계

독해 체크

1 스트레스   2 **1** 개념, 해소   **2** 대처   **3** 정서   **4** 방어
기제   3 방법

1 '종속되다'는 '자주성이 없이 주가 되는 것에 딸려 붙게 되다.'의 의미이므로, '일정한 분량이 채워져 모자람이 없게 되다.'를 의미하는 '충족되다'와 바꿔 쓰기에 적절하지 않다.

오답 풀이 ❷ '인식하다'는 '사물을 분별하고 판단하여 알다.'의 의미이고, '느끼다'는 '특정한 대상이나 상황에 대하여 어떠하다고 생각하거나 인식하다.'의 의미이므로 바꾸어 쓰기에 적절하다.

❸ '적응 기제'는 '방어 기제'와 같이 '두렵거나 불쾌한 정황이나 욕구 불만에 직면하였을 때 스스로를 방어하기 위하여 자동적으로 취하는 적응 행위'를 이르는 단어이므로 바꾸어 쓰기에 적절하다.

❹ '달성하다'는 '목적한 것을 이루다.'의 의미이므로 '이루다'와 바꾸어 쓰기에 적절하다.

❺ '기만하다'는 '(어떤 사람이 다른 사람을) 그럴듯하게 속여 넘기다.'의 의미이므로 '속이다'와 바꾸어 쓰기에 적절하다.

2 이 글은 중심 화제인 스트레스의 효과적인 '대처' 방법을 문제 중심적 대처 방법과 정서 중심적 대처 방법으로 나누어 제시한 후, 이 중 정서 중심적 대처 방법인 '방어 기제'를 억압, 부인, 합리화 등의 유형으로 나누어 설명하고 있다. 또한 방어 기제의 유형 중 '합리화'를 다시 신 포도형, 달콤한 레몬형, 망상형으로 유형화하여 설명하고 있다.

오답 풀이 ❷ 이 글에서 구체적인 사례를 들어 스트레스 대처 방법의 특징을 설명한 부분은 나타나 있지 않다.

❸ 이 글은 스트레스가 발생하는 현상의 원인을 분석하여 설명하고 있지 않다.

❹ 이 글은 시간의 흐름에 따른 스트레스의 변화 과정을 제시하고 있지 않다.

❺ 이 글은 스트레스가 발생하는 상황과 관련된 다양한 이론을 제시하고 있지 않으며, 이를 통해 시사점을 이끌어 내고 있지도 않다.

3 (가)의 은희가 성적 저하의 원인을 위층의 소음 때문이라고 말한다면 이는 무의식적인 대처, 즉 방어 기제가 작용한 것이 아니라 현상의 원인을 분석하고 의식적으로 대처한 것에 해당한다.

오답 풀이 ❶ (가)의 은희는 공부를 열심히 하려는 욕구가 충족되지 않아 스트레스를 받고 있다. 그리고 (나)의 철수는 음료수를 마시고 싶은 욕구와 동전을 반환받고자 하는 욕구가 충족되지 않아 스트레스를 받고 있다.

❸ (가)의 은희가 위층 주인에게 소음이 발생되지 않도록 조심해 달라고 말한다면, 이것은 문제 상황을 해결하기 위한 가장 적합한 방법을 선택해 스트레스 상황을 없앤 것으로 볼 수 있다. 이는 '문제 중심적 대처 방법'을 선택하여 문제를 해결한 것에 해당한다.

❹ (나)의 철수가 원래부터 음료수를 그다지 먹고 싶지 않았다고 위안 삼았다면 이것은 목표 달성을 위해 노력했으나 실패했을 때, 원래 그 목표 달성을 원하지 않았다고 생각한 것으로 볼 수 있다. 이는 합리화의 유형 중 '신 포도형'을 선택하여 스트레스를 해소한 것에 해당한다.

❺ (나)의 철수가 자동판매기 관리자에게 전화를 걸어 음료수를 받았다면, 이것은 문제 상황을 해결하기 위한 가장 적합한 방법을 선택해 스트레스 상황을 없앤 것으로 볼 수 있다. 이는 '문제 중심적 대처 방법'을 선택하여 문제를 해결한 것에 해당한다.

수능독해 특강 체크   주제별로 알아보는 한자 성어

| 관계와 관련된 **한자 성어** | | | | 본문 108~109쪽 |

01 ㉢ - ㉠ - ㉡ - ㉣ - ㉤   **02** ㉠   **03** ㉣   **04** ㉡
05 ㉢   **06** ㉤   **07** 유유상종   **08** 백년동락   **09** 호형
호제   **10** 타산지석   **11** 청출어람

01   교학상장   백년해로   동병상련   호각지세   금지옥엽

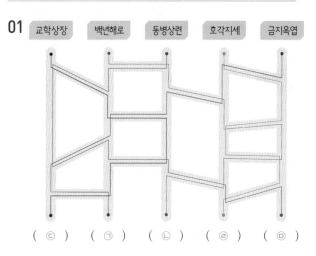

(㉢)   (㉠)   (㉡)   (㉣)   (㉤)

(1) 연맹　(2) 숭상　(3) 성행　(4) 세계화　(5) 풍습
(6) 근대화　(7) 열강　(8) 신문물

2단계　문제로 어휘 익히기 ┃본문 111쪽┃

1 (1) ⓒ　(2) ⊙　(3) ⓛ　　**2** (1) 신문물　(2) 열강　(3) 세계화
3 (1) 근대화　(2) 연맹　　**4** ③

4 이 글은 서구에서 들어온 석유, 축음기, 화장품 등이 전통과 충
돌을 일으키면서도 민중들의 일상생활에 큰 변화를 일으켰다는
내용이므로, 빈칸에 들어갈 단어로는 '기존과 다른 새로운 문
물'을 뜻하는 '신문물'이 가장 적절하다.

오답 풀이 ❶ '풍습'은 '풍속과 습관을 아울러 이르는 말'이므로 전통과
충돌을 일으키거나 일상생활에 변화를 일으켰다는 글의 내용과 어울리
지 않는 단어이다.
❹ '근대화'는 '근대적인 상태가 됨. 또는 그렇게 함'을 뜻하는 말이므로
빈칸 앞에 있는 '다양한'이라는 수식어와 어울리지 않는 단어이다.

1단계　문맥으로 어휘 확인하기 ┃본문 112쪽┃

(1) 동원　(2) 봉기　(3) 항쟁　(4) 지배층　(5) 신분제
(6) 핍박, 수탈　(7) 왜란　(8) 호란

2단계　문제로 어휘 익히기 ┃본문 113쪽┃

1 (1) ⓛ　(2) ⊙　(3) ⓔ　(4) ⓒ　　**2** (1) 수탈　(2) 동원
3 (1) ✕　(2) ✕　(3) ○　　**4** ④

3 (1) '항쟁'은 '상대에 맞서 싸움'을 의미하는 단어이다. '전쟁을
반대함'은 '반전(反戰)'의 의미이다.
(2) 백성들이 부패한 관리들의 포악한 정치에 맞서 싸운 것은
'핍박'이 아니라 '항쟁'이라 칭할 수 있다.

4 문맥상 빈칸에는 우월한 위치에서 민중을 괴롭히고 착취하는
주체가 들어가야 한다. 따라서 '권력을 독차지하여 가짐으로써
정치적·경제적·사회적으로 우월한 세력을 지니고 있는 계층'을
의미하는 '지배층'이 빈칸에 들어가기에 가장 적절한 단어이다.

오답 풀이 ❶ '노년층'은 '사회 구성원 가운데 노년기에 있는 사람을 통틀
어 이르는 말'이므로, 민중을 괴롭히고 착취하는 주체로 볼 수 없다.
❷ '소외층'은 '어떤 무리에서 기피하여 따돌림을 당하는 계층'이므로, 민
중을 괴롭히고 착취하는 주체로 볼 수 없다.
❸ '평민층'은 '평민(벼슬이 없는 일반인, 특권 계급이 아닌 일반 시민)들
로 이루어진 사회 계층'이므로, 민중을 괴롭히고 착취하는 주체로 볼 수
없다.
❺ '피지배층'은 '지배를 당하는 계층'이므로, 민중을 괴롭히고 착취하는
주체로 볼 수 없다.

3단계　독해로 어휘 다지기 ┃본문 114~115쪽┃

1 ②　　**2** ①　　**3** ③

[조선 시대 백성들의 억울함 호소 제도]
■**해제** 이 글은 조선 시대의 백성들이 억울함을 왕에게 호소할 수
있도록 하기 위해 만든 제도인 신문고와 상언, 격쟁에 대해 설명
하고 있다. 각 제도의 개념과 절차상의 차이점을 설명하고, 제도
들이 기능을 상실하며 쇠퇴하게 되는 과정을 제시하고 있다. 또
한 이 제도들이 사라진 후 백성들이 어떤 방식으로 부당한 현실
에 대응했는지를 덧붙여 설명하고 있다.
■**주제** 신문고, 상언, 격쟁의 개념과 절차 및 변화 과정
■**특징** • 신문고, 상언, 격쟁의 개념을 풀이하고, 각 제도들의 차이
　　　점을 제시함
　　　• 신문고를 치고 그 사안을 처리하는 과정을 설명함
■**구성**

1문단	조선 시대의 백성들이 억울함과 원통함을 호소할 수 있게 만들어진 제도들 – 신문고, 상언, 격쟁
2문단	신문고를 치는 절차와 사안의 처리 방법
3문단	신문고의 기능이 상실된 이유
4문단	상언과 격쟁의 차이점 및 쇠퇴 이유
5문단	억울함을 호소할 방법이 없어진 백성들의 대응 방법

독해 체크

1 신문고　　**2** ❶ 억울함　**2** 절차　**3** 기능　**4** 상언, 격쟁
5 백성　　**3** 개념

1 '성행'은 '매우 성하게 유행함'을 뜻하는 단어이다. ⓑ에는 문맥상 신문고의 기능이 사라졌다는 의미를 가진 단어가 들어가야 하므로, '성행'이 아니라 '어떤 것이 아주 없어지거나 사라짐'을 뜻하는 '상실'이 들어가야 한다.

[오답 풀이] ❶ '통로'는 '의사소통이나 거래 따위가 이루어지는 길'을 뜻하는 단어로, 문맥상 ⓐ에 들어가기에 적절하다.

❸ '지배층'은 '권력을 독차지하여 가짐으로써 정치적·경제적·사회적으로 우월한 세력을 지니고 있는 계층'을 뜻하는 단어로, 문맥상 ⓒ에 들어가기에 적절하다.

❹ '수탈'은 '강제로 빼앗음'을 뜻하는 단어로, 문맥상 ⓓ에 들어가기에 적절하다.

❺ ⓔ에는 백성들이 자신들의 억울함을 호소하기 위해 물리적인 힘을 '모았다'는 의미의 단어가 들어가야 한다. ⑤의 '동원'은 '어떤 목적을 달성하고자 사람을 모으거나 물건, 수단, 방법 따위를 집중함'을 뜻하는 단어이므로, 문맥상 ⓔ에 들어가기에 적절하다.

2 1~2문단에서 신문고를 치려면 일정한 절차를 거쳐야 함을 과정의 방법으로 설명하고 있다(ㄱ). 그리고 1문단에서는 신문고의 뜻을, 4문단에서는 상언과 격쟁의 뜻을 풀이하여 설명하고 있다(ㄴ).

[오답 풀이] ㄷ. 이 글에서 신문고와 상언, 격쟁을 잘 알려진 사실에 빗대어 설명하고 있는 부분은 드러나지 않는다.

ㄹ. 이 글에서 신문고와 상언, 격쟁의 사례를 열거하는 부분은 드러나지 않는다.

3 4문단을 보면, ⓛ 상언은 글을 알아야 한다는 점에서 주로 양반층이 이용하였고, ⓒ 격쟁은 글을 몰라도 되기 때문에 평민들이 많이 이용하였다고 제시되어 있다.

[오답 풀이] ❶ 4문단에서 ⓛ 상언이 ⓒ 신문고에 비해 절차가 간편하다고 하였으므로 적절한 설명이다.

❷ 1문단에서 ⓒ 신문고는 중국의 제도를 본떠 만든 것이라 하였고, 4문단에서 ⓛ 상언과 ⓒ 격쟁은 중국이나 일본에서는 찾아볼 수 없는 조선의 독특한 제도라고 하였으므로 적절한 설명이다.

❹ 1문단에서 ⓒ 신문고와 ⓛ 상언, ⓒ 격쟁은 조선 시대 백성들이 억울함과 원통함을 호소할 수 있는 제도였다고 하였으므로 적절한 설명이다.

❺ 3문단에서 수령이나 관찰사, 또는 서울의 해당 관원들이 백성들에게 압력을 행사하거나 회유를 하여 ⓒ 신문고를 치지 못하게 할 때가 많았고, 의금부에 대한 백성들의 두려움도 신문고에 접근하는 것을 어렵게 하여 신문고의 기능이 상실되었다고 하였다. 또한 4~5문단에서 ⓛ 상언과 ⓒ 격쟁에 대한 제약이 강화되면서 백성들이 어려움을 풀 길이 막히게 되었다고 하였으므로 적절한 설명이다.

⊕ 더 알아두기 조선 시대의 인권 신장 제도

조선 시대의 사람들이 억울하거나 어려운 일이 있을 때 이를 해소한 방법은 신분 계층에 따라 조금씩 다르다. 신분이 높은 양반 계층은 상소를 통해 자신의 억울함을 해소할 수 있었지만, 신분이 낮은 일반 평민들은 이를 해소할 통로가 마땅히 존재하지 않았다. 하여 이러한 문제점을 해소하기 위해 마련된 소통 창구가 바로 '신문고, 격쟁, 상언'이다.
한편 조선 시대에는 '삼복제'라는 제도도 존재했다. '삼복제'는 '사형'에 대해서는 신분에 관계없이 세 번의 재판을 거치도록 한 제도로 평민들의 생명의 존엄성을 보장해 주는 인권 신장 제도이다.

01 사회 주제어 _정치, 사회 문화

1단계 문맥으로 어휘 확인하기 | 본문 116쪽 |

(1) 전유물, 대중화 　(2) 공동체, 독자적 　(3) 지역화
(4) 협약 　(5) 관계망, 유대 　(6) 연안국, 요충지

2단계 문제로 어휘 익히기 | 본문 117쪽 |

1 (1) ㉠ (2) ㉢ (3) ㉡ 　　2 (1) ✕ (2) ✕ (3) ○
3 (1) 전유물 (2) 독자적 (3) 협약 (4) 지역화 　4 ①

4 빈칸의 앞 문장을 보면 두 나라의 정상이 양국 간 긴밀한 협력이 필요하다는 점에 서로 동의하였다는 내용이 있다. 따라서 빈칸에는 두 나라가 서로 돕거나 가까운 관계를 유지한다는 의미의 단어가 들어가는 것이 문맥상 적절할 것이다. 이에 해당하는 단어는 '둘 이상을 서로 연결하거나 결합하게 하는 것'을 의미하는 '유대'이다.

02 사회 주제어 _사회 일반

1단계 문맥으로 어휘 확인하기 | 본문 118쪽 |

(1) 간주 　(2) 상관관계 　(3) 불가분 　(4) 우려 　(5) 이분법 　(6) 결부 　(7) 파급 　(8) 무력, 복종 　(9) 권력관계

2단계 문제로 어휘 익히기 | 본문 119쪽 |

1 (1) ㉢, 파급 (2) ㉠, 불가분 (3) ㉡, 이분법 　2 (1) 우려
(2) 결부 (3) 권력관계 　　3 (1) 무력 (2) 간주 (3) 복종
4 ①

4 제시된 글에는 커피가 건강에 미치는 긍정적 영향과 부정적 영향에 대한 내용이 제시되어 있다. 이를 통해 볼 때 커피의 섭취량에 따라 건강 상태도 변화한다는 것을 알 수 있다. 따라서 빈칸에는 '두 가지 가운데 한쪽이 변화하면 다른 한쪽도 따라서 변화하는 관계'임을 의미하는 '상관관계'가 가장 어울린다.

[오답 풀이] ❷ '공생 관계'는 '종류가 다른 생물이 같은 곳에 살며 서로 이익을 주고받는 관계'를 의미하므로 문맥에 어울리지 않는다.

❸ '배척 관계'는 '따돌리거나 거부하여 밀어 내치는 관계'를 의미하므로 문맥에 어울리지 않는다.

❹ '상보 관계'는 '서로 모자란 부분을 보충하는 관계'를 의미하므로 문맥에 어울리지 않는다.

❺ '대립 관계'는 '의견이나 처지, 속성 따위가 서로 반대되거나 모순되는 관계'를 의미하므로 문맥에 어울리지 않는다.

3단계 독해로 어휘 다지기

| 본문 120~121쪽 |

1 ②   2 ④   3 ③

[권력과 지식의 상관관계에 대한 통찰]

■ **해제** 이 글은 권력에 대한 통념을 비판하고 권력에 대해 올바른 안목을 지녀야 함을 제시한 글이다. 글쓴이는 권력을 소유물로 생각하는 사람들의 일반적인 인식을 부정하고, 푸코의 견해를 인용하여 권력은 사람들 간의 관계임을 주장하고 있다. 그리고 권력은 지식과 뗄 수 없는 관계인데, 이러한 지식은 사회 통제 체계와 연결되어 있으므로 권력을 바라보는 올바른 안목이 필요함을 강조하고 있다.

■ **주제** 권력의 실체와 이를 제대로 이해할 수 있는 올바른 안목의 필요성

■ **특징** • 권력에 대한 통념을 제시한 후 이를 부정함
• 학자의 견해를 인용하여 자신의 주장을 강조함

■ **구성**

1문단 권력에 대한 사람들의 일반적 인식 – 권력을 소유물로 여김

2문단 권력에 대한 푸코와 글쓴이의 견해 – 권력은 사람 간의 관계임

3문단 권력관계의 형성 원인 및 권력의 특징과 작용 원리

4문단 권력과 지식의 관계 – 불가분의 관계

5문단 지식과 권력의 상관관계를 올바르게 판단할 수 있는 안목의 필요성

독해 체크

1 권력   2 ❶ 소유물   ❷ 사람   ❸ 권력관계   ❹ 불가분
❺ 지식, 상관관계   3 안목

1 '이분법'은 '어떤 범위 안에서 서로 배척되는 두 개의 부분으로 나누는 것'을 의미한다. '차별이 있어 고르지 아니함'을 뜻하는 단어는 '불평등'이다.

2 글쓴이는 권력을 소유물로 여기는 통념을 부정하고, 권력이 사람 간의 관계임을 주장하였다. 그리고 권력은 지식과 밀접하게 연관되어 있는데, 이러한 지식은 사회 통제 체계와 연결되어 있으므로 이들의 상관관계를 올바른 안목으로 바라볼 수 있어야 한다고 강조하였다. 따라서 이 글의 주제는 권력의 실체에 대한 올바른 이해라고 볼 수 있다.

오답 풀이 ❶ 권력관계의 변화 과정은 4문단의 '인간의 육체에~지식 덕분이었다.'에서 부분적으로 언급한 내용일 뿐, 이를 글 전체의 주제라고 볼 수는 없다.

❷ 이 글에 권력을 소유하기 위한 방법에 대한 내용은 드러나지 않는다.

❸ 5문단에서 지식의 가치를 판단하는 기준에 대한 내용은 찾을 수 있다. 그러나 이 글에 권력의 가치를 판단하는 기준에 대한 내용은 드러나지 않는다.

❺ 1문단에서 권력을 소유물로 보는 것의 문제점에 대한 내용을 부분적으로 언급하고 있을 뿐, 이를 글 전체의 주제라고 볼 수는 없다.

3 〈보기〉는 권세, 즉 권력은 빌려서 가지고 있는 것이므로, 그것을 자기 것으로 생각하면서 집착하는 태도를 버려야 한다는 내용이다. 따라서 권력을 소유의 개념으로 생각하는 것을 경계하고 있는 내용이라고 보는 것이 가장 적절하다.

오답 풀이 ❶ 〈보기〉에는 권력과 지식의 관계에 대한 내용이 드러나지 않는다.

❷ 〈보기〉에는 권력자의 물리적 폭력에 대한 내용이 드러나지 않는다.

❹ 〈보기〉에는 권력의 진실성에 대해 언급한 내용이 없다.

❺ 〈보기〉의 글쓴이는 사람이 누리는 힘과 권세는 빌려서 가지고 있는 것이라고 보고 있으므로, 권력관계를 지배와 피지배의 이분법적 구조로 이해하고 있다고 볼 수 없다.

수능독해 특강 체크   주제별로 알아보는 속담

| 기회, 노력과 관련된 속담 | 본문 124~125쪽 |

01 ㉠   02 ㉡   03 ㉢   04 ㉯   05 ㉣   06 ㉤
07 열 번 찍어 아니 넘어가는 나무 없다   08 탑, ㉣   09 밥,
㉢   10 무쇠, ㉡   11 국화, ㉠   12 제사   13 메뚜기
14 댓돌

07 제시된 글에서 비법 전수자가 곰탕 장인을 설득한 방법은 '몇 년 동안 단 하루도 빼놓지 않고 장인의 가게를 찾아가 일을 돕고, 반복해서 장인을 설득'한 것이다. 이는 비법을 전수하지 않겠다는 굳은 뜻을 가진 장인을 여러 번 찾아가 설득하면서 마음을 변화시킨 것에 해당하므로 속담 '열 번 찍어 아니 넘어가는 나무 없다'와 관련된 것으로 볼 수 있다.

O1 사회 주제어_법률

1단계 **문맥으로 어휘 확인하기** | 본문 126쪽 |

(1) 규제　(2) 입법　(3) 법제화　(4) 행정　(5) 선포
(6) 제정, 개정　(7) 적법성(위법성), 위법성(적법성), 사법

2단계 **문제로 어휘 익히기** | 본문 127쪽 |

1 (1) ㉠ (2) ㉢ (3) ㉡　2 (1) 적법성 (2) 제정 (3) 선포
3 (1) 개정 (2) 위법성　4 ⑤

4 제시된 글을 보면, 환경부에서 기존에 권고, 권장 수준이었던 공공 기관의 '일회용품 사용 줄이기'를 강제성 있는 의무 사항으로 바꾸었다고 하였다. 따라서 이를 표현하기에는 '법률로 정하여 놓음'이라는 뜻의 '법제화'가 적절하다.

오답 풀이 ❶ '규제'는 '규칙이나 규정에 의하여 일정한 한도를 정하거나 정한 한도를 넘지 못하게 막음'의 뜻이므로, 빈칸에 들어가기에 적절하지 않다.
❷ '적발'은 '숨겨져 있는 일이나 드러나지 아니한 것을 들추어냄'의 뜻이므로, 빈칸에 들어가기에 적절하지 않다.
❸ '철회'는 '이미 제출하였던 것이나 주장하였던 것을 다시 회수하거나 번복함'의 뜻이므로, 빈칸에 들어가기에 적절하지 않다.
❹ '행사'는 법률적으로 '권리의 내용을 실현함'의 뜻이므로, 빈칸에 들어가기에 적절하지 않다.

일차

O2 사회 주제어_법률

1단계 **문맥으로 어휘 확인하기** | 본문 128쪽 |

(1) 전례　(2) 집행　(3) 불복　(4) 추징　(5) 판결
(6) 배상, 청구　(7) 납부

2단계 **문제로 어휘 익히기** | 본문 129쪽 |

1 (1) 청구 (2) 전례 (3) 집행　2 (1) 불복 (2) 납부
3 (1) 판결 (2) 추징　4 ②

2 (1) '복종'은 '남의 명령이나 의사를 그대로 따라서 좇음'의 뜻이므로 해당 문장에 어울리는 단어가 아니다.
(2) '청구'는 '남에게 돈이나 물건 따위를 달라고 요구함'의 뜻이므로 해당 문장에 어울리는 단어가 아니다.

4 '납부'는 '세금이나 공과금 따위를 관계 기관에 냄'의 뜻이므로 '손해'와 어울려 쓰기에는 적절하지 않다. ㉡에는 '남의 권리를 침해한 사람이 그 손해를 물어 주는 일'이라는 뜻의 '배상'을 쓰는 것이 적절하다.

오답 풀이 ❶ '배상'은 '남의 권리를 침해한 사람이 그 손해를 물어 주는 일'이라는 뜻이다. 따라서 항공사에서 승객들이 입은 손해를 돈으로 물어 주어야 함을 표현해야 하는 ㉠에 '배상'을 쓰는 것은 적절하다.
❸ '청구'는 '상대편에 대하여 일정한 행위나 재물을 내어 줄 것을 요구하는 일'을 뜻한다. 제시된 글에서 피해를 입은 승객들은 항공사에 손해 배상을 요구하였으므로, ㉢에 '청구'를 쓰는 것은 적절하다.
❹ '판결'은 '법원이 변론을 거쳐 소송 사건에 대하여 판단하고 결정하는 재판'을 뜻하므로, ㉣에 쓰기에 적절하다.
❺ '불복'은 '남의 명령이나 결정 따위에 대하여 복종·항복·복죄 따위를 하지 아니함'을 뜻한다. 제시된 글에서 항공사는 다시 소송을 준비하고 있다고 하였으므로 판결에 불복했다고 볼 수 있다. 따라서 ㉤에 '불복'을 쓰는 것은 적절하다.

3단계 **독해로 어휘 다지기** | 본문 130~131쪽 |

1 ②　　2 ②　　3 ④

[제조물 책임법]

■ 해제 이 글은 제조물 결함으로 피해를 입은 소비자에게 제조업자가 손해 배상 책임을 지도록 하는 '제조물 책임법'에 대해 설명하고 있다. 글쓴이는 제조물 책임법이 제정된 배경과 그 구체적인 개념, 제조물과 제조업자의 범위, 결함의 유형 등을 체계적으로 설명하여 독자의 이해를 돕고 있다.

■ 주제 제조물 책임법의 개념과 주요 내용

■ 특징 • 제조물 책임법과 관련된 주요 내용을 체계적으로 제시함
　　　• 제조물 결함의 유형을 구체적으로 나열하여 설명함

■ 구성

1문단	제조물 책임법의 제정 배경 및 목적
2문단	제조물 책임법의 개념과 제조물, 제조업자의 범위
3문단	제조물 결함의 유형
4문단	제조물 책임법상 피해자의 손해 배상 청구 요건

독해 체크

1 제조물　　2 ■ 목적 ② 제조업자 ③ 결함 ④ 배상
3 책임법

1 ㉠의 앞에는 '제조물의 결함으로 피해를 입은 소비자가 쉽게 피해 구제를 받을 수 있도록 하기 위함'이라는 제조물 책임법의

제정 배경이 나타나 있다. 따라서 ㉠에는 '제도나 법률 따위를 만들어서 정하여'라는 뜻의 '제정하여'를 쓰는 것이 문맥상 적절하다. ㉡이 포함된 문장에서는 피해자가 제조업자에게 손해 배상을 요구하기 위해 무엇을 입증해야 하는지 서술하고 있다. 따라서 ㉡에는 '상대편에 대하여 일정한 행위나 재물을 내어 줄 것을 요구하려면'이라는 뜻의 '청구하려면'이 들어가는 것이 문맥상 적절하다.

오답 풀이 ❶ '추징하려면'은 '형법상 몰수하여야 할 물건을 몰수할 수 없을 때에 몰수할 수 없는 부분에 해당하는 값의 금전을 거두어들이려면'의 뜻이므로, 피해자가 제조업자에게 손해 배상을 요구하는 것과는 관련이 없다.

❸ '개정하여'는 '주로 문서의 내용 따위를 고쳐 바르게 하여'의 뜻이므로, 제조물 책임법을 새로 만들었다는 글의 내용에 맞지 않는다. 따라서 이는 ㉠에 쓰기에 적절하지 않다. '집행하려면'은 '법률, 명령, 재판, 처분 따위의 내용을 실행하려면'의 뜻이므로, 피해자가 제조업자에게 손해 배상을 요구한다는 글의 내용에 맞지 않는다. 따라서 이는 ㉡에 쓰기에 적절하지 않다.

❹ '선포하여'는 '세상에 널리 알리어'의 뜻인데, 이는 이미 법 제정이 이루어진 후에 쓸 수 있는 표현이므로 ㉠에 쓰기에는 적절하지 않다. '고소하려면'은 '범죄의 피해자나 다른 고소권자가 범죄 사실을 수사 기관에 신고하여 그 수사와 범인의 기소를 요구하려면'의 뜻이다. 이는 피해자가 제조업자에게 손해 배상을 요구하는 것과 관련이 없어 ㉡에 쓰기에 적절하지 않다.

❺ '구현하여'는 '어떤 내용을 구체적인 사실로 나타나게 하여'의 뜻이다. 이는 제조물 책임법을 새로 만들었다는 글의 내용에 맞지 않으므로 ㉠에 쓰기에 적절하지 않다.

2 1문단에서 제조물 책임법은 제조자의 과실에 따른 결함으로 피해가 발생했을 때 소비자가 쉽게 피해 구제를 받을 수 있게 하기 위해 제정되었다고 하였으므로, 이를 통해 ㄱ의 질문을 해결할 수 있다. 그리고 2문단에 제조물과 제조업자의 범위가 제시되어 있으므로, 이를 통해 ㄷ의 질문을 해결할 수 있다.

오답 풀이 ㄴ. 3문단에서 제조물 책임의 범위가 되는 결함의 유형을 세 가지로 제시하고 있을 뿐, 제조물 결함의 해결 방안은 언급하지 않았다.
ㄹ. 4문단에서 제조물 책임법상 피해자가 손해 배상을 청구하기 위해서는 소비자가 제조물을 통상적인 방법으로 사용하다가 사고가 발생했다는 사실만 입증하면 된다는 손해 배상 청구 요건을 제시하였을 뿐, 손해 배상 청구 기한은 언급하지 않았다.

3 [A]에 따르면 제조물에는 '공산품, 가공식품 등의 제조 또는 가공된 물품, 중고품, 폐기물, 부품, 원재료'가 속한다. 따라서 공산품인 ⓑ, 중고품인 ⓒ, 가공식품인 ⓓ는 제조물에 해당한다. 또한 [A]에 따르면 제조업자에는 '부품 또는 완성품의 제조업자, 제조물 수입을 업(業)으로 하는 자, 자신을 제조자 혹은 수입업자로 표시한 자, (제조업자를 알 수 없는 경우) 제조물의 공급업자'가 속한다. 따라서 제조물 수입을 업으로 하는 자인 ⓕ, 부품 제조업자인 ⓖ는 제조업자에 해당한다.

오답 풀이 ⓐ, ⓔ [A]에 따르면 미가공 농산물인 복숭아(ⓐ)는 제조물의 범위에서 제외된다. 따라서 복숭아 생산자(ⓔ) 역시 제조업자에서 제외된다.

1단계 문맥으로 어휘 확인하기 | 본문 132쪽 |

(1) 위축 (2) 퇴보 (3) 제고 (4) 산업, 무역 (5) 절하
(6) 촉진, 급증 (7) 고용, 실업

2단계 문제로 어휘 익히기 | 본문 133쪽 |

1 (1) ㉡, 산업 (2) ㉢, 급증 (3) ㉠, 실업 **2** (1) 촉진 (2) 고용 **3** (1) 절하 (2) 위축 (3) 무역 **4** ③

4 제시된 글에서 '높이기'는 '값이나 비율 따위를 더 높게 하기'의 뜻이므로, '수준이나 정도 따위를 끌어올리기'의 뜻을 지닌 '제고하기'로 바꾸어 쓸 수 있다.

오답 풀이 ❶ '급증하기'는 '갑작스럽게 늘어나기'의 뜻이므로 적절하지 않다.
❷ '야기하기'는 '일이나 사건 따위를 끌어 일으키기'의 뜻이므로 적절하지 않다.
❹ '절하하기'는 '화폐 가치의 수준을 낮추기'의 뜻이므로 적절하지 않다.
❺ '초래하기'는 '일의 결과로서 어떤 현상을 생겨나게 하기'의 뜻이므로 적절하지 않다.

1단계 문맥으로 어휘 확인하기 | 본문 134쪽 |

(1) 조세 (2) 통화량 (3) 환산 (4) 물가, 임금 (5) 산출, 추산 (6) 환율 (7) 외화, 관세

2단계 문제로 어휘 익히기 | 본문 135쪽 |

1 (1) 물가 (2) 외화 (3) 추산 **2** (1) × (2) × **3** (1) 산출 (2) 통화량 (3) 임금 **4** ②

4 제시된 글의 내용으로 볼 때, 빈칸에는 수입 시 부과되는 세금을 뜻하는 단어가 들어가야 한다. 따라서 '관세 영역을 통해 수출·수입되거나 통과되는 화물에 대하여 부과되는 세금'을 뜻하는 '관세'가 들어가는 것이 적절하다.

오답 풀이 ❶ '외화'는 '외국의 돈'을 의미하므로 적절하지 않다.
❸ '조세'는 '국가 또는 지방 공공 단체가 필요한 경비로 사용하기 위하여 국민이나 주민으로부터 강제로 거두어들이는 금전'을 의미하므로 적절하지 않다.
❹ '물가'는 '물건의 값'을 의미하므로 적절하지 않다.

❺ '환율'은 '자기 나라 돈과 다른 나라 돈의 교환 비율'을 의미하므로 적절하지 않다.

1 ③   2 ⑤   3 ④

[정부의 수입 규제 수단]

■해제 이 글은 국제 무역에서 정부가 어떤 방법으로 수입을 규제하는지를 설명한 글이다. 글쓴이는 정부가 관세 부과와 수입 수량 할당 적용이라는 두 가지 수단을 통해 수입을 규제함으로써, 수입 상품의 가격과 상품의 수요량을 조절하고 있음을 설명하고 있다.

■주제 정부의 수입 규제 수단 및 그 효과

■특징 관세 부과와 수입 수량 할당 적용의 영향을 구체적인 예를 들어 설명하여 독자의 이해를 도움

■구성

| 1문단 | 정부의 수입 규제 방법에 대한 의문 |

| 2문단 | 수입 규제 수단 ① - 관세 |

| 3문단 | 수입 규제 수단 ② - 수입 수량 할당 |

| 4문단 | 수입 수량 할당 적용 및 관세 부과의 효과 |

| 5문단 | 현실 경제에서 관세를 인하하고 수입 수량 할당을 완화하는 이유 |

독해 체크

1 수입   2 ❶ 규제   ❷ 관세   ❸ 할당   ❹ 효과   ❺ 완화
3 효과

1 ⓒ '촉진'은 '어떤 일을 재촉해 더 잘 진행되도록 함'이라는 사전적 의미를 갖고 있다. 해당 문장에서도 관세와 수입 수량 할당이라는 수단을 통해 수입 규제가 이루어지면, 상품이 국내에서 더 빨리, 더 많이 생산되도록 한다는 의미로 사용되었다. '어떤 힘에 눌려 졸아들고 기를 펴지 못함'의 뜻을 가진 단어는 '위축'이다.

오답 풀이 ❶ ⓐ '육성'은 '길러 자라게 함'의 뜻이므로 적절하다.
❷ ⓑ '부과'는 '세금이나 부담금 따위를 매기어 부담하게 함'의 뜻이므로 적절하다.
❹ ⓓ '인하'는 '가격 따위를 낮춤'의 뜻이므로 적절하다.
❺ ⓔ '과열'은 '경기가 지나치게 상승함'의 뜻이므로 적절하다.

2 4문단에서 정부가 수입 수량 할당 적용이나 관세 부과를 통해 수입을 규제하면, '수입 상품의 국내 가격이 상승하면서 수입 상품에 대한 소비를 억제하는 한편 해당 품목의 국내 생산을 촉

진하는 효과가 있다.'고 하였다. 그러므로 정부의 수입 규제 정책으로 인한 수입 상품의 국내 가격 상승이 국내 생산자와 소비자 모두에게 영향을 끼친다는 내용은 적절하다.

오답 풀이 ❶ 1문단에서 각 나라의 정부는 무역 활동에 대해 자유방임의 입장을 취할 수도 있고, 수출을 지원하는 등 무역에 개입할 수도 있다고 하였다. 그러나 둘 중 어떤 입장을 취하는 나라가 더 많은지는 언급하지 않았다.
❷ 1문단에서 정부가 수출을 지원할 수도 있다고는 하였으나, 구체적인 품목에 대해서는 언급하지 않았다.
❸. ❹ 정부가 지속적으로 수입을 규제하고 수출을 지원하면 흑자가 발생한다. 그러나 5문단에서 장기적인 흑자는 국내 경기를 과열시키고 물가를 상승시킬 우려가 있으며, 거래 상대국과의 마찰을 초래할 수 있다고 하였다. 따라서 정부의 지속적인 수입 규제와 수출 지원으로 인한 흑자가 거래 상대국과의 마찰을 없애거나 물가 안정에 기여한다는 내용은 적절하지 않다.

3 1문단에서 정부는 자국의 산업을 보호하고 육성하기 위해 수입을 규제한다고 하였는데, ㉠ 관세와 ㉡ 수입 수량 할당은 모두 정부가 수입을 규제하는 수단이므로 국내 산업을 보호하는 효과가 있다고 할 수 있다.

오답 풀이 ❶ 2문단에서 관세가 부과되면 상품의 국내 가격이 상승하여 수요가 감소하고, 이에 따라 수입량도 감소한다고 하였다. 그리고 3문단에서 수입 수량 할당이 적용되면 수입량이 감소한다고 하였다. 따라서 ㉠과 ㉡ 모두 수입 억제 효과가 있다고 할 수 있다. 그러나 둘 중 어떤 것이 수입을 억제하는 효과가 더 큰지는 이 글의 내용만으로는 알 수 없다.
❷ ㉠과 ㉡ 모두 수입 규제 수단으로서, 수입 상품에 대한 소비를 억제하여 수요량 감소 효과를 가져온다. 그러나 둘 중 어떤 것이 수요량 감소 효과가 더 큰지는 이 글의 내용만으로는 알 수 없다.
❸ 5문단을 보면 현실 경제에서는 관세를 인하하고 수입 수량 할당을 완화하는 경우가 많다고 하였다. 따라서 ㉠과 ㉡ 모두 현실 경제에서는 억제하고 있는 방법이다.
❺ 4문단에서 수입 상품의 가격 상승분은 관세를 부과하는 경우에는 정부의 수입이 되지만, 수입 수량 할당을 하는 경우에는 수입업자의 이윤이 된다고 하였다. 따라서 ㉠의 경우에만 가격 상승에 따른 이윤을 정부가 얻게 된다고 할 수 있다.

수능독해 특강 체크   주제별로 알아보는 한자 성어

정치와 관련된 한자 성어 | 본문 140~141쪽 |

01 ㉡ - ㉤ - ㉣ - ㉠ - ㉢   02 여민동락 - 낙수 - 수태 -
태평성대 - 대가 - 가정맹어호   03 가렴주구   04 탐관
오리   05 함포고복   06 가렴주구, 삼순구식   07 호가
호위   08 여민동락

01

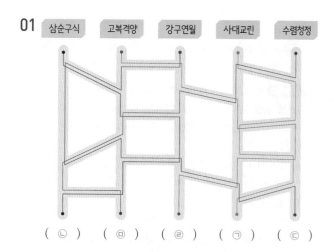

삼순구식　고복격양　강구연월　사대교린　수렴청정

(ⓛ)　(ⓜ)　(ⓔ)　(ⓞ)　(ⓒ)

02

여 민 동 락	낙 수	수 태
임금이 백성과 함께 즐김	처마 끝 따위에서 빗물이나 눈 또는 고드름이 녹은 물이 떨어짐 또는 그 물	아이를 뱀. 또는 새끼를 뱀

가 정 맹 어 호	대 가	태 평 성 대
가혹한 정치는 호랑이보다 무서움	전문 분야에서 뛰어나 권위를 인정받는 사람	어진 임금이 잘 다스리어 태평한 시대

06 '가렴주구(苛斂誅求)'는 '세금을 가혹하게 거두어들이고, 무리하게 재물을 빼앗음'을 뜻하는 말이고, '삼순구식(三旬九食)'은 '삼십 일 동안 아홉 끼니밖에 먹지 못한다는 뜻으로, 몹시 가난함을 이르는 말'이다. 제시된 문장에서 관료들이 잔혹한 것은 '가렴주구'를 일삼기 때문일 것이고, 이 때문에 많은 백성들이 '삼순구식'을 할 수밖에 없었을 것이다.

07 제시된 문장에서 언급한 스스로 노력하지 않고 권력층을 만나는 데에만 힘을 쏟는 사람들은 그들의 권세에 기대어 위세를 부리고자 하는 사람들일 것이다. 따라서 괄호 안에는 '남의 권세를 빌려 위세를 부림'의 뜻을 지닌 '호가호위(狐假虎威)'가 들어가는 것이 적절하다. '고복격양(鼓腹擊壤)'은 '태평한 세월을 즐김을 이르는 말'로 이 문장의 내용과 관련이 없다.

08 제시된 문장에서 사장은 직원들을 위한 일터를 만들고자 노력하겠다고 말했다. 사장의 이러한 마음가짐과 관련된 한자 성어로는 '임금이 백성과 함께 즐김'이라는 뜻의 '여민동락(與民同樂)'이 적절하다. '수렴청정(垂簾聽政)'은 '임금이 어린 나이로 즉위하였을 때, 왕대비나 대왕대비가 이를 도와 정사를 돌보던 일'을 뜻하므로 이 문장의 내용과 관련이 없다.

---

17 일차 **01 과학 주제어** _의학

1단계 문맥으로 어휘 확인하기 | 본문 142쪽 |

(1) 항체　(2) 메커니즘　(3) 변성　(4) 항상성　(5) 면역계, 항원　(6) 형질, 전환　(7) 퇴행성

2단계 문제로 어휘 익히기 | 본문 143쪽 |

1 (1) ⓒ　(2) ⓛ　(3) ⓞ　　2 (1) ✕　(2) ○　　3 (1) 형질 (2) 항체　4 ④

4 제시된 글에서 '이것'은 '살아 있는 생명체가 생존에 필요한 안정적인 상태를 능동적으로 유지하는 과정'을 뜻한다고 하였다. '항상성'은 '생체가 여러 가지 환경 변화에 대응하여 생명 현상이 제대로 일어날 수 있도록 일정한 상태를 유지하는 성질'을 의미하는 것이므로, 제시된 글의 '이것'에 해당한다. 글에서 설명하고 있는 것처럼, 체온, 혈중 포도당 농도, 혈액의 산도 등을 일정하게 조절하는 것은 모두 인체의 항상성을 유지하기 위한 것이다.

오답 풀이 ❶ '다양성'은 '모양, 빛깔, 형태, 양식 따위가 여러 가지로 많은 특성'이라는 뜻이므로 적절하지 않다.
❷ '퇴행성'은 '몸의 기관 따위가 많이 사용되거나 노화하여 그 기능이 퇴화하는 성질'이라는 뜻이므로 적절하지 않다.
❸ '편협성'은 '한쪽에 치우쳐 도량이 좁고 너그럽지 못한 성질이나 특성'이라는 뜻이므로 적절하지 않다.
❺ '희소성'은 '인간의 물질적 욕구에 비하여 그 충족 수단이 질적·양적으로 제한되어 있거나 상대적으로 부족한 상태'라는 뜻이므로 적절하지 않다.

---

17 일차 **02 과학 주제어** _생물

1단계 문맥으로 어휘 확인하기 | 본문 144쪽 |

(1) 유입　(2) 순환　(3) 비대　(4) 기하급수적　(5) 분열, 증식　(6) 흡수, 배출

2단계 문제로 어휘 익히기 | 본문 145쪽 |

1 (1) ⓒ, 분열　(2) ⓞ, 흡수　(3) ⓛ, 기하급수적　　2 (1) 유입 (2) 비대　3 (1) 배출　(2) 순환　4 ②

4 암을 치료하는 데 쓰이는 약은 암세포의 수가 더 이상 늘어나지 않도록 막는 역할을 해야 하므로, 제시된 글의 빈칸에는 '생물이나 조직 세포 따위가 세포 분열을 하여 그 수를 늘려 감'을 뜻하는 '증식'이 들어가는 것이 적절하다.

오답 풀이 ❶ '결합'은 '둘 이상의 사물이나 사람이 서로 관계를 맺어 하나가 됨'이라는 뜻이므로 빈칸에 들어가기에 적절하지 않다.

❸ '대항'은 '굽히거나 지지 않으려고 맞서서 버티거나 항거함'이라는 뜻이므로 빈칸에 들어가기에 적절하지 않다.

❹ '비대'는 '몸에 살이 쪄서 크고 뚱뚱함'이라는 뜻이므로 빈칸에 들어가기에 적절하지 않다.

❺ '침투'는 '세균이나 병균 따위가 몸속에 들어옴'이라는 뜻이므로 빈칸에 들어가기에 적절하지 않다.

3단계 독해로 어휘 다지기 | 본문 146~147쪽 |

1 ③   2 ⑤   3 ④

[개체군의 성장 과정 연구]

■ 해제 이 글은 생태학자들이 개체군의 성장 과정을 연구할 때 활용하는 두 모델에 대해 설명하고 있다. 글쓴이는 그 두 모델인 기하급수적 성장 모델과 로지스틱 성장 모델의 주요 내용을 설명하고, 이를 시각적으로 표현한 그래프를 제시하여 독자의 이해를 돕고 있다.

■ 주제 개체군 성장 과정에 대한 연구 내용

■ 특징 • 개체군, 환경 수용력과 같은 생소한 개념을 정의하여 설명함
 • 그래프를 통해 개체군 성장 과정에 대한 두 모델의 주요 내용을 이해하기 쉽게 설명함

■ 구성

1문단 개체군 성장 과정 연구에 활용되는 두 모델
↓
2문단 개체군 성장 과정 연구 모델 ① – 기하급수적 성장 모델
↓
3문단 개체군 성장 과정 연구 모델 ② – 로지스틱 성장 모델
↓
4문단 성장 시기에 따른 개체군의 성장률 변화

독해 체크

1 개체군   2 **1** 성장 과정   **2** 기하급수적   **3** 로지스틱
4 성장률   3 성장

---

1 ⓒ의 '분열하다'는 '찢어져 나뉘다.'라는 기본 뜻을 지니고 있는 단어로 생물학적으로는 '하나의 세포로 이루어진 개체가 둘 이상으로 나뉘어 불어나는 무성 생식을 하다.'라는 의미로 쓰인다. 따라서 ⓒ '분열해서'는 '나뉘어서'로 바꿔 쓰는 것이 문맥적으로 적절하다.

오답 풀이 ❶ '동일하다'는 '어떤 것과 비교하여 똑같다.', '각각 다른 것이 아니라 하나이다.'의 뜻이므로, ㉠ '동일한'은 '같은'으로 바꾸어 쓸 수 있다.

❷ '발생하다'는 '어떤 일이나 사물이 생겨나다.', '세포의 증식, 분화, 형태 형성 따위에 의하여, 어떤 생물이 단순한 수정란 상태에서 복잡한 개체가 되다.'의 뜻이므로, ㉡ '발생한'은 '생겨난'으로 바꾸어 쓸 수 있다.

❹ '증가하다'는 '양이나 수치가 늘다.'의 뜻이므로, ㉣ '증가하게는'은 '늘어나게'로 바꾸어 쓸 수 있다.

❺ '둔화되다'는 '느려지고 무디어지다.'의 뜻이므로, ㉤ '둔화된다'는 '느려진다'로 바꾸어 쓸 수 있다.

---

2 4문단을 보면 로지스틱 성장 모델에서는 '개체 수가 환경 수용력의 1/2일 때 성장률은 최대'가 된다고 하였다. 그리고 개체 수가 이 지점을 넘어 환경 수용력과 같아지면 성장률은 0이 된다고 하였다. 따라서 개체 수가 환경 수용력의 1/2(성장률이 최대인 지점)을 넘으면 개체군의 성장률은 증가하지 않고 감소하기 시작한다는 것을 알 수 있다.

오답 풀이 ❶ 1문단에서 개체군의 성장 과정을 연구하기 위해서 기하급수적 성장 모델과 로지스틱 성장 모델을 활용한다고 했으므로 적절한 내용이다.

❷ 2, 3문단을 통해 〈그림〉의 (가) 곡선이 기하급수적 성장 모델과 관련이 있고, (나) 곡선이 로지스틱 성장 모델과 관련이 있음을 알 수 있으므로 적절한 내용이다.

❸ 4문단에서 로지스틱 성장 모델 역시 개체 수가 환경 수용력에 비해 매우 작은 개체군 성장 초기에는 기하급수적 성장 모델과 비슷한 성장률을 보인다고 했으므로 적절한 내용이다.

❹ 2문단에서 기하급수적 성장 모델은 '시간이 지날수록 성장률이 점점 더 커지게 되고, 그만큼 개체군 또한 기하급수적으로 성장하게 된다.'고 하였다. 따라서 적절한 내용이다.

➕ 더 알아두기 로지스틱 곡선

벨기에의 수학자 페어홀스트(Verhulst, P.F.)가 정식화한 인구 증가의 법칙과 관련된 것으로, 에스(S) 자 모양의 곡선이다. 인구는 자연 상태에서 등비급수(서로 이웃하는 항의 비(比)가 일정한 급수)적으로 증가하지만, 땅이나 음식물 등의 제약을 받으면 점차 그 증가세가 둔화되어 가는 것을 나타낸다. 상한이 있는 성장 과정을 나타내는 데 적합하다고 하여 경제 통계나 기타 분야에서도 이용하게 되었다.

---

3 자연계에서는 이상적인 환경에서와 달리, 먹이, 번식지, 포식자 등 여러 환경적인 제한 요인이 개체군에 영향을 미친다. 이러한 이유 때문에 개체군이 이상적인 환경에서처럼 지속적으로 성장할 수는 없는 것이다.

오답 풀이 ❶ 4문단을 통해 개체군의 성장률은 성장 시기에 따라서 변화를 보임을 알 수 있으므로, 적절하지 않은 내용이다.

❷, ❺ 4문단을 보면, 자연계에서는 이상적인 환경과 달리 개체 수가 환경 수용력에 가까워질수록 개체군의 성장은 둔화된다고 하였으므로, 적절하지 않은 내용이다.

❸ 2문단에서 개체군이 갖고 있는 선천적 번식 능력은 상수 값(변하지 않는 일정한 값)이라고 하였으므로 적절하지 않은 내용이다.

1단계 문맥으로 어휘 확인하기 | 본문 148쪽 |

(1) 천체　(2) 행성　(3) 표면　(4) 일식　(5) 대기
(6) 궤도　(7) 관측　(8) 공전, 자전

2단계 문제로 어휘 익히기 | 본문 149쪽 |

1 (1) 표면　(2) 궤도　　　　2 (1) 자전　(2) 일식　(3) 행성
3 (1) 관측　(2) 천체　　4 ②

4 제시된 글의 내용을 보면 빈칸에 해당하는 대상은 가스로 채워져 있고, 이를 구성하는 주요 요소 중 하나가 산소임을 알 수 있다. 따라서 빈칸에는 '천체의 표면을 둘러싸고 있는 기체'를 의미하는 '대기'가 가장 어울린다.

오답 풀이 ❶ '궤도'는 '행성, 혜성, 인공위성 따위가 중력의 영향을 받아 다른 천체의 둘레를 돌면서 그리는 곡선의 길'을 뜻하므로 문맥에 어울리지 않는다.
❸ '표면'은 '사물의 가장 바깥쪽. 또는 가장 윗부분'을 의미하는데, 산소가 지구의 표면을 이루는 주요 요소라고 보기 어려우므로 적절하지 않다.
❹ '천체'는 '우주에 존재하는 모든 물체'를 뜻하므로 문맥에 어울리지 않는다.
❺ '행성'은 '중심 별의 강한 인력의 영향으로 타원 궤도를 그리며 중심 별의 주위를 도는 천체'를 의미하므로 문맥에 어울리지 않는다.

1단계 문맥으로 어휘 확인하기 | 본문 150쪽 |

(1) 팽창　(2) 침강　(3) 해일　(4) 해파　(5) 탐사
(6) 위도(경도), 경도(위도)　(7) 해수　(8) 융기, 추정

2단계 문제로 어휘 익히기 | 본문 151쪽 |

1 (1) ⓛ　(2) ㉠　(3) ㉢　　　　2 (1) ○　(2) ○　(3) ×
3 (1) 추정　(2) 침강　　4 ⑤

4 제시된 글의 문맥상 빈칸에는 인간이 살 수 있는 새로운 행성, 즉 알려지지 않은 새로운 대상을 찾아간다는 뜻을 지닌 단어가 어울린다. 따라서 빈칸에는 '알려지지 않은 사물이나 사실 따위를 샅샅이 더듬어 조사함'을 뜻하는 '탐사'가 들어가는 것이 가장 적절하다.

오답 풀이 ❶ '답사'는 '현장에 가서 직접 보고 조사함'을 뜻하는 말로, 알려지지 않은 대상을 찾아간다는 의미가 드러나지 않는다.
❷ '심사'는 '자세하게 조사하여 등급이나 당선, 낙선 따위를 결정함'을 뜻하므로 문맥에 어울리지 않는다.
❸ '감사'는 '감독하고 검사함'을 뜻하므로 문맥에 어울리지 않는다.
❹ '검사'는 '사실이나 일의 상태 또는 물질의 구성 성분 따위를 조사하여 옳고 그름과 낫고 못함을 판단하는 일'을 뜻하는 말로, 알려지지 않은 대상을 찾아간다는 의미가 드러나지 않는다.

3단계 독해로 어휘 다지기 | 본문 152~153쪽 |

1 ②　　2 ②　　3 ②

[지구에서 관측하는 천체의 움직임]

■ **해제** 이 글은 금성이 새벽이나 초저녁에만 보이는 현상을 천체의 겉보기 운동과 관련하여 설명하고 있다. 글쓴이는 지구에서 관측할 때 천체가 움직이는 것처럼 보이거나 실제 움직임과는 다르게 보이는 현상인 겉보기 운동의 개념을 제시하고, 이를 이해하는 데 필요한 두 요소에 대해 체계적으로 설명하고 있다.
■ **주제** 지구의 자전과 공전으로 인해 생기는 천체의 겉보기 운동
■ **특징** • 질문 형식으로 화제를 제시하여 호기심을 유발함
　　　 • 그림을 활용하여 주요 개념들을 효과적으로 설명함
■ **구성**

1문단　새벽이나 초저녁에만 볼 수 있는 금성
　↓
2문단　천체의 '겉보기 운동'의 개념
　↓
3문단　겉보기 운동을 이해하기 위한 요소 ① – 관측자에게 보이는 천체 움직임의 특징
　↓
4문단　겉보기 운동을 이해하기 위한 요소 ② – 천체들 사이의 상대적 위치 관계를 보여 주는 합과 이각

독해 체크

1 겉보기　2 ❶ 새벽 ❷ 천체 ❸ 관측자 ❹ 이각　3 자전

1 ⓑ의 '붙이다'는 '이름이 생기게 하다.'의 뜻으로 쓰였다. ②의 '부착하다'는 '떨어지지 아니하게 붙다. 또는 그렇게 붙이거나 달다.'의 뜻으로 이 단어에서의 '붙이다'는 '붙이다'가 지닌 여러 뜻 중 '맞닿아 떨어지지 않게 하다.'의 의미에 해당한다. 따라서 ⓑ에 쓰인 '붙이다'와 문맥적으로 바꾸어 쓰기에는 적절하지 않다.

오답 풀이 ❶ '관측되기'는 '눈으로 자연 현상이 관찰되어 측정되기'의 뜻이므로 ⓐ와 바꾸어 쓰기에 적절하다.
❸ '이동하는'은 '움직여 옮기는'의 뜻이므로 ⓒ와 바꾸어 쓰기에 적절하다.
❹ '파악해야'는 '어떤 대상의 내용이나 본질을 확실하게 이해하여 알아야'의 뜻이므로 ⓓ와 바꾸어 쓰기에 적절하다.
❺ '구분할'은 '일정한 기준에 따라 전체를 몇 개로 갈라 나눌'의 뜻이므로 ⓔ와 바꾸어 쓰기에 적절하다.

2 3문단 마지막 문장에서 겉보기 운동은 관측자의 위치를 중심으로 천체가 움직이는 방향을 살펴본 것이라고 하였으므로 ②는 적절하지 않은 내용이다.

오답 풀이 ❶ 2문단에서 지구에서 관측할 때 천체가 움직이는 것처럼 보이거나 실제 움직임과는 다르게 보이는 현상을 겉보기 운동이라고 하였다.

❸ 2문단에서 관측 시기에 따라 천체의 위치가 다르게 보이기도 한다고 하였다.

❹ 3문단에서 천체는 지구의 자전 때문에 지구 자전 방향의 반대로 움직이는 것처럼 보인다고 하였다.

❺ 3문단에서 관측자가 북반구 중위도에서 북쪽을 바라볼 때 관측자의 왼쪽이 서쪽이 된다고 하였다.

3 〈보기〉의 그래프에서 ㉡은 서방 최대 이각이다. 4문단에서 서방 최대 이각은 금성이 [그림]의 V_2에 있을 때인데, 이는 금성이 태양보다 서쪽에 있는 경우라고 하였다. 따라서 금성의 위치가 ㉡일 때 금성은 태양의 서쪽에 위치한다.

오답 풀이 ❶ 〈보기〉의 그래프에서 동방 최대 이각인 ㉣일 때 금성이 태양의 동쪽에 위치한다.

❸, ❹, ❺ 천체들 사이의 상대적 위치 관계를 설명한 4문단에서는 위쪽, 아래쪽, 가까운 곳과 같은 위치 관계에 대해서는 언급하지 않았다.

수능독해 특강 체크 주제별로 알아보는 속담

자연의 이치와 관련된 속담 | 본문 156~157쪽 |

01 ㉠　　**02** ㉤　　**03** ㉢　　**04** ㉣　　**05** ㉡　　**06** ㉥
07 십 년이면 강산도 변한다　　**08** 달, ㉠　　**09** 나무, ㉢
10 물, ㉣　　**11** 돌, ㉡　　**12** 될성부른 나무는 떡잎부터 알아본다

07 제시된 글에서 글쓴이는 오랜만에 찾아간 고향이 어릴 적 옛 모습을 잃고 변해 버린 것을 보고 서글픔을 느끼고 있다. 이렇게 글쓴이의 고향처럼 세월이 흘러 모든 것이 다 변하게 된 것을 표현하는 속담으로는 '십 년이면 강산도 변한다'가 적절하다.

12 예지가 본 방송 프로그램에 나온 꼬마는 6살인데도 고등학생 수준의 어려운 수학 문제를 풀어낼 만큼 뛰어나다. '될성부른 나무는 떡잎부터 알아본다'는 잘될 사람은 어려서부터 남달리 장래성이 엿보인다는 뜻이므로, 미래에 훌륭한 수학자가 될 것 같은 이 꼬마의 사례를 표현하는 속담으로 적절하다.

---

19 일차　**01 과학 주제어** _화학

1단계 **문맥으로 어휘 확인하기** | 본문 158쪽 |

(1) 용해　(2) 성분　(3) 결정　(4) 혼합물　(5) 동적 평형
(6) 합성　(7) 미시적, 거시적

2단계 **문제로 어휘 익히기** | 본문 159쪽 |

1 (1) ○　(2) ○　(3) ✕　　**2** (1) 혼합물　(2) 미시적　(3) 거시적　　**3** (1) 결정　(2) 성분　　**4** ④

4 제시된 글에서는 물에 녹기 전 설탕과 물의 무게를 합한 것과, 물에 녹은 후 설탕물의 무게가 같음을 설명하고 있다. 따라서 빈칸에는 '녹거나 녹이는 일'을 뜻하는 '용해'가 들어가는 것이 가장 적절하다.

오답 풀이 ❶ '분해'는 '여러 부분이 결합되어 이루어진 것을 그 낱낱으로 나눔'을 의미하는 단어이므로, 빈칸에 어울리지 않는다.

❷ '와해'는 '조직이나 계획 따위가 산산이 무너지고 흩어짐'을 뜻하는 단어이므로, 빈칸에 어울리지 않는다.

❸ '곡해'는 '사실을 옳지 아니하게 해석함'을 뜻하는 단어이므로, 빈칸에 어울리지 않는다.

❺ '저해'는 '막아서 못 하도록 해침'을 뜻하는 단어이므로, 빈칸에 어울리지 않는다.

---

19 일차　**02 기술 주제어** _설계

1단계 **문맥으로 어휘 확인하기** | 본문 160쪽 |

(1) 지반　(2) 하중　(3) 질량　(4) 성립　(5) 지지
(6) 배열　(7) 제어　(8) 유용성　(9) 공학적

2단계 **문제로 어휘 익히기** | 본문 161쪽 |

1 (1) ㉡　(2) ㉠　(3) ㉢　　**2** (1) 유용성　(2) 성립　(3) 하중
3 (1) 제어　(2) 지지　　**4** ④

4 제시된 글의 내용을 보면 우리나라 휴대 전화는 한글 창제의 기본 원리를 적용하여 자판의 위치를 정했음을 알 수 있다. 따라서 빈칸에는 '일정한 차례나 간격에 따라 벌여 놓음'을 뜻하는 '배열'이 가장 어울린다.

오답 풀이 ❶ '배분'은 '몫몫을 비례에 맞추어 나눔'을 뜻하므로, 문맥에 어울리지 않는다.
❸ '배제'는 '받아들이지 아니하고 물리쳐 제외함'을 뜻하므로, 문맥에 어울리지 않는다.

3단계 독해로 어휘 다지기 | 본문 162~163쪽 |

1 ②   2 ③   3 ③

[일상 속에 존재하는 동적 평형의 상태]

■ **해제** 이 글은 동적 평형의 개념을 설명하고, 동적 평형이 나타나는 일상적 사례를 제시하고 있다. 글쓴이는 설탕의 용해 과정을 통해 동적 평형의 개념을 알기 쉽게 풀이하고 있으며, 물이 담긴 그릇에 뚜껑을 덮어 두었을 때 물이 변화하는 양상을 제시하여 동적 평형 상태에 이르는 과정을 자세히 알려 주고 있다.

■ **주제** 동적 평형의 개념과 사례

■ **특징** • 중심 화제와 관련된 다양한 사례를 제시하고 변화 과정을 자세히 설명하여 독자의 이해를 도움
• 화제의 범위를 확장하며 글을 마무리함

■ **구성**

1문단	설탕의 용해 과정을 통해 본 동적 평형의 개념
2문단	동적 평형에 도달하는 과정과 사례
3문단	생태계에도 적용되는 동적 평형

독해 체크

1 평형   2 ❶ 용해 ❷ 과정   3 생태계   3 동적 평형

1 ⓐ '미시적'은 '사람의 감각으로 직접 알아볼 수 없을 만큼 몹시 작은 현상에 관한 것'을 뜻하고, ⓑ '거시적'은 '사람의 감각으로 알아볼 수 있을 정도의 것'을 뜻한다. 따라서 ⓐ와 ⓑ는 의미상 서로 반대되는 관계에 있다고 볼 수 있다. ②의 '절대적'은 '비교하거나 상대될 만한 것이 없는 것'을 뜻하고, '상대적'은 '서로 맞서거나 비교되는 관계에 있는 것'을 뜻하므로, 이 역시 의미상 반대되는 관계에 있다.

오답 풀이 ❶ '비관적'은 '인생을 어둡게만 보아 슬퍼하거나 절망스럽게 여기는 것'을 뜻하고, '절망적'은 '바라볼 것이 없게 되어 모든 희망을 끊어 버리는 것'을 뜻하므로, 둘은 비슷한 의미를 지니고 있다.
❸ '정치적'은 '정치와 관련된 것'을 뜻하고, '경제적'은 '인간의 생활에 필요한 재화나 용역을 생산·분배·소비하는 모든 활동에 관한 것'을 뜻하므로, 둘은 의미상 대등한 관계이다.
❹ '상징적'은 '추상적인 개념이나 사물을 구체적인 사물로 나타내는 것'을 뜻하고, '비유적'은 '어떤 현상이나 사물을 다른 비슷한 현상이나 사물에 빗대어서 설명하는 것'을 뜻하므로, 둘은 의미상 대등한 관계이다.
❺ '창조적'은 '새로운 것을 만들어 내는 일과 관련되는 것'을, '생산적'은 '생산에 관계되는 것'을 뜻하므로, 둘은 비슷한 의미를 지니고 있다.

2 2문단에서는 물이 담긴 그릇에 뚜껑을 덮어 두었을 때 물의 양이 어떻게 변화하는지 설명함으로써 동적 평형에 이르는 과정을 알려 주고 있다. 그러나 이때 그릇의 모양에 따라 동적 평형에 이르는 속도에 차이가 있는지는 언급하고 있지 않으므로 ③은 적절하지 않은 내용이다.

오답 풀이 ❶ 1문단에서 설탕이 결정 상태에서 물에 용해된 상태로 변화하는 과정을 통해 동적 평형이 무엇인지 풀이해 주고 있다.
❷ 2문단에서 물이 담긴 그릇에 뚜껑을 덮어 두면 처음에는 물의 양이 줄어들지만, 어느 정도 시간이 지나면 더 이상 줄어들지 않는다고 언급하며 물의 양이 변화하는 양상을 설명하였다.
❹ 2문단의 마지막 문장에서 밀봉된 병이나 캔 속의 음료수가 오랜 시간이 지나도 그 부피가 줄어들지 않는 것은 동적 평형 상태에 도달했기 때문이라고 하였다.
❺ 3문단에서 생태계 에너지 피라미드가 균형 상태에 있는 것처럼 보이는 것도 결국 동적 평형 상태를 유지하고 있기 때문이라고 언급하며 화제의 범위를 확장하면서 글을 마무리하였다.

3 공기가 차단된 용기에 나프탈렌을 넣으면 처음에는 분자의 증발이 일어나지만, 시간이 지나면 밀폐된 용기 안에서 다시 분자가 응결되는 속도와 증발되는 속도가 같아지게 되어 나프탈렌의 크기가 일정하게 유지되는 동적 평형 상태가 된다.

오답 풀이 ❶ 가열된 고기가 원래의 색과 모양을 잃어버리는 것은 평형이 깨진 상태이다.
❷ 양팔저울에 올려 놓은 두 물체의 무게가 일치하는 것은 완벽한 평형이 이루어져 변화가 없는 상황이므로, 미시적인 움직임이 끊임없이 일어나는 동적 평형 상태라고 보기 어렵다.
❹ 막대 하나를 부러뜨린 것과 막대 여러 개를 묶어 부러지지 않는 것 모두 평형이 이루어지지 않는 상태이다.
❺ 모래성이 수분을 잃어버려 본래의 모습으로 돌아오지 않는 것은 평형이 깨진 상태이다.

20일차 01 예술 주제어 _ 예술 일반

1단계 문맥으로 어휘 확인하기 | 본문 164쪽 |

(1) 경외   (2) 전위적   (3) 식견   (4) 모방   (5) 복원
(6) 압도   (7) 걸작   (8) 기법   (9) 거장   (10) 추앙

2단계 문제로 어휘 익히기 | 본문 165쪽 |

1 (1) × (2) ○ (3) ×   2 (1) 기법 (2) 식견 (3) 모방
3 (1) 경외 (2) 전위적   4 ④

1 (1) '높이 받들어 우러러보다.'는 '압도하다'가 아니라 '추앙하다'의 의미에 해당한다.

(3) '식견'은 '새로운 사물을 창조할 수 있는 능력'이 아니라 '사물을 분별할 수 있는 능력'을 이르는 말이다.

4 '원래대로 회복함'을 뜻하는 '복원'은 문맥상 어느 곳에도 어울리지 않는다.

[오답 풀이] ❶ ㉠ 앞에 제시된 '이 세 명'은 미켈란젤로, 라파엘로, 레오나르도 다빈치를 지시하므로, ㉠에는 '예술, 과학 따위의 어느 일정 분야에서 특히 뛰어난 사람'을 뜻하는 '거장'이 들어가야 한다.

❷ ㉣에는 세 명의 예술가가 창작한 뛰어난 작품을 지시하는 말이 들어가야 하므로 '매우 훌륭한 작품'을 뜻하는 '걸작'이 어울린다.

❸ ㉡ 앞에는 '독창적인'이라는 말이 있으므로, ㉡에는 '기교를 나타내는 방법'을 뜻하는 '기법'이 어울린다.

❺ ㉢에는 많은 사람들이 이러한 작품들을 우러러본다는 의미가 들어가야 하므로 '높이 받들어 우러러봄'을 의미하는 '추앙'이 적절하다.

20일차 02 예술 주제어_예술 비평

1단계 문맥으로 어휘 확인하기 | 본문 166쪽 |

(1) 매료 (2) 심오 (3) 식별 (4) 향유 (5) 해독
(6) 지각 (7) 피상적 (8) 예술 비평

2단계 문제로 어휘 익히기 | 본문 167쪽 |

1 (1) ㉡ (2) ㉢ (3) ㉠ **2** (1) 지각 (2) 예술 비평 (3) 해독
3 (1) 피상적 (2) 식별 **4** ①

4 제시된 글의 전체적인 내용을 볼 때, 빈칸에는 예술을 누리고 즐긴다는 의미의 단어가 들어가는 것이 어울린다. 따라서 '누리어 가짐'을 의미하는 '향유'가 들어가는 것이 가장 적절하다.

[오답 풀이] ❷ '소유'는 '가지고 있음'을 뜻하므로 빈칸에 어울리지 않는다.

❸ '사유'는 '대상을 두루 생각하는 일'을 뜻하므로 빈칸에 어울리지 않는다.

❹ '공유'는 '두 사람 이상이 한 물건을 공동으로 소유함'을 뜻하므로 빈칸에 어울리지 않는다.

❺ '점유'는 '물건이나 영역, 지위 따위를 차지함'을 뜻하므로 빈칸에 어울리지 않는다.

3단계 독해로 어휘 다지기 | 본문 168~169쪽 |

1 ④ **2** ② **3** ②

[미적 지각의 단계]

■ **해제** 이 글은 미적 지각이 시작될 때 예술 작품이 미적 대상이 될 수 있다는 미학자 뒤프렌의 견해를 소개하고 있다. 이 글에서는 미적 지각의 중요성을 강조한 후 미적 지각의 세 단계인 현전, 표상, 반성에 대해 설명하고 있다. 글쓴이는 뒤프렌이 이러한 미적 지각의 세 단계를 거치면서 예술 작품을 보다 심오하게 이해할 수 있다고 보았음을 강조하였다.

■ **주제** 미적 지각의 중요성과 단계

■ **특징** • 도입부에서 구체적인 상황에 대한 질문을 제시하여 주의를 환기함
• 예술 작품의 감상을 단계별로 구체적인 사례를 들어 설명함

■ **구성**

1문단	미적 지각의 중요성을 강조한 뒤프렌
2문단	미적 지각의 첫 번째 단계 – 현전
3문단	미적 지각의 두 번째 단계 – 표상
4문단	미적 지각의 세 번째 단계 – 비평적 반성과 공감적 반성

독해 체크

1 미적 지각 **2** ❶ 뒤프렌 ❷ 현전 ❸ 표상 ❹ 비평적, 공감적 **3** 단계

1 ㉣의 '취하다'는 '어떤 특정한 자세를 하다.'라는 의미이지만, ④의 '취하다'는 '자기 것으로 만들어 가지다.'라는 의미이므로 ㉣과는 문맥적 의미가 유사하지 않다.

[오답 풀이] ❶ ㉠과 마찬가지로 '알아서 깨달음'의 의미로 쓰였다.

❷ ㉡의 '심오하다'와 마찬가지로 '사상이나 이론 따위가 깊이가 있고 오묘하다.'라는 의미로 쓰였다.

❸ ㉢의 '매료되다'와 마찬가지로 '마음이 완전히 사로잡혀 홀리게 되다.'라는 의미로 쓰였다.

❺ ㉤의 '그치다'와 마찬가지로 '더 이상의 진전이 없이 어떤 상태에 머무르다.'라는 의미로 쓰였다.

2 1문단에서 예술 작품은 미적 지각이 시작될 때 미적 대상이 된다고 하면서 미적 지각의 중요성을 강조한 후에, 이어지는 나머지 문단에서 미적 지각의 변화 양상을 단계별로 설명하고 있다. 따라서 표제로는 미적 지각의 단계에 대한 내용이 적절하다. 그리고 각 단계마다 미적 대상으로서의 예술 작품을 어떻게 이해할 수 있는지 설명하고 있으므로, 미적 대상과의 관계에 대한 내용이 부제로 알맞다.

[오답 풀이] ❶ 미적 대상이 지닌 특성에 대한 내용은 이 글의 내용 중 일부로, 각 문단에서 간략히 언급하고 있으므로 표제로 적절하지 않다.

❸ 미적 체험이 형성되는 과정에 대한 내용은 드러나지 않는다.

❹ 미적 지각과 미적 대상과의 관계를 설명하고 있으나, 감상자의 감정에 대한 내용은 마지막 문단에서만 언급되기 때문에 부제로 적절하지 않다.

❺ 미적 대상의 역동성에 대한 내용은 드러나지 않는다.

3 3문단을 통해 시공간적 내용을 덧붙이는 것은 감상자의 상상력에 의한 표상 단계임을 알 수 있고, 4문단을 통해 감상자가 작품 속에 직접 참여하는 것은 공감적 반성의 단계임을 알 수 있다. 따라서 시공간적 내용을 덧붙임으로써 감상자가 작품 속에 직접 참여하게 된다는 반응은 적절하지 않다.

<u>오답 풀이</u> ❶ 1문단에서 미적 지각의 단계를 거치면서 미적 대상을 점점 더 심오하게 이해한다고 하였으므로 적절한 반응이다.

❸ 2문단에서 현전은 감상자가 색채, 명암, 질감 등에 매료되어 특정한 신체적 자세를 취하는 상태를 의미한다고 하였으므로 적절한 반응이다.

❹ 4문단에서 뒤프렌은 비평적 반성만으로는 작품에 대한 이해가 피상적 수준에 그친다고 보았고, 객관적 분석만을 하다 보면 작품 속에 담긴 내면적 의미까지는 이해하지 못한다고 하였음을 제시하고 있으므로 적절한 반응이다.

❺ 4문단에서 공감적 반성 단계에서는 감상자가 예술가의 감정이 표현된 세계와 자신의 내면세계가 일치함을 느낀다고 하였으므로 적절한 반응이다.

11 관용 표현 '시치미를 떼다'는 고려 시대에 아주 성했던 매 사냥으로부터 유래한다. 매 사냥은 매를 통해 꿩과 같은 동물을 사냥하는 것인데, 과거 매 사냥이 성하던 시절 남이 길들인 매를 훔쳐 가는 사람들이 종종 있었다. 그래서 이를 막고자 매의 꽁지깃 속에 주인을 밝히기 위한 표지를 달았는데, 이것이 바로 '시치미'이다. 그런데 매를 발견한 사람이 욕심을 부려 시치미를 떼어 버리고는 자기 매라고 우기는 경우가 있어, 이로부터 자기가 해 놓고도 아닌 척하거나, 모르는 척할 때 '시치미를 떼다'고 표현하게 된 것이다.

14 제시된 문장은 우두머리가 정확히 나아가야 할 방향을 잡아야 한다는 의미이므로, '일이나 가야 할 곳의 방향을 잡다.'라는 의미의 관용 표현 '키를 잡다'가 들어가는 것이 적절하다. 여기서 '키'는 배의 방향을 조정하는 장치로 둥근 원 모양으로 좌우를 돌릴 수 있게 되어 있다. 따라서 '키를 쥐다'가 아닌 '키를 잡다'라고 표현하는 것이 자연스럽다.

수능독해 특강 체크 주제별로 알아보는 관용 표현

사물과 관련된 관용 표현 | **본문** 172~173쪽 |

01 백기 들다   02 코 묻은 돈   03 깡통을 차다   04 키를 잡다   05 돈을 굴리다   06 바가지를 긁다   07 찬물, ⓒ
08 칼자루, ㉠   09 쓰다, ⓛ   10 돈방석   11 시치미
12 책상머리   13 백기   14 잡고   15 차고

01~06

키	동	돈	체	아	긁	공	코	오
깡	통	을	차	다	떼	을	묻	굴
동	물	굴	을	상	머	리	은	상
에	랑	리	키	절	칼	자	돈	돌
추	오	다	시	찬	물	내	방	자
다	고	에	아	책	을	키	석	설
을	마	바	가	지	를	긁	다	당
를	리	머	찬	잡	고	가	대	사
백	기	들	다	만	시	치	마	을

중등 수능독해

실전과 기출문제를 통해 어휘와 독해 원리를 익히며 단계별로 단련하는 수능 학습!

대표전화 1544-0554
주소 서울특별시 구로구 디지털로33길 48 대륭포스트타워 7차 20층
협의 없는 무단 복제는 법으로 금지되어 있습니다.